原子力施設における建築物の
維持管理指針・同解説

AIJ Guidelines for Maintenance and Management
of Structures in Nuclear Facilities

2008　制　定
2024　改　定

日本建築学会

本書のご利用にあたって
　本書は，作成時点での最新の学術的知見をもとに，技術者の判断に資する技術の考え方や可能性を示したものであり，法令等の補完や根拠を示すものではありません．また，本書の数値は推奨値であり，それを満足しないことが直ちに建築物の安全性を脅かすものでもありません．ご利用に際しては，本書が最新版であることをご確認ください．本会は，本書に起因する損害に対しては一切の責任を有しません．

ご案内
　本書の著作権・出版権は(一社)日本建築学会にあります．本書より著書・論文等への引用・転載にあたっては必ず本会の許諾を得てください．
Ⓡ＜学術著作権協会委託出版物＞
　本書の無断複写は，著作権法上での例外を除き禁じられています．本書を複写される場合は，学術著作権協会（03-3475-5618）の許諾を受けてください．

　　　　　　　　　　　　　　　　　　　　　　一般社団法人　日本建築学会

原子力施設における建築物の維持管理指針・同解説　改定の主旨

—2024年1月改定版—

　本指針は，原子力発電所の建築物に要求される機能を長期間にわたって維持するために実施する維持管理の標準を示す指針として，2008年に制定された．これにより日常的な点検から経年を踏まえた建築物の健全性評価（高経年化技術評価）にわたる幅広い維持管理活動に寄与してきた．

　その後，2015年には，劣化事象，劣化要因等に関する国内外の調査結果に基づいて，技術的な最新知見を反映するとともに，プレストレストコンクリート製原子炉格納容器の維持管理方法，中径コアによる圧縮強度試験方法，鋼板コンクリート構造物のコンクリートの特性を把握する方法を付録として追加した改定版が制定された．

　2020年度から約4年間の議論を経て「原子力施設における建築物の維持管理指針・同解説」（2024年改定版）が刊行される運びとなった．維持管理情報収集ワーキンググループで素案を作り，都度，原子力建築維持管理小委員会で取りまとめ，原子力建築運営委員会で報告してきた．

　小委員会および運営委員会の議事内容は本会のホームページで，その概要を公開し，また，小委員会および運営委員会には委員の他にオブザーバの参加を認めてきた．最終案が出来上がって，運営委員会で内部査読を行い，同時進行で材料施工委員会に意見を求めた．その後，構造委員会で査読し，パブリックコメント（会員限定）を求めた．指針改定案の策定過程で，公正性，公平性，公開性は，実質的に，かなり高い水準で確保しえたものといえよう．本指針・同解説を有効に利用していただけることを期待している．

　今回の改定では，最新の知見については技術的な有用性を検討した上で反映を判断するという基本的な考え方に基づき，国内外の劣化事象，劣化要因等に関する最新の調査結果のうち，中性子照射に対する評価値の変更，熱影響による強度変動や中性化による劣化機構等に関する技術的な知見を反映した．また，材料レベルで行う健全性評価を「一次評価」，一次評価を超えた場合に対策の一環として部材や構造体を対象に実施する健全性評価を「二次評価」と定義し，それらの関係を明確にした．

　今後，原子力発電所の運転期間が40年を超えて50年，60年とさらに長期化するに従って，新しい劣化事象や劣化要因が明らかになると考えられる．そこで新たな知見が得られた場合は，必要に応じ本指針の見直しを検討することとしたい．

2024年1月

日本建築学会

原子力施設における建築物の維持管理指針・同解説　改定の主旨

—2015年12月改定版—

　原子力施設を安心して長期間使用するためには，適正な設計，施工および維持管理が重要である．
　運転を開始してから30年を越える原子力発電所が増加する中，これまでの設計および施工に加えて，原子力施設に対する維持管理の重要性が増してきている．しかしながら，原子力施設の建築物の維持管理は事業者によって行われ，統一した規格や指針がなかった．
　このような背景の中，本指針は，原子力発電所の建築物に要求される機能を長期間にわたって維持するために実施する維持管理の標準を示す指針として，2008年に制定された．これにより日常的な点検から経年を踏まえた建築物の健全性評価（高経年化技術評価）にわたる幅広い維持管理活動に寄与してきた．
　一方，2008年刊行の指針では，コンクリート製原子炉格納容器は適用対象外であったが，近年，これらの高経年化技術評価に向けて，指針を整備することが必要となった．さらに，2011年3月の福島第一原子力発電所事故を契機として，新たな規制基準が導入され，国民に原子力発電所の安全性をより合理的に説明することが求められるようになり，その一環として，指針を充実することが必要となった．
　また，原子力施設の長期安全運転は，原子力発電所を保有する国々の共通の課題となっている．運転を開始してから30年を超える原子力発電所は国際的にも年々増加しており，国際原子力機関（IAEA）および米国原子力規制局（US-NRC）における調査結果ならびにコンクリート工学にかかわる最新知見の調査結果より，当初想定していなかった劣化事象や劣化要因の存在が明らかとなっている．
　そこで，今回の改定では，コンクリート製原子炉格納容器の中でもより喫緊の課題であるプレストレストコンクリート製原子炉格納容器の維持管理方法を付録として追加した．維持管理方法の高度化のために，建築物の損傷を低減できる中径コアによる圧縮強度試験方法や従来困難であった鋼板コンクリート構造物のコンクリートの特性を把握する方法を付録として追加した．また，維持管理のための点検は，目視による方法や非破壊による方法を基本とし，建築物へ損傷を与える局部破壊による方法を抑制することが重要であるという本指針の基本的な立場を明確に示すために，本指針の2章「維持管理の基本」や6章「点検」において記載の充実を図った．さらに，当初想定していなかった劣化事象，劣化要因など，国内外の最新の調査結果に基づいて技術的な最新知見を指針に反映した．
　2009年度に本会の原子力建築に関する委員会組織が改組された．それまでの数年間，構造委員会に直属していた「原子力建築小委員会」を「原子力建築運営委員会」とし，運営委員会のもとにいくつかの「小委員会」を設置することになった．約3年間の議論を経て「原子力施設における建築

物の維持管理指針・同解説」（2015年改定版）が刊行される運びとなった．高経年化評価WGおよび維持管理指針改定準備WGで素案を作り，都度，原子力建築物維持管理小委員会で取りまとめ，原子力建築運営委員会で報告してきた．

　小委員会および運営委員会の議事内容は本会のホームページで，その概要を公開し，また，小委員会および運営委員会には委員の他にオブザーバの参加を認めてきた．最終案が出来上がって，運営委員会で内部査読を行い，同時進行で材料施工委員会に意見を求めた．その後，パブリックコメントを求め，構造委員会で査読した．指針改定案の策定過程で，公正性，公平性，公開性は，実質的に，かなり高い水準で確保しえたものといえよう．本指針・同解説を有効に利用していただけることを期待している．

　今後，原子力発電所の運転期間が40年を超えて50年，60年とさらに長期化するに従って，新しい劣化事象や劣化要因が明らかになると考えられる．そこで新たな知見が得られた場合は，必要に応じ本指針の見直しを検討することとしたい．

2015年12月

日本建築学会

序

　我が国の原子力施設は，独立行政法人原子力安全基盤機構が発行した『平成19年度版原子力施設運転管理年報』によれば，2007年3月（平成18年度末）時点で，電気事業用原子力発電所で55基（出力は約5千万kW），核燃料加工で6施設，核燃料再処理で1施設，放射性廃棄物廃棄で4施設が運転中である．これら原子力施設を適正な設計，施工および維持管理によって，安心して長期間使用することの利点は論ずるまでもなく，原子力施設における建築物は，その骨格ともいうことができる．

　原子力施設の建築物の設計および施工に関して，本会はこれまで応分に貢献し，関連する指針類も作成してきた．それらには，『原子力用コンクリート格納容器設計指針案・同解説』，『原子炉建屋構造設計指針・同解説』，『建築工事標準仕様書・同解説 JASS 5N 原子力発電所施設における鉄筋コンクリート工事』，『原子力施設鉄筋コンクリート構造計算規準・同解説』などがある．更に，関連する日本電気協会の指針や日本機械学会の規格類の策定にも本会会員が協力してきた．

　現在，日本原子力発電敦賀発電所1号機（1970年3月運開），関西電力美浜発電所1号機（1970年11月運開），東京電力福島第一原子力発電所1号機（1971年3月運開）を始め，運転を開始してから30年を越える原子力発電所が13基にのぼり，これまでの設計および施工に加えて，原子力施設に対する維持管理の重要性が増してきている．維持管理は，設計時に期待していた特性を維持させるといった単純な考え方では不合理になる場合があり，設計時の想定特性に加えて，実在建築物からの情報，新たな知見などを総合判断して，必要とされる機能が保持されるようにしていくことが肝要である．また，各事業者間の情報交換も重要である．これまで，原子力施設の建築物の維持管理は事業者によって行われてきたが，統一した規格や指針といったものはなかった．このような背景の中，本会において，原子力施設の維持管理指針を策定することに対する要求が強くなり，また，その機運が高まってきた．2005年度（平成17年度）より，本会構造委員会の下に原子力建築小委員会が設置され，その目的の一つに，維持管理指針の作成があげられた．

　約2年間の議論を経て，『原子力施設における建築物の維持管理指針・同解説』の素案が出来上がった．小委員会には，委員の他に，オブザーバの参加を認め，議事内容は，議事録概要版で公開してきた．素案に対して，材料施工委員会に意見を求め，修正し，構造委員会で査読した．最終的に，刊行委員会で本指針・同解説の刊行を認めた．その策定過程で，公正性，公平性，公開性は，実質的に，かなり高い水準で確保しえたものといえよう．本指針・同解説を有効に利用していただけることを期待している．

　2008年　7月

　　　　　　　　　　　　　　　　　　　　　　　　　　　　　　　　　　　日本建築学会

本書作成関係委員
— （五十音順・敬称略）—

構造委員会

委員長	五十田 博				
幹　事	楠　浩一	永野 正行	山田　哲		
委　員	（略）				

原子力建築運営委員会

主　査	瀧口 克己			
幹　事	梅木 芳人			
委　員	阿比留 哲生	宇賀田　健	圓　幸史朗	大橋 泰裕
	尾形 芳博	小野木 隆浩	川崎 真治	菊地 利喜郎
	北山 和宏	楠　浩一	小柳 貴之	紺谷　修
	高橋 庸介	高濱 研自	綱嶋 直彦	藤井 淳一
	前田 匡樹	前中 敏伸	丸山 一平	棟方 善成
前委員	赤司 二郎	小川　裕	小竹 栄治	小野 英雄
	橘 高義典	武井 邦生	巽　誉樹	続　博誉
	野尻 揮一朗	増田 博雄	若松 和範	

原子力建築維持管理小委員会

主　査	瀧口 克己			
幹　事	梅木 芳人			
委　員	赤瀬 竜也	足立 高雄	小川　勤	岸本 一蔵
	木村　博	澤田 祥平	神野 貴紀	徳永 将司
	中山 晶夫	松沢 晃一	丸山 一平	光木 史朗
	山田　哲			
前委員	池内 俊之	北川 高史	坂詰 義幸	笹沼 美和
	島本　龍	田中 秀樹	前中 敏伸	増田 博雄

維持管理情報収集ワーキンググループ

主　査	瀧口 克己			
幹　事	梅木 芳人			
委　員	足立 高雄	石川 俊介	小川　勤	岸本 一蔵
	高下　真	坂詰 義幸	高木 憲三郎	樽井 幸一

寺本篤史　徳永将司　松沢晃一　丸山一平
森山晃宏
前委員　一谷匡陛　島本　龍

原子力施設における建築物の維持管理指針・同解説

目　次

	本文ページ	解説ページ

1章　総　則
　1.1　目　的 …………………………………………………………………………… 1 ……… 9
　1.2　適用範囲 ………………………………………………………………………… 1 ……… 12
　1.3　用　語 …………………………………………………………………………… 1 ……… 13

2章　維持管理の基本 ………………………………………………………………… 3 ……… 20

3章　要求機能とそれに関連する性能 ……………………………………………… 4 ……… 28

4章　劣化事象および劣化要因 ……………………………………………………… 4 ……… 34

5章　維持管理計画の策定
　5.1　維持管理の区分 ………………………………………………………………… 4 ……… 64
　5.2　維持管理計画の策定 …………………………………………………………… 5 ……… 69

6章　点　検
　6.1　点検の区分 ……………………………………………………………………… 5 ……… 74
　6.2　定期点検 ………………………………………………………………………… 5 ……… 75
　6.3　臨時点検 ………………………………………………………………………… 6 ……… 90

7章　健全性評価
　7.1　健全性評価の概要 ……………………………………………………………… 6 ……… 96
　7.2　現状の健全性評価 ……………………………………………………………… 6 ……… 96
　7.3　長期的な健全性評価 …………………………………………………………… 6 ……… 103

8章　対策と効果の確認 ……………………………………………………………… 6 ……… 110

9章　記　録 …………………………………………………………………………… 7 ……… 116

付　録
　付録 I.1　健全性評価における評価基準の設定に関する資料 ………………………………… 119
　付録 I.2　進展予測式に関する資料 ……………………………………………………………… 178
　付録 I.3　アルカリ骨材反応に対する対策の事例 ……………………………………………… 192

付録 I.4	MMS-001 コンクリートからの中径コアの採取方法および 　　　　　中径コア供試体を用いた圧縮強度試験方法（案）	……………200
付録 I.5	MMS-002 鋼板コンクリート構造物の内部コンクリートの 　　　　　弾性波伝搬速度計測方法（案）	……………………………205
付録 II	原子力施設における建築物の維持管理指針　解説 （プレストレストコンクリート製原子炉格納容器［PCCV］編）	……………210

原子力施設における建築物の維持管理指針

原子力施設における建築物の維持管理指針

1章　総　　則

1.1　目　的
本指針は，原子力施設の建築物に要求される機能を供用期間にわたって維持するために実施する維持管理の標準を示すものである．

1.2　適用範囲
a. 本指針は，原子力施設の建築物のうち，主要なコンクリート構造物および鉄骨構造物の維持管理に適用する．
b. 本指針は，経年的な劣化および突発的な劣化に関わる建築物の維持管理に適用する．

1.3　用　語
本指針では，次のように用語を定義する．

原子力施設	原子力発電所，使用済燃料貯蔵施設および核燃料サイクル施設を構成する構築物，系統および機器の総称．
建築物	土地に定着する工作物のうち，屋根および柱もしくは壁を有するもの（これに類する構造のものを含む）で，これに付属する排気筒も含まれる．
構造体	想定する荷重に対して複数の部材によって抵抗する全体系．例えば，壁構造体，フレーム構造体など．
部材	構造体を構成する単位となる部分．例えば，柱，梁，耐力壁，屋根スラブ，床スラブ，基礎など．
供用期間	原子力施設の建築物に機能が要求される期間．
維持管理	建築物の機能を維持する目的で行う諸活動．
機能	目的または要求に応じて建築物が果たす役割．
要求機能	原子力施設としての目的または要求に応じて建築物が備えなければならない機能．
使用機能	建築物に求められる一般的な機能．
支持機能	通常時や地震時において主要な設備・機器を支持する機能．
耐圧機能	圧力に耐える機能で，コンクリート製原子炉格納容器においては，コンクリート部に要求される機能．

遮蔽機能	一般公衆や放射線業務従事者に対し，放射線被ばく上の影響を及ぼすことのないよう，放射線量を所定のレベルまで低減する機能．

漏えい防止機能
: 設定した区域から外へ液体の放射性物質が漏えいすることを防止する機能．

負圧維持機能
: 放射性物質の外部放散を抑制するために，換気空調設備により原子力施設の一部のエリアを負圧に維持する機能．

波及的影響の防止機能
: 建築物の破損，落下または転倒により，設備・機器の機能を阻害しない機能．

性能
: 機能を満たすために求められる具体的な能力．

使用性
: 建築物の使い勝手に関する性能の総称であり，常時荷重下におけるたわみ増大や有害な振動を制限する性能，通常の降雨および水の使用による漏水を防ぐ性能および部材が持つ液密や気密に関する性能．

構造安全性
: 構造体や部材が，自重，積載荷重，風荷重，雪荷重，地震荷重および疲労，衝撃などその他の特殊な外力に耐える性能．

遮蔽性
: 中性子，ガンマ線などの放射線と物質の相互作用を利用して，放射線のエネルギーを部材の構成物質に吸収させ，物質を透過する放射線量を低減する性能．

劣化
: 建築物の性能が低下すること．

経年的な劣化
: 物理的・化学的な要因により時間の経過によって生じる劣化．

突発的な劣化
: 突発的に発生する地震，台風，火災などによって生じる劣化．

劣化事象
: 建築物の構造体や部材の性能を低下させる事象．

劣化要因
: 劣化事象を生じさせる主な原因．

劣化機構
: 劣化が起きる仕組み．

点検
: 建築物の状態を把握するために行う行為．

定期点検
: 経年的な劣化に対する建築物の状態を把握するために，周期を定めて実施する点検．

臨時点検
: 突発的な劣化に対する建築物の状態を把握するために，不定期に実施する点検．

目視による方法
: 構造体や部材の変形状況や表面に現れた劣化事象，周辺の環境状況などを目視観察，簡単な器具などを用いて把握する方法で，必要に応じて実施するひび割れ計測や打音による方法も含む．

非破壊による方法
: 対象物を破壊せずに，強度および損傷の有無，位置，大きさ，形状，分布状態などを調べる方法．

局部破壊による方法
: 対象物を局部的に破壊し，強度などを調べる方法で，必要に応じて実施するコ

	ア採取による方法も含む．
健全性評価	点検や進展予測の結果に基づいて，建築物の要求機能に関連する性能について所要の性能水準を確保していることを確認する行為．
評価基準	健全性評価において判断のよりどころとなる目安値または状態で，着目する劣化事象または劣化要因ごとに定めたもの．
進展予測	劣化要因の影響程度の進展を予測すること．
対策	健全性評価結果に基づいて実施する行為の総称であり，関連規基準の変更などによって要求される性能水準が高くなった場合に実施される補強は含まない．
一次評価	建築物の健全性評価として，劣化事象または劣化要因ごとに，点検や進展予測の結果が，定められた評価基準を満足しているかどうかを確認する行為．
二次評価	一次評価を満足しない場合に実施する健全性評価の総称
補修	部分的に劣化した部位などの性能を実用上支障のない状態まで回復させる行為で，劣化の進展を遅らせるために実施する行為を含む．
効果の確認	補修した箇所に対して，補修の効果が発揮され，建築物の性能が維持されていることを確認する行為．
記録	維持管理に関する記録で，点検，健全性評価および対策と効果の確認の結果をまとめたもの．

2章 維持管理の基本

a. 本指針では，性能検証の概念に基づいて維持管理の基本的な考え方を定める．

b. 本指針による維持管理は，経年的な劣化あるいは突発的な劣化により影響を受ける建築物の性能に着目して実施する．

c. 本指針による維持管理は，現状に加えて将来にわたって原子力施設の建築物に要求される機能を維持するために，「現状の健全性を確保するための維持管理」と「長期的な健全性を確保するための維持管理」により構成される．

d. 本指針による維持管理では，建築物の損傷を抑制するために，目視による方法や非破壊による方法により点検を行う．また，局部破壊による方法が必要となる場合は，その実施を必要最小限とする．

e. 本指針による維持管理は，原子力施設の建築物に要求される機能を供用期間にわたって維持していくために，下記(1)から(8)に示す行為を基本とする．

(1) 原子力施設の建築物に要求される機能と，それに関連付けられる性能を明確にする．

(2) 着目する劣化事象とその原因となる劣化要因を，原子力施設の建築物の特徴を考慮して選定する．

(3) 着目する劣化事象および劣化要因に対して，点検，健全性評価および対策と効果の確認の基本的な考え方を定めた維持管理計画を策定する．
(4) 維持管理計画に基づき，点検計画を策定し，点検を実施する．
(5) 着目する劣化事象および劣化要因ごとに，点検や進展予測の結果に基づいて，健全性評価を実施する．
(6) 健全性評価の結果に応じた対策を講じ，必要に応じてその効果を確認する．
(7) 点検，健全性評価および対策と効果の確認の結果を記録し，保管する．
(8) 維持管理計画の策定から対策と効果の確認，記録までの一連の活動を繰り返すとともに，点検，健全性評価および対策の結果に基づいて維持管理計画を見直すことにより，維持管理の継続的な改善を図る．

3章　要求機能とそれに関連する性能

a. 維持管理において原子力施設の建築物に要求される機能は，使用機能，支持機能，耐圧機能，遮蔽機能，漏えい防止機能，負圧維持機能および波及的影響の防止機能とする．
b. 要求機能に関連する性能は構造安全性，使用性および遮蔽性とし，確保すべき性能水準は，建築物に対する要求機能，環境条件，使用条件などを考慮して定める．

4章　劣化事象および劣化要因

維持管理において着目する劣化事象および劣化要因を，原子力施設の建築物の特徴を考慮してコンクリート構造物と鉄骨構造物のそれぞれについて選定する．

5章　維持管理計画の策定

5.1　維持管理の区分

a. 本指針で対象とする維持管理は，「現状の健全性を確保するための維持管理」および「長期的な健全性を確保するための維持管理」の二つに区分する．
b. 「現状の健全性を確保するための維持管理」では，現時点において建築物が健全な状態にあることを確認するために，経年的な劣化を対象にした点検（現状の健全性評価のための定期点検）および突発的な劣化を対象にした点検（臨時点検）を行い，劣化事象の有無もしくはその程度を評価し，必要に応じた対策を講じる．

c.「長期的な健全性を確保するための維持管理」では，将来にわたって建築物の機能を維持することを目的に，経年的な劣化を対象にした点検（長期的な健全性評価のための定期点検）を行い，劣化事象が現れる前から，その原因である劣化要因の影響の程度を把握するとともに，進展予測などにより長期的な影響を評価し，必要に応じた対策を講じる．

5.2 維持管理計画の策定

a. 維持管理の実施に先立って，以下の項目を定めた維持管理計画を策定する．
　(1) 対象とする建築物
　(2) 着目する劣化事象および劣化要因
　(3) 維持管理の実施体制
　(4) 点検および健全性評価の実施時期・実施間隔
　(5) 点検の方法
　(6) 健全性評価の方法
　(7) 対策と効果の確認の方法
　(8) 記録・保管の方法
　(9) 維持管理計画の評価の方法

b. 点検，健全性評価および対策と効果の確認の結果に基づいて，維持管理計画の妥当性について評価し，必要に応じ見直しを行う．

6 章　点　　検

6.1 点検の区分

a. 点検は，周期を定めて実施する定期点検および不定期に実施する臨時点検の二つに区分する．
b. 定期点検は，経年的な劣化の状況の把握を目的として実施する．
c. 臨時点検は，地震，台風，火災などによって生じる突発的な劣化の状況の把握を目的として実施する．

6.2 定　期　点　検

a. 定期点検は，劣化事象に着目して行う現状の健全性評価のための定期点検，および劣化要因に着目して行う長期的な健全性評価のための定期点検の二つに区分する．
b. 現状の健全性評価のための定期点検は，劣化事象の程度を，目視による方法および非破壊による方法で把握することを基本とする．
c. 長期的な健全性評価のための定期点検は，劣化要因の影響の程度を，局部破壊による方法などで把握することを基本とする．

d. 定期点検の実施にあたっては，点検方法，点検対象部位，点検実施時期および点検実施体制を定めた定期点検計画を策定する．

6.3 臨時点検

a. 臨時点検は，目視による方法で行うことを基本とし，必要に応じてさらに詳細な方法で行う．
b. 臨時点検の実施にあたっては，点検方法，点検対象部位および点検実施体制を定めた臨時点検計画を策定する．

7章　健全性評価

7.1 健全性評価の概要

a. 原子力施設の建築物における健全性は，点検および進展予測の結果に基づき評価する．
b. 健全性の評価は，機能を維持するために必要な性能水準に対する現状の健全性評価および長期的な健全性評価として行う．

7.2 現状の健全性評価

a. 現状の健全性評価は，劣化事象に着目して実施する．
b. 現状の健全性評価は，現状の健全性評価のための定期点検および臨時点検の結果を，劣化事象ごとに設定した評価基準に従い区分することにより行う．

7.3 長期的な健全性評価

a. 長期的な健全性評価は，構造安全性および遮蔽性に影響を及ぼす劣化要因に着目して実施する．
b. 長期的な健全性評価は，劣化要因の影響に関する点検結果および進展予測式に基づく予測の結果を，劣化要因ごとに設定した評価基準に従い区分することにより行う．

8章　対策と効果の確認

a. 機能維持のための対策の方法は，現状の点検の継続，点検の強化および補修などとする．
b. 補修を実施した場合には，その効果を確認する．

9章 記　　録

維持管理計画，点検，健全性評価および対策と効果の確認に関する各結果は，記録し保管する．

原子力施設における建築物の維持管理指針

解　　説

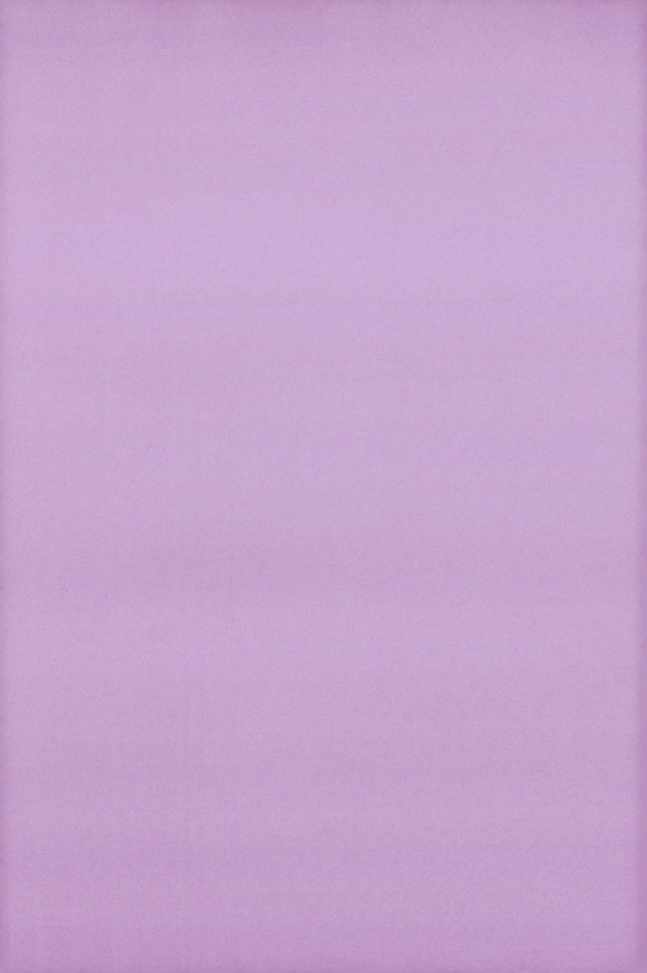

原子力施設における建築物の維持管理指針

解　　説

1章　総　　則

1.1　目　　的

> 本指針は，原子力施設の建築物に要求される機能を供用期間にわたって維持するために実施する維持管理の標準を示すものである．

　原子力施設の建築物に要求される機能を供用期間にわたって維持するためには，維持すべき要求機能を明確にした上で，定期的な点検に基づく維持管理を着実に実施することが重要である．この維持管理活動により，長期間供用することに起因して建築物に発生する可能性のあるトラブルを未然に防ぐことができると考えられる．これまで原子力施設における建築物の維持管理は，この考えに基づいて実施されてきたが，その手法は，一般の建築物や土木構造物の経年劣化に関わる知見の活用や規準の準用を基本としており，原子力施設の建築物に対して，共通に適用できる体系的な維持管理の指針は整備されていなかった．以上の背景を踏まえ，本会では，原子力施設の建築物に要求される機能を供用期間にわたって維持することを目的として，「原子力施設における建築物の維持管理指針・同解説」を作成することとした．

　我が国では，原子力施設の安全性，健全性を維持していく観点から，「実用発電用原子炉の設置，運転等に関する規則」（実用炉規則）第82条の規定に基づき，高経年化技術評価（PLM：Plant Life Management）を実施しており，その内容は国によって審査されている．さらに，「核原料物質，核燃料物質及び原子炉の規制に関する法律」（原子炉等規制法）第43条の3の32において，原子力発電所を運転することができる期間を運転開始から40年とし，その期間の満了に際し原子力規制委員会の認可を受ければ一回に限りその期間を最大20年延長することができる旨が定められている．この運転期間延長認可制度に基づく運転延長申請に際しては，申請に至るまでの間の運転に伴い生じた原子炉その他の設備の劣化の状況の把握のための点検（以下，「特別点検」という．）および高経年化技術評価等の実施によって長期間の運転に問題ないことを確認し，国の認可を受けることになる．

　米国の原子力発電所においても，原子力法により運転認可期間は運転開始から40年で，運転期間満了後は更新してよいと定められている．この40年という期間は，技術的側面ではなく，経済的側

面(減価償却期間)および独占禁止法の観点より定められた期間であり，40年を超える運転期間延長に際しては，20年間の運転認可更新(LR：License Renewal)申請を行い，米国原子力規制委員会の認可を受ける必要がある．この運転認可の更新申請回数には制限が設けられていないため，複数回の申請が可能であり，すでに二度目の運転認可更新(SLR：Subsequent License Renewal)申請を行い，80年までの運転期間延長を認可された原子力発電所が複数プラントある．

　国内でも2020年以降，40年を超える運転を行う原子力発電所が順次増加していくことが見込まれるため，原子力エネルギー協議会(ATENA)において，長期停止中の経年劣化管理の観点から考慮すべき推奨事項を提供するガイドラインが作成され，さらに運転中も含めた経年劣化管理に係る取組みとして，安全な長期運転に向けての経年劣化に関する知見拡充事項を取りまとめたレポートが作成された．

　これらの維持管理に係る制度を含めた事業者が行う定期的な維持管理については，点検の項目や評価の内容はそれぞれの維持管理の目的に応じて多少異なる部分はあるものの，点検や健全性評価の基礎となるデータや知見は，ほぼ共通となっている．そこで，本指針では，高経年化技術評価および運転期間延長認可制度における特別点検にも活用できるように維持管理の枠組みを構築するものとした．原子力施設の供用期間中の維持管理に係る制度の概要を解説表1-1に示す．

解説表 1-1　原子力施設の供用期間中の維持管理に係る制度

制度	概　要	時期・頻度
高経年化技術評価[*1]（PLM）	実用炉規則第82条第1項，第2項及び第3項に規定する機器及び構造物の経年劣化に関する技術的な評価をいう．具体的には，安全機能を有する機器・構造物に発生しているか，又は発生する可能性のあるすべての経年劣化事象の中から，高経年化対策上着目すべき経年劣化事象を抽出し，これに対する機器・構造物の健全性について評価を行うとともに，現状の保守管理が有効かどうかを確認し，必要に応じ，追加すべき保全策を抽出すること．	運転開始後30年を経過する前に，およびその後10年を超えない期間ごとに実施
運転期間延長認可制度[*2*3]（特別点検）	核原料物質，核燃料物質及び原子炉の規制に関する法律　第43条の3の32第1項の発電用原子炉を運転することができる期間を延長する場合には，同条第4項及び実用炉規則第113条第2項第2号に掲げる原子炉その他の設備の劣化の状況に関する技術的な評価の結果，延長しようとする期間において，同評価の対象となる機器・構造物が要求事項に適合すること，又は同評価の結果，要求事項に適合しない場合には同項第3号に掲げる延長しようとする期間における原子炉その他の設備に係る施設管理方針の実施を考慮した上で，延長しようとする期間において，要求事項に適合すること．	特別点検は，運転開始後35年を経過する日から40年までに実施

*1：「実用発電用原子炉施設における高経年化対策実施ガイド」(令和2年3月31日改正 原子力規制委員会)
*2：「実用発電用原子炉の運転の期間の延長の審査基準」(令和2年3月改正 原子力規制委員会)
*3：「実用発電用原子炉の運転期間延長認可申請に係る運用ガイド」(令和2年3月31日改正 原子力規制委員会)

なお，本指針に関連のある法令，規格類を以下に示す．これら法令，規格類は，平常時，地震後等の非常時に限らず建築物を含む施設の維持管理行為に際して参照できる．

（法律・政令・施行規則）
- 電気事業法，同施行令，同施行規則
- 核原料物質，核燃料物質及び原子炉の規制に関する法律，同施行令

（規則）
- 実用発電用原子炉の設置，運転等に関する規則（令和4年4月1日改正 原子力規制委員会）

（内規－審査に関するもの）
- 実用発電用原子炉施設における高経年化対策審査ガイド（令和2年3月31日改正 原子力規制庁）
- 実用発電用原子炉施設における高経年化対策実施ガイド（令和2年3月31日改正 原子力規制委員会）
- 実用発電用原子炉の運転の期間の延長の審査基準(令和2年3月改正 原子力規制委員会)

（内規－許認可等の手続きに関するもの）
- 実用発電用原子炉の運転期間延長認可申請に係る運用ガイド(令和2年3月31日改正 原子力規制委員会)

（学協会の規定・規格・ガイドに関するもの）
- 日本原子力学会標準「原子力発電所の高経年化対策実施基準：2021」（AESJ-SC-P005-2021）（日本原子力学会）
- 発電用原子力設備規格　維持規格（2020年版）JSME S NA1-2020（日本機械学会）
- 原子力安全のためのマネジメントシステム規定 JEAC 4111-2021（日本電気協会）
- 原子力発電所の保守管理規程 JEAC 4209-2021（日本電気協会）
- 原子力発電所耐震設計技術規程 JEAC 4601-2021（日本電気協会）
- 原子力発電所の火災防護規程 JEAC 4626-2021（日本電気協会）
- プラント長期停止期間中における保全ガイドライン（2020年9月 原子力エネルギー協議会）
- 安全な長期運転に向けた経年劣化に関する知見拡充レポート（2022年3月 原子力エネルギー協議会）

1.2 適用範囲

> a. 本指針は，原子力施設の建築物のうち，主要なコンクリート構造物および鉄骨構造物の維持管理に適用する．
> b. 本指針は，経年的な劣化および突発的な劣化に関わる建築物の維持管理に適用する．

a. 対象とする建築物

本指針で対象とする原子力施設の建築物は，安全上の観点から継続的に維持管理していくことが必要となるコンクリート構造物および鉄骨構造物である．ここでいうコンクリート構造物とは，鉄筋コンクリート構造物，鉄骨鉄筋コンクリート構造物，鋼板コンクリート構造物，プレストレストコンクリート構造物などである．

本指針を原子力発電所に適用する場合に対象となる建築物の例を解説表 1-2 に示す．資産として，または事業継続上の観点から維持管理していくことが必要となる建築物，例えば原子力発電所構内の事務所建物などに本指針を適用することも可能である．ただし，鉄筋コンクリート製原子炉格納容器(以下，「RCCV」という．)およびプレストレストコンクリート製原子炉格納容器(以下，「PCCV」という．)は，日本機械学会の発電用原子力設備規格の適用範囲であることから，本指針の適用対象外とするが，PCCVについては，プレストレストコンクリートとしての特有の事項があるため，付録IIに解説を別途記載する．なお，取水構造物や地中トレンチなどについては，土木構造物であることから本指針の適用対象外とする．

解説表 1-2　本指針を原子力発電所に適用する場合に対象となる主な建築物

構造種別	沸騰水型原子力発電所	加圧水型原子力発電所
コンクリート構造物	原子炉建屋（RCCV*1 を除く）	原子炉建屋（PCCV*2 を含む）
	タービン建屋	原子炉補助建屋
	コントロール建屋	タービン建屋
	廃棄物処理建屋	制御建屋
	海水熱交換器建屋	廃棄物処理建屋
鉄骨構造物	原子炉建屋（主に屋根トラス）	原子炉補助建屋（主に上部構造）
	タービン建屋（主に屋根トラス）	タービン建屋（主に上部構造）
	排気筒	開閉所
	開閉所	外周建屋（燃料取扱棟）

*1：鉄筋コンクリート製原子炉格納容器（RCCV：Reinforced Concrete Containment Vessel）
*2：プレストレストコンクリート製原子炉格納容器（PCCV：Prestressed Concrete Containment Vessel）

b. 対象とする劣化

経年的な劣化とは，物理的または化学的な要因により時間の経過とともに性能が低下することを表す．例えば，鉄筋コンクリート構造物におけるコンクリートの中性化に起因する鉄筋腐食などが相当する．

突発的な劣化は，時間の経過とともに徐々に進展するものではなく，短時間に発生するものである．原子力施設の建築物で着目する突発的な劣化を引き起こす要因としては，地震，台風，火災などがあげられる．

地震などにより原子力施設が被害を被った場合には，本指針に示す維持管理で行われる活動だけでなく，運転の継続や再開の判断に関わるさまざまな情報の収集や検討を行うことが予想される．したがって，そのような場合には，本指針のみならず，その他の指針や高度な知識を有する専門家の意見などを参考に，地震による被害を調査し，それらの被害が建築物の性能に影響を与えていないことを検討することが望まれる．

1.3 用 語

本指針では，次のように用語を定義する．	
原子力施設	原子力発電所，使用済燃料貯蔵施設および核燃料サイクル施設を構成する構築物，系統および機器の総称．
建築物	土地に定着する工作物のうち，屋根および柱もしくは壁を有するもの（これに類する構造のものを含む）で，これに付属する排気筒も含まれる．
構造体	想定する荷重に対して複数の部材によって抵抗する全体系．例えば，壁構造体，フレーム構造体など．
部材	構造体を構成する単位となる部分．例えば，柱，梁，耐力壁，屋根スラブ，床スラブ，基礎など．
供用期間	原子力施設の建築物に機能が要求される期間．
維持管理	建築物の機能を維持する目的で行う諸活動．
機能	目的または要求に応じて建築物が果たす役割．
要求機能	原子力施設としての目的または要求に応じて建築物が備えなければならない機能．
使用機能	建築物に求められる一般的な機能．
支持機能	通常時や地震時において主要な設備・機器を支持する機能．
耐圧機能	圧力に耐える機能で，コンクリート製原子炉格納容器においては，コンクリート部に要求される機能．
遮蔽機能	一般公衆や放射線業務従事者に対し，放射線被ばく上の影響を及ぼすことのないよう，放射線量を所定のレベルまで低減する機能．
漏えい防止機能	設定した区域から外へ液体の放射性物質が漏えいすることを防止する機能．
負圧維持機能	放射性物質の外部放散を抑制するために，換気空調設備により原子力施設の一部のエリアを負圧に維持する機能．
波及的影響の防止機能	
	建築物の破損，落下または転倒により，設備・機器の機能を阻害しない機能．
性能	機能を満たすために求められる具体的な能力．
使用性	建築物の使い勝手に関する性能の総称であり，常時荷重下におけるたわみ増大や有害な振動を制限する性能，通常の降雨および水の使用による漏水を防ぐ性能および部材が持つ液密や気密に関する性能．
構造安全性	構造体や部材が，自重，積載荷重，風荷重，雪荷重，地震荷重および疲労，衝撃などその他の特殊な外力などに耐える性能．
遮蔽性	中性子，ガンマ線などの放射線と物質の相互作用を利用して，放射線のエネルギーを部材の構成物質に吸収させ，物質を透過する放射線量を低減する性能．
劣化	建築物の性能が低下すること．

経年的な劣化	物理的・化学的な要因により時間の経過によって生じる劣化.
突発的な劣化	突発的に発生する地震,台風,火災などによって生じる劣化.
劣化事象	建築物の構造体や部材の性能を低下させる事象.
劣化要因	劣化事象を生じさせる主な原因.
劣化機構	劣化が起きる仕組み.
点検	建築物の状態を把握するために行う行為.
定期点検	経年的な劣化に対する建築物の状態を把握するために,周期を定めて実施する点検.
臨時点検	突発的な劣化に対する建築物の状態を把握するために,不定期に実施する点検.
目視による方法	構造体や部材の変形状況や表面に現れた劣化事象,周辺の環境状況などを目視観察,簡単な器具などを用いて把握する方法で,必要に応じて実施するひび割れの計測や打音による方法も含む.
非破壊による方法	対象物を破壊せずに,強度および損傷の有無,位置,大きさ,形状,分布状態などを調べる方法.
局部破壊による方法	対象物を局部的に破壊し,強度などを調べる方法で,必要に応じて実施するコア採取による方法も含む.
健全性評価	点検や進展予測の結果に基づいて,建築物の要求機能に関連する性能について所要の性能水準を確保していることを確認する行為.
評価基準	健全性評価において判断のよりどころとなる目安値または状態で,着目する劣化事象または劣化要因ごとに定めたもの.
進展予測	劣化要因の影響程度の進展を予測すること.
対策	健全性評価結果に基づいて実施する行為の総称であり,関連規基準の変更などによって要求される性能水準が高くなった場合に実施される補強は含まない.
一次評価	建築物の健全性評価として,劣化事象または劣化要因ごとに,点検や進展予測の結果が,定められた評価基準を満足しているかどうかを確認する行為.
二次評価	一次評価を満足しない場合に実施する健全性評価の総称.
補修	部分的に劣化した部位などの性能を実用上支障のない状態まで回復させる行為で,劣化の進展を遅らせるために実施する行為を含む.
効果の確認	補修した箇所に対して,補修の効果が発揮され,建築物の性能が維持されていることを確認する行為.
記録	維持管理に関する記録で,点検,健全性評価および対策と効果の確認の結果をまとめたもの.

用語についての補足説明を以下に示す.

・原子力施設　　日本電気協会「原子力発電所の保守管理規程 JEAC 4209-2021」によれば,原子力発電施設は「原子力発電所を構成する構築物,系統及び機器等の総称」と定義されている.本指針では,原子力発電所だけでなく,使用済燃料貯蔵施設および核燃料サイクル施設を含めて,それらを構成する構築物,系統および機器を原子力施設と呼ぶ.なお,類似の用語として原子炉施設があるが,これは,原子力施設のうち,原子力発電所などの原子炉を有する施設を指すものである.

・建築物　　建築基準法で定義されている土地に定着する工作物のうち,屋根および柱もしくは壁を有するもの(これに類する構造のものを含む)で,これに付属する排

・構造体／部材	気筒は含むが，昇降機などの建築設備は除くものとする． 建築物を構成している各要素のうち，柱，梁，壁，床などを個別に扱う場合を部材といい，これらがあるまとまりをもって荷重などに抵抗する場合を構造体と呼ぶ．部材には，構造部材（柱，梁，耐力壁，屋根スラブ，床スラブ，基礎など）と非構造部材（袖壁，垂壁，腰壁，間仕切壁などの非耐力壁および手摺り，庇，パラペットなど）が含まれる．また，関連する用語として部位，箇所がある．前者は，全体に対するある部分の位置を，後者は，限定された特定の部分，場所という意味を持つ．
・供用期間	日本機械学会「発電用原子力設備規格 維持規格(2012年版)JSME S NA1-2012」によれば，「発電所の商業運転開始以降，商業運転終了までの期間」と定義されているが，運転開始前および終了後においても維持管理を行う場合も考えられることから，ここでは，日本電気協会「原子力発電所の保守管理規程 JEAC 4209-2021」の「原子力施設に機能が要求される期間」にならい定義する．
・維持管理	本会「建築物の耐久計画に関する考え方」(1988)では「建築物（設備を含む）及び諸施設，外構，植栽などの対象物の全体または部分の機能及び性能を使用目的に適合するよう維持または改良する諸行為」を保全，本会「鉄筋コンクリート造建築物の耐久設計施工指針・同解説」(2016)では「建築物の構造体及び部材の機能及び性能を使用目的に適合するよう維持する諸行為」のことを維持保全という用語で定義し，維持保全の計画において定期的に維持管理を行うこととしている．しかし，いずれも建築物に要求される機能を維持するための行為であり，維持管理と保全を混在して利用することを避けるために，本指針では，建築物に要求される機能を供用期間にわたって維持するための諸活動に対して維持管理という用語を用いる．
・機能／性能	機能については，本会「建築物の調査・劣化診断・修繕の考え方（案）・同解説」(1993)を参考に同様の定義を行う．性能については，本会「鉄筋コンクリート造建築物の耐久設計施工指針・同解説」(2016)で紹介されている建築物の性能設計の階層構造における機能的要求と性能的要求との関係にならい，機能を満たすために求められる能力と定義する．機能と性能の違いは，機能はあるかないかで評価されるが，性能は高い低いなどの定量的な尺度を伴って評価される点である．
・使用機能	本指針では，原子力施設の建築物にかかわらず建築物一般に求められる役割をまとめて使用機能と呼ぶ．この中には，建築物が自重・積載荷重・地震荷重などに耐える機能，防振や遮音などの使い勝手に関わる機能，経年的な劣化に耐える機能，火災などに耐える機能などが含まれる．

・支持機能　　　　　日本電気協会「原子力発電所耐震設計技術規程 JEAC 4601-2021」（以下，「JEAC 4601-2021」という．）における記載を参考に，地震時や通常時に対して主要な設備・機器を支持する機能と定義する．なお，JEAC 4601-2021 によれば，設備などを支持する構造物には，直接支持構造物と間接支持構造物があり，前者が設備を直接取り付けられるまたは設備の荷重を直接的に受ける支持構造物，後者が直接支持構造物から伝達される荷重を受ける鉄筋コンクリートおよび鉄骨等の支持構造物としている．本指針で対象となるのは，後者の間接支持構造物として定義されているコンクリート構造物および鉄骨構造物である．

・耐圧機能　　　　　発電用原子力設備に関する技術基準を定める命令（昭和四十年六月十五日 通商産業省令第六十二号），施行日：令和3年1月1日（令和二年経済産業省令・原子力規制委員会規則第二号による改正）において，原子炉格納容器の「最高使用圧力」とは，「対象とする機器又は炉心支持構造物がその主たる機能を果たすべき運転状態において受ける最高の圧力以上の圧力であって，設計上定めるものをいう．」と定義している．また，コンクリート製原子炉格納容器の完成試験として圧力試験を行う際に，圧力に対する構造性能を評価することを目的に構造性能確認試験が実施される．構造性能確認試験の試験時圧力として，日本機械学会「発電用原子力設備規格　コンクリート製原子炉格納容器規格　JSME S NE1-2014」（以下，「CCV 規格」という．）によれば，最高使用圧力を1.1倍した圧力を設定する最大圧力としている．本指針では，この原子炉格納容器内の圧力に耐える役割を耐圧機能と定義する．

・遮蔽機能　　　　　原子力安全委員会「発電用軽水型原子炉施設に関する安全設計審査指針」の指針56および57によれば，「原子炉施設は，通常運転時において原子炉施設からの直接ガンマ線およびスカイシャインガンマ線による敷地周辺の空間線量率を合理的に達成できる限り低減できる設計であること」および「原子炉施設は，放射線業務従事者の立入場所における線量を合理的に達成できる限り低減できるように，放射線業務従事者の作業性等を考慮して，遮蔽，機器の配置，遠隔操作，放射性物質の漏えい防止，換気等，所要の放射線防護上の措置を講じた設計であること」としている．また，原子力安全委員会「原子力発電所内の使用済燃料の乾式キャスク貯蔵について」では，遮蔽機能を「周辺公衆及び放射線業務従事者に対し，放射線被ばく上の影響を及ぼすことのないよう，使用済燃料の放射線を適切に遮蔽すること」と定義している．これらを参考に，本指針における遮蔽機能を定義する．

・漏えい防止機能　　原子力安全委員会「発電用軽水型原子炉施設に関する安全設計審査指針」の指針53の記載，「施設からの液体状の放射性物質の漏えいの防止及び敷地外への

- 負圧維持機能　　JEAC 4601-2021 によれば，原子炉建屋の一部のエリアは，放射性物質の外部放散を抑制するため，換気空調設備により負圧に維持する設計が採用されている．地震時などにおいても，この換気空調設備により維持されている負圧状態に影響を与えないことが，原子炉建屋を構成する部材には求められている．本指針では，この原子炉建屋内を負圧に維持する役割を負圧維持機能と定義する．

- 波及的影響の防止機能

　　JEAC 4601-2021 では，波及的影響の防止について，「耐震重要度分類の下位のクラスに属するものの波及的影響によって，耐震重要施設の安全機能を損なわないように設計する必要がある」としている．これを参考に，本指針における波及的影響の防止機能を定義する．

- 使用性　　使用性とは，建築物の使いやすさや住みやすさを確保するために必要な全ての性能である．本会「建築工事標準仕様書・同解説 JASS 5N 原子力発電所施設における鉄筋コンクリート工事」(2013)（以下，「JASS 5N」という．）では，使用性に含まれるものとして，常時荷重下における部材の有害な変形および振動を制限する性能，通常の降雨および水の使用によって生じる漏水を防ぐ性能をあげている．本指針では，さらに構造物や部材に要求される液密や気密に関する性能，熱の出入りをさえぎる性能，塗膜や表面仕上げによる素地や下地を保護する性能なども含むものとする．また，火災によっても使用性は失われることから，耐火性についても使用性に含める．

- 構造安全性　　本会「建築工事標準仕様書・同解説 JASS 5 鉄筋コンクリート工事」(2022)（以下，「JASS 5」という．）では，構造安全性は，自重，積載荷重，風荷重，雪荷重，地震力，疲労，衝撃，その他の特殊な外力などに対して確保されなければならないとしている．原子力施設において考慮すべき荷重として，内圧や温度荷重，飛来物の落下などに伴って生じる特殊荷重があるが，これらの荷重は，その他の特殊な外力に含めることができることから，本指針では，JASS 5 の記載にならい構造安全性を定義する．また，火災によっても構造安全性は失われることから，耐火性についても構造安全性に含める．

- 遮蔽性　　日本原子力研究開発機構の原子力百科事典 ATOMICA「放射線の遮蔽」によれば，放射線遮蔽の原理は，「放射線と物質の相互作用を利用して，放射線のエネルギーを構造材の構成物質に吸収させ，物質を透過する放射線量を低減化すること」である．したがって，この放射線量を低減できる性能を遮蔽性として定義する．なお，本指針では，構造材を部材と読み替えることとする．

- 劣化　　性能が低下することを意味する．本会「建築物・部材・材料の耐久設計手法・

同解説」(2003) などでは，地震などの自然災害および火災による性能の低下を除いているが，本指針では，これらも含めて劣化と定義する．

- 経年的な劣化／突発的な劣化

物理的（膨張，摩擦など），化学的（酸化，熱分解など）などの要因により時間の経過とともに進展する性能の低下を経年的な劣化と定義する．また，地震，台風，火災などの要因により時間の経過を伴わずに短時間に起こる性能の低下を突発的な劣化と定義する．

- 劣化事象／劣化要因

劣化事象は，劣化することによって現れる変化の状態であり，構造体や部材の性能を直接低下させるものである．一方，劣化要因は劣化事象を生じさせる各因子の総称である．したがって，劣化要因が直接性能を低下させることはなく，本指針で扱う性能の低下は，劣化事象が現れることによりはじめて起こるものとする．

- 定期点検／臨時点検

経年的な劣化によって現れる事象やその要因の程度を一定の周期で調査し，健全性評価のために必要な情報を取得する行為を定期点検と定義する．臨時点検は，地震，台風，火災などによる突発的な劣化によって現れる事象を調査するために，不定期に行う点検である．

- 評価基準　　本指針における健全性評価は，建築物が持つ性能が要求される水準を満足しているかどうかを確認する行為であるが，この性能の良し悪しを評価基準とすることはできない．そのため，本指針では，性能を低下させる劣化事象またはその原因となる劣化要因ごとに，判断のための具体的な指標（評価項目）とその目安値または状態を定め，それらと点検結果や予測値を比較することにより，健全性評価を行うこととしている．この評価項目ごとに定めた目安値または状態を評価基準と定める．

- 補修　　本会「建築物・部材・材料の耐久設計手法・同解説」(2003) における用語の定義を参考に，劣化の進展を遅らせる行為も含むものとして定義する．実用上支障のない状態まで回復させるという意味で使われ，初期の水準以上の性能を得るために実施する行為は含まない．

- 二次評価　　主には，劣化程度および劣化範囲を反映した解析的な手法により，建築物を構成する部材や構造体が，機能を維持するために必要な性能水準を満足し，健全性が確保されていることを確認する行為を指す．

本指針では，原子力施設の建築物を対象としていることから，原子力特有の専門用語および略語が使われている．例えば，主要な原子炉の形式について以下に示す．

・沸騰水型原子炉（BWR：Boiling Water Reactor）

　　　　　　減速材と冷却材に普通の水を用いる軽水炉の一種で，炉心で発生した熱を除去する原子炉冷却材を原子炉容器内で沸騰した状態で炉外へ取り出し，その蒸気でタービンを回して発電する．

・加圧水型原子炉（PWR：Pressurized Water Reactor）

　　　　　　軽水炉の一種．圧力によって沸騰しないようになっている原子炉冷却材が，熱交換器（蒸気発生器）を通るときに別の水を加熱して蒸気にし，その蒸気でタービンを回して発電する．

その他の原子力特有の専門用語については，下記のような図書およびウェブページが参考となる．

・原子力辞典編集委員会：原子力辞典，日刊工業新聞社，1995
・国立国会図書館：資源エネルギー庁，e-原子力 原子力ハンドブック ミニ用語集
　　http://warp.da.ndl.go.jp/info:ndljp/pid/258170/www.enecho.meti.go.jp/e-ene/handbook/hb_yougo/yougo_a.html（参照 2023年6月8日）
・国立研究開発法人 日本原子力研究開発機構：原子力百科事典 ATOMICA
　　https://atomica.jaea.go.jp/（参照 2023年6月8日）

2章　維持管理の基本

> a. 本指針では，性能検証の概念に基づいて維持管理の基本的な考え方を定める．
> b. 本指針による維持管理は，経年的な劣化あるいは突発的な劣化により影響を受ける建築物の性能に着目して実施する．
> c. 本指針による維持管理は，現状に加えて将来にわたって原子力施設の建築物に要求される機能を維持するために，「現状の健全性を確保するための維持管理」と「長期的な健全性を確保するための維持管理」により構成される．
> d. 本指針による維持管理では，建築物の損傷を抑制するために，目視による方法や非破壊による方法により点検を行う．また，局部破壊による方法が必要となる場合は，その実施を必要最小限とする．
> e. 本指針による維持管理は，原子力施設の建築物に要求される機能を供用期間にわたって維持していくために，下記(1)から(8)に示す行為を基本とする．
> (1) 原子力施設の建築物に要求される機能と，それに関連付けられる性能を明確にする．
> (2) 着目する劣化事象とその原因となる劣化要因を，原子力施設の建築物の特徴を考慮して選定する．
> (3) 着目する劣化事象および劣化要因に対して，点検，健全性評価および対策と効果の確認の基本的な考え方を定めた維持管理計画を策定する．
> (4) 維持管理計画に基づき，点検計画を策定し，点検を実施する．
> (5) 着目する劣化事象および劣化要因ごとに，点検や進展予測の結果に基づいて，健全性評価を実施する．
> (6) 健全性評価の結果に応じた対策を講じ，必要に応じてその効果を確認する．
> (7) 点検，健全性評価および対策と効果の確認の結果を記録し，保管する．
> (8) 維持管理計画の策定から対策と効果の確認，記録までの一連の活動を繰り返すとともに，点検，健全性評価および対策と効果の確認に基づいて維持管理計画を見直すことにより，維持管理の継続的な改善を図る．

a. 性能検証の概念に基づく維持管理の考え方

　原子力施設における建築物の維持管理は，建築物に要求される機能を供用期間にわたって維持するために行われる．建築物の健全性は，要求機能を満たすために必要な構造体や部材の性能が，求められる性能水準を満足しているかどうかを確認することにより評価され，必要に応じた対策と効果の確認を実施することにより確保される．

　要求機能，機能に関連する性能，性能の検証の位置づけに関しては，本会「鉄筋コンクリート造建築物の耐久設計施工指針・同解説」(2016)で参照されているNKB5レベルシステム（解説図2-1）が参考となる．これは，同指針において，「建築規基準の規定内容を階層的に整理するフレームとして，北欧5か国の建築規制当局で構成するノルディック建築基準委員会（NKB）が域内の建築規基準の整合化に取り組み，提案したものである」と紹介され，建築物の性能設計の概念を説明する際に引用されているものである．なお，原子力安全・保安部会原子炉安全小委員会報告書「原子力発電施設の技術基準の性能規定化と民間規格の活用に向けて（平成14年7月22日）」の中にも，同様

の階層構造が記載されている.

ここで，NKB5 レベルシステムの目的に相当するものは，原子力安全・保安院の「実用発電用原子炉施設における高経年化対策の充実について（平成 17 年 8 月 31 日）」によると，「公共の安全を確保すること」となっている．また，原子力施設における建築物の維持管理をこの階層に当てはめてみると，目的は「原子力施設の建築物を維持管理することにより公共の安全を確保すること」とすることができると考えられる．この目的を達成するための特定の要求を示したものが機能的要求であり，例えば，重要な機器を支持する機能（支持機能），建屋外へ放射性物質が漏えいすることを防止する機能（漏えい防止機能）などが相当する．機能的要求を満たすために求められる具体的な要求が性能的要求であり，例えば，漏えい防止機能に関連する液密に関する性能などが相当する．性能の検証方法とは，点検の結果，適切な解析および実験の結果を評価基準と比較することにより，要求される性能水準を満たしているかどうかを判断する方法である．また，適合みなし仕様とは，要求される性能水準を満足しているとみなされる具体的な構造寸法，材料，施工方法などの仕様を定めることにより，性能検証を行わずに性能を担保する方法である．

原子力施設における建築物の健全性は，要求機能を満たすために必要な構造体や部材の性能が，求められる性能水準を満足しているかどうかを確認することにより評価される．したがって，原子力施設における建築物の維持管理に関わる規定は，材料，構造，計算方法などが仕様として細かく規定されている仕様規定ではなく，構造物に求められる性能を満足することを確認する性能検証の概念に基づいて構築する必要があると考えられる．また，仕様を細かく規定しない性能検証型の規定は，技術開発の成果を反映しやすいため，従来とは異なる新たな劣化事象や劣化要因が問題となった場合でも，性能検証に基づく維持管理の方が柔軟に対応できると考えられる．

なお，防水層や仕上材については，目視による方法により表面状態を把握しているが，アクセスが困難な領域が多いこと，また，コンクリートと異なり目視による方法では劣化の状況を十分に把握できない場合があることなどの理由により，適合みなし仕様に基づいて維持管理を行っており，あらかじめ設定された材料を決められた期間ごとに交換している．

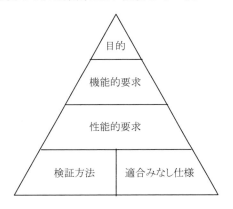

解説図 2-1 NKB5 レベルシステム
（建築物の性能設計における階層構造の概念を示したもの）

b. 本指針で想定する建築物の性能の変化

　経年的な劣化により影響を受ける建築物の性能は，供用期間を通じて時間の経過とともに緩やかに変化する傾向にある．この性能の経時変化の度合いは，初期性能の程度，環境条件および維持管理のあり方に依存する．また，突発的な劣化により影響を受ける建築物の性能は，短時間で変化する傾向にある．原子力施設の建築物では，その性能が供用期間を通じて，要求される性能水準を下回ることがないように設計されるとともに，関連規基準の改定などにより要求される性能水準が変化する場合においても，その時点における建築物の性能が，新しい性能水準を満足していることが望まれる．本指針で取り扱う維持管理は，経年的な劣化あるいは突発的な劣化により変化する建築物の性能が，その時点で要求される性能水準を満足していることを確認するとともに，その時点以後，長期間にわたって満足することを確認していく行為である．ただし，要求される性能水準が変化する場合には，全ての点検結果が評価基準を満足していなくても，建築物全体でその健全性が維持されていることを確認できればよい．

　本指針の維持管理で想定する経年的な劣化により影響を受ける建築物の性能の変化を示した概念図を解説図 2-2 に示す．取り替えることが困難なコンクリート躯体などの性能は，評価項目に応じて変化のパターンは異なる(コンクリートの圧縮強度などは初期に上昇し長期的には上昇が止まる．中性化深さなどは初期に進展が速く長期的には進展が緩やかになる．)ものの，性能水準を満足しながら概ね緩やかに変化する傾向にある．一方，塗膜のように，取替えを前提としたものについては，適合みなし仕様として，使用材料や施工方法が規定されており，供用期間にわたって定期的に塗り替えることにより，その性能を維持していく．本指針で取り扱う維持管理は，代替することが難しい建築物について，急激な性能低下が起きていないことを確認することに主眼を置いており，塗膜などの取替えが可能な部分を除いて，性能の回復または向上を意図しているものではない．つまり，適宜行われる点検と健全性評価により建築物の性能を確認し，必要に応じて行う補修などの対策により，建築物を常に健全な状態に維持することを基本としている．

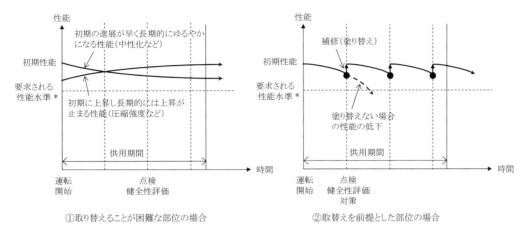

解説図 2-2 本指針の維持管理で想定する経年的な劣化により影響を受ける建築物の性能の変化の概念図

一般の建築物では，耐震診断などの際に，建築物の経年的な劣化と耐震性を結びつけて考えており，劣化の程度が著しい場合は，経年指標による係数を乗じて，建築物の耐震性を新築時より低く評価することとしている（例えば，日本建築防災協会「2001年改訂版 既存鉄筋コンクリート造建築物の耐震診断基準・耐震改修設計指針・同解説」参照）．恒常的に維持管理されている原子力施設の建築物の場合は，一般の建築物で懸念するような著しい劣化は生じないものと考えられる．しかし，地震の影響による固有振動数の減少[1]，材料の経年的な劣化による架構の固有振動数の減少などの事例（付録I.3 参照），乾燥収縮による部材の構造性能に与える影響についていくつかの研究事例[2)3)4)]が報告されていることから，地震の影響や経年的な劣化により建築物の構造特性の変化が明確となっている場合には，これらの変化を適切に考慮して原子力施設の建築物の構造安全性を評価することが望ましい．

特に，上記の地震の影響による固有振動数の減少については，その主な原因が明確になっていないため，解析評価における建屋の動的特性の設定について課題が残されている．今後，地震後の建屋健全性評価について検討を進め，科学的に明確な知見を蓄積する必要がある．

c. 二つの維持管理方法

建築物の劣化事象は表面の変状として現れることが多いため，目視による方法により状態を把握できる．そこで，現状の健全性を確保するための維持管理では，目視による方法により，建築物の現在の状況を確認することができるが，将来的に建築物が健全であることは評価できない．将来にわたって建築物が健全であることを評価するためには，劣化事象を引き起こす劣化要因や劣化機構に着目し，長期的に建築物に劣化事象が発生しないこと，あるいは発生しても劣化事象が軽微であることを予測する必要がある．すなわち，「現状の健全性を確保するための維持管理」

と「長期的な健全性を確保するための維持管理」の二つの維持管理を行うことにより，現時点において建築物が健全な状態にあることを示すのみならず，以後の供用期間においても健全であることを確保することができる．

d．維持管理において建築物に与える損傷の最小化

現状の健全性を確認するための点検では，建築物全体を点検の対象としているため，目視による方法によりコンクリートの変状を確認することを基本としている．目視で把握できないコンクリート強度の変化は，非破壊による方法を基本とし，コア採取による強度評価を補助的に用いて強度変化の傾向を把握している．また，非破壊による方法の検証や精度向上を目的として，コア採取による強度評価を実施する場合もある．

一方，長期的な健全性を確認するための点検では，劣化要因の影響の程度を計測し劣化事象の進展の程度を予測する必要があり，そのために，コア採取，ドリル削孔などによる局部破壊による方法を実施することが必要となる場合がある．

以上のように，局部破壊による方法は，長期的な健全性を確認するための点検では避けられない場合があるとともに，目視を基本とする現状の健全性を確認するための点検においても補助的に用いられる場合がある．しかし，コア採取のような局部破壊を伴う方法は，建築物に損傷を与えることから，位置，大きさ，数量を吟味し，必要最小限にとどめることが重要である．

e．本指針における維持管理の流れ

(1) 要求機能とそれに関連する性能

上記a項およびb項で示した基本的な考え方に従い，原子力施設の建築物に要求される機能と，機能を維持するために要求される性能を明確にすることが必要である．原子力施設の建築物に要求される機能とそれに関連する性能は，一般の建築物に要求される機能や性能のほかに，放射線，熱などの特殊な環境条件に対する原子力施設に特有の機能や性能も加えたものである．

原子力施設の建築物に要求される具体的な機能と関連する性能については，「3章　要求機能とそれに関連する性能」による．

(2) 劣化事象および劣化要因

要求機能に関連する性能が，求められる性能水準を満足しているかどうかを評価するためには，性能に直接影響を与える劣化事象とその原因となる劣化要因を明らかにすることが必要である．コンクリート構造物および鉄骨構造物を対象に，既往の指針類で着目されている劣化事象および劣化要因を整理した上で，それぞれの劣化機構を考慮しながら，原子力施設の建築物特有の環境条件，立地条件，構造条件，材料条件などを加味して，原子力施設の建築物で着目する劣化事象および劣化要因を定める．

本指針で考慮している劣化事象や劣化要因は最新の知見に基づいて抽出したものであるが，今後，

世界の多くの原子力発電所が運転開始後 30 年を超えて長期運転に移行していくため，現在知られていない劣化事象が発生する可能性は否定できない．そこで，本指針に記載のない新たな劣化事象やその原因となる劣化要因が明らかになった場合には，その劣化機構を調査し，対策について検討することになる．

劣化事象および劣化要因に関わる詳細については，「4 章　劣化事象および劣化要因」による．

(3) 維持管理計画の策定

本指針で規定する維持管理は，建築物に要求される機能が供用期間にわたって維持されることを確認するために行うため，建築物の現状の健全性を確認するだけでなく，将来にわたって建築物が健全であることを把握する必要がある．そのためには，「現状の健全性を確保するための維持管理」と，「長期的な健全性を確保するための維持管理」の二つの維持管理方法が必要となる．前者は，建築物の性能を直接低下させる劣化事象に着目する．後者は，劣化事象の原因である劣化要因に着目する．劣化事象に対処するだけでなく，それが現れる以前から，劣化要因の影響の程度を把握するとともに，進展予測などにより長期的な影響を評価し，必要に応じて事前の対策を講じることにより，将来にわたって原子力施設の建築物に要求される機能を維持していくことが可能となる．維持管理の実施に先立って，これら二つの維持管理の全体計画を定めた維持管理計画を策定する．この維持管理計画には，点検，健全性評価，対策と効果の確認および記録の基本的な考え方を記述する．

維持管理計画の策定に関わる詳細については，「5 章　維持管理計画の策定」による．

(4) 点検

点検は，一定期間ごとに実施される定期点検と，地震，台風，火災などの発生時に不定期に行う臨時点検に区分される．定期点検と臨時点検のそれぞれについて，維持管理計画に基づき，点検方法，点検対象部位，点検実施時期，点検実施体制などを定めた点検計画を策定する．点検は，この点検計画に従い実施する．

点検の詳細については，「6 章　点検」による．

(5) 健全性評価

健全性評価は，建築物に要求される機能が供用期間にわたって維持されることを確認するために，点検や進展予測の結果に基づき実施する．着目する劣化事象および劣化要因ごとに評価項目を設定し，点検結果と評価基準を照らし合わせることにより点検時および供用期間における健全性を評価する．定期点検および臨時点検で得られた個々の点検結果ごとに健全性を確認することにより，建築物全体の健全性を示すことが可能となる．本指針では，ここで行われる健全性評価を「一次評価」と呼ぶ．なお，あらかじめ設定された材料を決められた期間ごとに交換することにより，性能を維持する適合みなし仕様に基づいている防水層，仕上材などについては，健全性評価の対象外とする．ただし，鋼材の腐食防止，放射性物質の漏えい防止などの性能の一部または全部を担う部分の塗膜

については，健全性評価の対象とする．

健全性評価の詳細については，「7章　健全性評価」による．

(6) 対策と効果の確認

健全性評価の結果に従い，現状の点検の継続，点検の強化および補修などの対策を講じる．このうち補修を施した場合には，補修部分が補修計画時に期待していた性能を発揮しているかどうかを，定期点検で確認することはもちろん，必要に応じて追加の検査を行い，確認する．なお，「1.3 用語」での対策の定義にあるとおり，関連規基準の変更などによって要求される性能水準が高くなった場合に実施される補強については，本指針における対策に含めない．

ある点検箇所において，点検結果が一次評価における評価基準を下回り，所定の水準を満足できないと予想される場合には，補修を行うほかに，点検箇所を含む構造体や部材としての検討を別途実施し，機能を維持していることを確認することも可能である．本指針では，この検討を「二次評価」と呼ぶ．二次評価については，状況に応じて対応方法も異なり，さまざまな情報を用いて総合的に判断する必要があるため，高度な知識を有する専門家などの協力を得て，個別に対応することが望ましい．

対策と効果の確認の詳細は，「8章　対策と効果の確認」による．

(7) 記録

以後の維持管理の資料とするために，点検，健全性評価および対策と効果の確認の結果について正確かつ詳細に記録し，参照しやすさを考慮して保管しておくことが必要である．

記録・保管の詳細については，「9章　記録」による．

(8) 維持管理の継続的改善

上記(1)～(7)で示した各行為の関係と維持管理の継続的改善の全体像を解説図 2-3 に示す．維持管理計画の策定，点検，健全性評価，対策と効果の確認および記録の一連の活動は，原子力施設の供用期間にわたって，定期的に繰返し実施するものである．このうち，点検，健全性評価および対策と効果の確認の結果をその後の維持管理計画に反映することにより，維持管理の継続的な改善を図る．このように，維持管理計画の策定から対策と効果の確認，記録までのサイクルを回しながら維持管理の継続的な改善を図っていくことで，より効果的な維持管理を行うことができる．

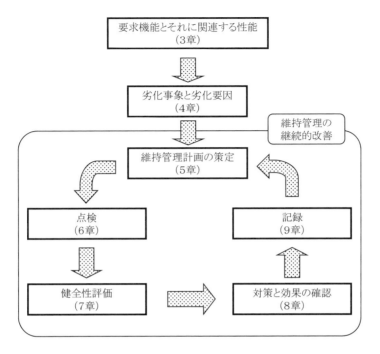

解説図 2-3　維持管理の全体像

参 考 文 献

1) 尾形芳博，広谷浄，熊谷周治，相澤直之，菅原裕太，菅原長：平成 23 年（2011 年）東北地方太平洋沖地震による女川原子力発電所 3 号機原子炉建屋のシミュレーション解析（その 1）〜（その 3），日本建築学会大会学術講演梗概集（東海），pp.1273-1274，2012.9

2) 櫻井真人，千葉幸大，三浦翔大，小林淳，尾形芳博，相澤直之，佐藤真俊：微小変形領域におけるRC 造耐震壁の非線形性に関する検討　（その 17〜19 および 23），日本建築学会大会学術講演梗概集，pp.1153-1158〜1259-1260，2018.9-2019.9

3) H. Sasano, I. Maruyama, A. Nakamura, Y. Yamamoto, M. Teshigawara: Impact of Drying on Structural Performance of Reinforced Concrete Shear Walls, Journal of Advanced Concrete Technology, Volume 16, Issue 5, pp. 210-232, 2018

4) P. Satya, T. Asai, M. Teshigawara, Y. Hibino, I. Maruyama: Impact of Drying on Structural Performance of Reinforced Concrete Beam with Slab, Materials, 14, pp. 210-232, 1887

3章　要求機能とそれに関連する性能

> a. 維持管理において原子力施設の建築物に要求される機能は，使用機能，支持機能，耐圧機能，遮蔽機能，漏えい防止機能，負圧維持機能および波及的影響の防止機能とする．
> b. 要求機能に関連する性能は構造安全性，使用性および遮蔽性とし，確保すべき性能水準は，建築物に対する要求機能，環境条件，使用条件などを考慮して定める．

a．原子力施設の建築物に対する要求機能

　原子力施設における建築物の維持管理の目的は，対象とする建築物に要求される機能を供用期間にわたって維持することである．本指針では，原子力施設の建築物に対する要求機能を建築物に求められる一般的な機能と原子力施設に求められる特有の機能に分けて整理することとする．

(1) 建築物に求められる一般的な機能

　建築物には一般的に自重や積載荷重および地震荷重などに耐える機能，防振や遮音などの使い勝手に関わる機能，経年的な変化に耐える機能，火災などに耐える機能などが求められており，これらは原子力施設においても同様に求められる機能といえる．本指針では，これら建築物に求められる一般的な機能を一括して使用機能と呼ぶこととする．使用機能に関しては，本指針によるほか，一般の建築物と同様な維持管理手法（例えば，本会「建築保全標準・同解説」（2021）[1]などに示される手法）を用いることが可能である．

(2) 原子力施設に求められる特有の機能

　原子力施設では，他の産業施設に比べ極めて高度な安全性が要求される．「発電用軽水型原子炉施設に関する安全設計審査指針」[2]（以下，「安全設計審査指針」という．）では，原子炉施設に求められる特有の機能として安全機能を挙げている．安全機能とは，原子炉施設の安全性を確保するために必要な構築物，系統または機器に要求される機能であって次に掲げるものと定義される．

1) その喪失により，原子炉施設を異常状態に陥れ，もって一般公衆ないし従事者に過度の放射線被ばくを及ぼすおそれのあるもの．
2) 原子炉施設の異常状態において，この拡大を防止し，又はこれを速やかに収束せしめ，もって一般公衆ないし従事者に及ぼすおそれのある過度の放射線被ばくを防止し，又は緩和するもの．

　安全機能は，供用期間内における通常運転時，事故時，地震時などのいかなる状況においても

維持される必要がある．当該機能は，発電用軽水型原子炉施設に限らず広く原子力施設に求められる機能といえることから，本指針でも原子力施設に対する特有の要求機能として安全機能を挙げるものとする．

ただし，安全機能は，構築物，系統および機器を対象に定義されており，そのまま原子力施設の建築物に対する要求機能として扱うには不向きな面がある．そのため，本指針では，安全設計審査指針[2]，JEAC 4601-2021[3]，CCV規格[4]などを参考に，原子力施設としての安全機能を確保するために建築物に要求される機能への展開を行い，支持機能，耐圧機能，遮蔽機能，漏えい防止機能，負圧維持機能および波及的影響の防止機能を原子力施設の建築物に対する要求機能とした．ここに，支持機能および波及的影響の防止機能は，一般の建築物にも要求されている使用機能の一部として位置付けることもできるが，原子力施設は地震荷重などに対し，一般の建築物よりも高い水準の安全性が求められていることを明確にする目的で，あえて原子力施設に求められる特有の機能に位置付けることとした．なお，今後，ここに挙げていない機能を要求される建築物が出てきた場合は，適切に追加し，考慮するものとする．

(3) 要求機能の位置付け

(1)項および(2)項で述べた機能を解説図 3-1 に模式的に示す．原子力施設の建築物に対する要求機能は全ての部位に一律に求められているのではなく，各部位ごとに要求される機能は異なっている．原子炉建屋を例として，原子力施設に求められる特有の機能が要求されている部位を解説図 3-2 に示す．

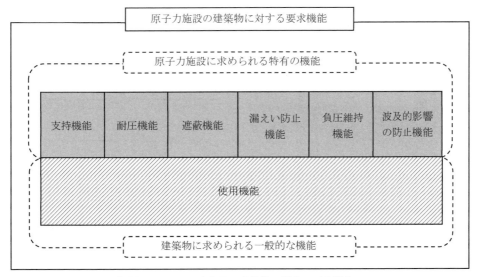

解説図 3-1　原子力施設の建築物に対する要求機能

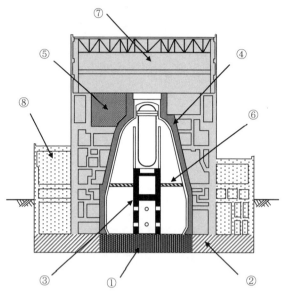

	部 位	要求される機能*
①	原子炉格納容器底部基礎マット（ライナを含む）	a b d
②	原子炉格納容器底部外基礎マット	a
③	原子炉本体基礎	a e
④	シェル壁	a c e
⑤	使用済燃料プール（ライナを含む）	a c d
⑥	ダイヤフラムフロア	a e
⑦	原子炉建屋原子炉棟	a c d e
⑧	原子炉建屋付属棟	a c e

(a) 沸騰水型原子炉建屋（Mark II 改良型）

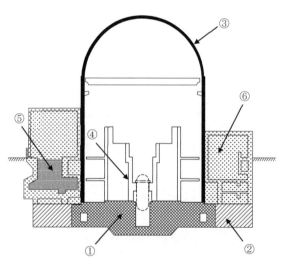

	部 位	要求される機能*
①	原子炉格納容器底部基礎マット（ライナを含む）	a b d
②	原子炉格納容器底部外基礎マット	a
③	原子炉格納容器 PCCV（ライナを含む）	a b c d
④	内部コンクリート	a c e
⑤	使用済燃料ピット（ライナを含む）	a c d
⑥	外周建屋（アニュラス部を含む）	a c d e

*：要求される機能の種類
   a：支持機能
   b：耐圧機能
   c：遮蔽機能
     （遮蔽設計上必要となる一部の壁床にも求められる）
   d：負圧維持機能あるいは漏えい防止機能
   e：波及的影響の防止機能

(b) 加圧水型原子炉建屋（4ループ PCCV）

解説図 3-2　原子力施設特有の機能が要求される代表的な部位

（原子炉建屋の例）

b. 要求機能とそれに関連する性能
(1) 機能と性能の関連

建築物が要求される機能を維持しているかは、それを構成する構造体や部材の性能の良否に依存する。そのため、要求される機能と性能を関連付け、機能を維持するために必要となる性能水準を明確にしておく必要がある。

解説表 3-1 に、本指針で取り上げた要求機能と構造体や部材の性能との関連を示す。要求機能に関連する性能は、原子力施設における構造体や部材に要求される性能を規定している JASS 5N[5]の性能分類を参考に、構造安全性、使用性、遮蔽性、耐久性および耐火性とする。

解説表 3-1 要求機能とそれに関連する性能

要求機能 関連 する性能	使用機能	支持機能	耐圧機能	遮蔽機能	漏えい防止機能	負圧維持機能	波及的影響の防止機能
構造安全性	○	○	○	—	—	—	○
使用性	○[*1]	—	—	—	○ (液密)	○ (気密)	—
遮蔽性	—	—	—	○	—	—	—
耐久性	(○)[*2]	(○)[*2]	(○)[*2]	(○)[*2]	(○)[*2]	(○)[*2]	(○)[*2]
耐火性	(○)[*3]	(○)[*3]	—	—	—	—	(○)[*3]

*1：美観に関しては、必要に応じ考慮する。
*2：本指針では、耐久性を構造安全性、使用性、遮蔽性に含まれる性能として扱う。
*3：本指針では、耐火性を構造安全性と使用性の一部として扱う。

構造安全性には、建築物の設計において考慮される一般的な荷重（自重、積載荷重、地震荷重、風荷重、積雪荷重）に対する耐荷重性能をはじめとして、温度荷重に対する耐荷重性能、繰返し荷重に対する耐疲労性能、衝撃的な荷重に対する耐衝撃性能などが含まれる。

使用性は建築物の使い勝手に関する性能を総称したものであり、クリープによって起きる常時荷重下におけるたわみ増大への抵抗性能、有害な振動に対する防振性能、熱に対する断熱性能、通常の降雨および水の使用に対する防水性能、通常の施工で得られるコンクリート躯体の液密・気密、素地や下地に対する塗膜や表面仕上げの保護性能などが該当する。また、構造体や部材の性能と直接関係しない美観についても、維持管理上考慮する場合が考えられることから使用性に含めるものとする。

遮蔽性は、原子力施設において建築物の一部に求められる特有の性能であり、主に中性子やガンマ線を遮蔽する性能が該当する。

耐久性については、種々の性能における経年的な劣化への抵抗性を総称したものと解釈し、独

立した性能分類としては扱わず，構造安全性，使用性，遮蔽性に関する諸性能に含まれることとする．

耐火性については，建築基準法施工令第 107 条に非損傷性，遮熱性，遮炎性といった性能やそれを満足するための仕様規定が定められており，原子力施設においてもその規定が遵守されている．さらに，原子力施設においては，安全機能を有する構築物，系統および機器を設置する火災区画の耐火壁の遮熱性，遮炎性についての性能水準を満たすために，一般建築物よりも厳しい要件が設定されている [6]．本指針では，維持管理の観点から，火災時の非損傷性については，構造安全性の一部（特殊な荷重に対する耐荷重性能）として，遮熱性，遮炎性については使用性の一部（熱に対する内部環境の保護性能）としてそれぞれ扱うこととする．

以上より，本指針では，原子力施設の建築物に対する要求機能に構造安全性，使用性，遮蔽性を関連付けることとした．

なお，対象とする建築物に本文 a 項に規定した 7 つの機能以外の機能が要求されている場合は，その機能に関連する性能を適切に定め，上記の性能に追加しなければならない．

(2) 要求機能と確保すべき性能水準

要求機能に関連する性能と確保すべき性能水準を解説表 3-2 に示す．なお，「7 章　健全性評価」において，確保すべき性能水準に基づく具体的な評価基準を設定している．

解説表 3-2　確保すべき性能水準

要求機能		関連する性能	性能水準
建築物に求められる一般的な機能	使用機能	構造安全性	建築基準法に規定される各種荷重に耐えられる性能水準
		使用性	一般建築物と同等に求められる性能水準
原子力施設に求められる特有の機能	支持機能	構造安全性	原子力施設の安全性確保の重要性に鑑み，高度の信頼性を確保するための性能水準 [2]
	耐圧機能	構造安全性	原子炉格納容器が圧力に耐えられる性能水準 [7]
	遮蔽機能	遮蔽性	生体保護の観点から求められる放射線（主に中性子やガンマ線）を遮蔽する性能水準 [5]
	漏えい防止機能	使用性（液密）	流体状の放射性物質が漏えいし難い構造で，漏えいの拡大を防止し得る性能水準 [7]
	負圧維持機能	使用性（気密）*	気体状の放射性物質の放散防止を目的に，建築物内部の負圧維持に支障をきたす隙間を生じない性能水準 [3]
	波及的影響の防止機能	構造安全性	建築物が破損し，落下または転倒することにより，より重要な設備の機能を阻害しないための性能水準 [3]

*：使用性（気密）は建築物のみに求められるものではなく，空調機器とあわせて性能水準を満足させるものである．

参 考 文 献

1) 日本建築学会：建築保全標準・同解説 JAMS 1-RC 一般共通事項, JAMS 2-RC 点検標準仕様書, JAMS 3-RC 調査・診断標準仕様書, JAMS 4-RC 補修・改修設計規準, JAMS 5-RC 補修・改修工事標準仕様書－鉄筋コンクリート造建築物, 2021
2) 発電用軽水型原子炉施設に関する安全設計審査指針, 平成2年8月30日 原子力安全委員会決定
3) 日本電気協会：原子力発電所耐震設計技術規程, JEAC 4601-2021
4) 日本機械学会：発電用原子力設備規格 コンクリート製原子炉格納容器規格, JSME S NE1-2014
5) 日本建築学会：建築工事標準仕様書・同解説 JASS 5N 原子力発電所施設における鉄筋コンクリート工事, 2013
6) 実用発電用原子炉及びその附属施設の火災防護に係る審査基準（令和3年3月31日改正 原子力規制委員会）
7) 発電用原子力設備に関する技術基準を定める命令（昭和四十年六月十五日 通商産業省令第六十二号），施行日：令和3年1月1日（令和二年経済産業省令・原子力規制委員会規則第二号による改正）

4章 劣化事象および劣化要因

> 維持管理において着目する劣化事象および劣化要因を，原子力施設の建築物の特徴を考慮してコンクリート構造物と鉄骨構造物のそれぞれについて選定する．

(1) 着目する劣化事象および劣化要因の選定の考え方

　原子力施設の建築物の性能に影響を及ぼす劣化事象とその原因である劣化要因を選定するためのフローを解説図4-1に示す．はじめに，国内外の維持管理に関わる指針類を参考として，「3章　要求機能とそれに関連する性能」で整理した建築物の性能に対して影響を及ぼす劣化事象，劣化要因および劣化機構を収集・整理する．次に，原子力施設の建築物の環境条件，立地条件，構造条件，材料条件などの特徴を考慮して，維持管理において着目する劣化事象および劣化要因を選定する．

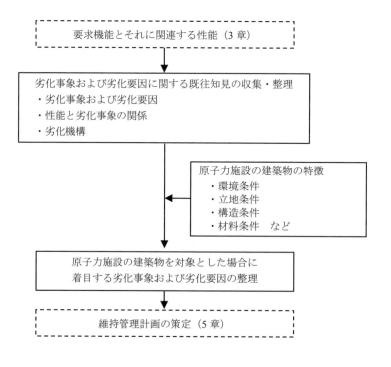

解説図 4-1　劣化事象および劣化要因の選定フロー

(2) 劣化事象および劣化要因に関する既往知見の収集・整理

　国内外の指針類を参考に，一般の建築物および原子力施設の建築物における劣化事象および劣化要因に関する既往の知見をコンクリート構造物と鉄骨構造物のそれぞれについて収集・整理する．

a) コンクリート構造物

1) 既往の指針類で着目している劣化事象および劣化要因

　既往の指針類[1]〜[10]で評価対象としている劣化事象および劣化要因を整理して解説表 4-1 に示す．ある指針で劣化事象として扱われているものが，他の指針では劣化要因とされている場合もある．本指針では，性能を直接低下させるものを劣化事象とし，さらに，劣化事象を引き起こす原因となるものを劣化要因として整理した．例えば，コンクリートの中性化により構造安全性が損なわれることはなく，コンクリートの中性化が進展し鉄筋腐食が生じることではじめて構造安全性が損なわれることから，中性化は劣化要因とした．同様に塩分浸透そのものは性能を低下させることはないが，鉄筋腐食により構造安全性が低下するため，塩分浸透についても劣化要因とした．また，ひび割れから水や酸素が浸透することで鉄筋腐食が発生するため，ひび割れは構造安全性や使用性などを直接低下させる可能性があることから，本指針では，ひび割れは劣化事象とした．

　なお，コンクリートの劣化事象および劣化要因に関してここで参照した指針類に記載されていない新たな知見が得られた場合には，適宜考慮する．

解説表 4-1 既往の指針類で着目している劣化事象および劣化要因（コンクリート構造物）

劣化事象	熱（高温）	放射線照射	中性化	塩分浸透	アルカリ骨材反応	機械振動	凍結融解	化学的侵食	乾燥収縮	クリープ	日射	風化	車両の走行など	不同沈下	過荷重	地震・台風などの荷重	火災による熱
コンクリートの強度低下	○	○	—	—	—	—	—	—	—	—	—	○	—	—	—	—	○
ひび割れ	○	○	○	○	○	○	○	○	○	—	—	○	—	○	○	○	○
剥離・剥落	—	—	○	○	○	—	○	○	—	—	—	○	—	—	○	—	○
鉄筋腐食	—	—	○	○	—	—	—	—	—	—	—	—	—	—	—	—	—
たわみ	—	—	—	—	—	—	—	—	—	○	—	—	—	—	○	—	—
振動	—	—	—	—	—	○	—	—	—	—	—	—	○	—	—	—	—
すりへり	—	—	—	—	—	—	—	—	—	—	—	—	○	—	—	—	—
爆裂	—	—	—	—	—	—	—	—	—	—	—	—	—	—	—	—	○
漏水	—	—	—	—	—	—	—	○	—	—	—	—	—	—	—	—	—
水分逸散	○	○	—	—	—	—	—	—	—	—	—	—	—	—	—	—	○

2) 性能と劣化事象の関係

解説表 4-1 で示した劣化事象は,「3 章 要求機能とそれに関連する性能」に記述した原子力施設における建築物の性能を低下させる可能性がある.

コンクリート構造物の構造安全性は,コンクリート強度の低下,鉄筋の腐食,コンクリートの爆裂や剥離・剥落による断面減少およびひび割れにより低下する可能性がある.ここで,本指針では,適宜実施される点検と健全性評価により建築物の性能を確認し,必要な対策を行うことで建築物を常に健全な状態に維持することを基本としているため,経年的な劣化に対しては部材の耐力低下に至る前に対策が実施される.そのため,部材の耐力低下との区別のため,材料としてのコンクリート強度が低下することをコンクリートの強度低下と呼ぶこととし,構造安全性に影響を及ぼす劣化事象として扱う.なお,突発的な劣化の場合,コンクリートの強度低下,ひび割れ,剥離・剥落および爆裂に関する劣化事象が確認された場合には,構造安全性に影響があるため,構造体や部材の耐力低下に関する検討を実施することとしている.

使用性は建築物の使い勝手に関する性能を総称したものであり,液密や気密,たわみ増大への抵抗性能,有害な振動に対する防振性能,耐火性のうちの遮熱性,遮炎性などが対応する.液密や気密はひび割れにより,たわみ増大への抵抗性能はクリープおよび過荷重により低下する可能性がある.有害な振動に対する防振性能は,爆裂や剥離・剥落に伴う断面減少により低下する可能性がある.耐火性のうちの遮熱性,遮炎性は,剥離・剥落に伴う断面減少により低下する可能性がある[8),11),12)].すりへりは車両などの走行に影響を与え,また,漏水は使い勝手そのものを低下させる可能性がある.

遮蔽性は,コンクリートの密度や部材厚に関連する.水分逸散による密度低下,爆裂や剥離・剥落による部材厚の減少および過大なひび割れにより遮蔽性が低下する可能性がある.

以上に示した性能と劣化事象の関係を,経年的な劣化および突発的な劣化のそれぞれについて解説表 4-2 に示す.

解説表 4-2 原子力施設のコンクリート構造物の性能と劣化事象の関係

性能	劣化事象	
	経年的な劣化	突発的な劣化 (地震, 台風, 火災などによる)
構造安全性	コンクリートの強度低下 ひび割れ 鉄筋腐食 剥離・剥落	コンクリートの強度低下 ひび割れ 剥離・剥落 爆裂
使用性	ひび割れ 剥離・剥落 たわみ 振動 すりへり 漏水	ひび割れ 剥離・剥落 爆裂
遮蔽性	水分逸散 ひび割れ 剥離・剥落	水分逸散 ひび割れ 剥離・剥落 爆裂

3) 劣化機構

劣化機構を理解することは，着目する劣化事象および劣化要因の選定，劣化の評価，進展予測および補修方法の選定において重要である．以下に，1)に記載した各劣化要因の劣化機構を示し，劣化要因と劣化事象の関係について整理する．

①熱（高温）

コンクリートが高温を受けた際には，化学的変質と物理的変質が生じ，結果としてコンクリートの強度低下，ひび割れ，水分逸散が生じる可能性がある．

主な化学的変質は，コロイド的性質と多孔体的性質を併せ持つセメントペースト中のけい酸カルシウム水和物の脱水による変質であり，微細構造と強度が変化する．アルミ酸化物を有する水和物，エトリンガイト，モノサルフェートなどは 100℃以下で結晶構造から一部の水が抜ける現象があるが，強度に大きくは影響しない[13), 14)]．また，100℃以下の温度域において，コンクリート内に十分な水分を保持している場合では，加熱によりけい酸カルシウム水和物の生成が促進され，微細構造が変化し，強度が増大するという報告[15), 16)]や，非晶質であるけい酸カルシウム水和物がトバモライトとなり結晶化すると，化学的安定性が増大し，強度も増大するという報告[16)]がある．

主な物理的変質は，熱膨張率の違いに起因する．セメントペーストと骨材は加熱によって熱膨張するが，運転中の原子力発電施設のような長期的加熱下ではゆるやかな脱水が生じるとともに収縮も生じる．コンクリート内では，セメントペーストと骨材の体積変化の差に起因する微細な損傷が生じ，コンクリートの強度低下を生ずる要因となる[17)]．

コンクリートの力学的性質は，これらのセメントペーストの物性変化と，骨材とセメントペーストの体積変化の差に起因する損傷によって決定され，そのために加熱温度，乾燥の度合，セメント

や骨材の種類，調合などの影響を受ける．

②放射線照射

中性子やガンマ線がコンクリートに照射されると，それらの累積照射量の増大に伴い，コンクリートの強度低下が生じる可能性がある[18]．

中性子照射の影響としては，高速中性子の照射により原子のはじき出しが発生し，骨材の体積が増加する場合がある[19]．骨材の体積増加の程度は，骨材の岩種や岩石を構成する鉱物によって異なっており[20],[21],[22]，例えば石英は体積の増加量が大きい鉱物であることは1950年代より知られている[23]．コンクリート内では，セメントペーストと骨材の体積変化の差に起因する微細な損傷が生じ，コンクリートの強度低下を生ずる主な要因となる[20],[24],[25]．

ガンマ線照射の影響としては，原子のはじき出しは発生しにくいが，エネルギーが熱に変換されコンクリートが発熱するとともにコンクリート中の水分子が励起され，放射線分解により主に水素ガスが発生する[3],[26]．コンクリートの強度低下への影響としては，ガンマ線照射時に同時に発生する熱および乾燥が考えられる[20]．

近年では，軽水炉で用いられているコンクリート材料や運転時の環境条件を考慮したデータも取りまとめられており，それらを基にした照射量と強度の関係に関する国際的な研究が進んでいる[27]．

③中性化

通常コンクリートは強アルカリ性であり，この状態では鉄筋は腐食から保護されている．コンクリートの中性化とは，大気中の二酸化炭素がコンクリート中の水酸化カルシウムなどと反応し，コンクリート表層からアルカリ性が徐々に失われることである[7]．

中性化が鉄筋位置付近まで進行すると，コンクリートによる鉄筋腐食に対する保護効果は失われ，水と酸素の供給により鉄筋腐食に結びつく．ただし，構造部材の性能の低下は，中性化が鉄筋位置に到達しただけでは生じず，その後に鉄筋が腐食し，さらに，水分供給を受けて腐食が進展して生じる鉄筋の断面減少や，鉄筋の腐食生成物による体積膨張によってコンクリートにひび割れが発生する段階になって生じる[9],[28],[29],[30]．なお，中性化の進行は塗膜により抑制可能であり[31]，塗膜の中性化抑制効果は透気係数と関係がある[32]．ライナや捨て型枠がある場合は，二酸化炭素の供給はなく，また，コンクリート中の水分が放出されないため，中性化が抑制される．ライナや捨て型枠がない場合は中性化が進行しやすくなるが，中性化と水の浸透に伴う鉄筋腐食の進行は比較的遅い[4]．また，水セメント比が小さくなるとセメントペースト部の空隙が少なくなり，中性化速度係数は小さくなる傾向がある[33]．

平均相対湿度が低い範囲では，中性化は進行しやすいが鉄筋の腐食速度は緩やかであり，平均相対湿度が高い範囲では，水分が供給され中性化が進行しにくいことが確認されている．しかし，その影響度合いについては定量的な評価が難しい．なお，乾湿が繰り返されると，乾燥時に中性化が進行し，高湿時に鉄筋腐食が進行しやすくなる[28]．

日本の原子力発電所は，常時65℃以下になるよう設計されている[34]．60℃程度の高温環境にあるコンクリート構造物では中性化の進行が速く，コンクリートの電気抵抗も温度が上昇すると小さく

なる[35]ため，含水率が高い状態では腐食電流が流れやすくなる．しかし，このような環境下でも乾湿繰返し作用を受けない限り，鉄筋が腐食し劣化する可能性は低いことが確認されている[36]．

塩化物イオン濃度と中性化速度との関係について整理した報告によると，内在塩分の場合，細孔溶液中の塩化物イオンによって固相から水酸化カルシウムが溶出し，結果として中性化の進行が促進するとされている[37]．外来塩分の場合は，塩化物イオンとともにコンクリート中に浸透する水の影響が卓越することから現状では，評価が困難と報告されている[37]．

④塩分浸透

海塩粒子の飛来などによりコンクリート表面に付着した塩分がコンクリート中に浸透する．鉄筋位置の塩化物イオン量が一定量以上になると，コンクリートは鉄筋の腐食からの保護効果を失い，鉄筋が腐食しやすくなる．鉄筋腐食が進展すると，鉄筋の体積膨張によりコンクリートにひび割れや剥離・剥落が生じる．このような劣化は塩害といわれる[7]．

外来の塩分浸透は外壁の防水性塗装が健全であれば抑制することが可能であるが，内在する塩分によっても鉄筋腐食が生じる可能性がある．なお，コンクリート中の塩化物イオンは濃度勾配による拡散で移動する．拡散で移動する場合の速度の指標である拡散係数はコンクリートの組織構造の緻密性に関係があるため，セメントの種類や水セメント比の影響を受け，水セメント比が小さければ拡散係数が小さくなり，塩分浸透の抑制効果が大きくなる[9]．

他の劣化要因が塩分浸透に影響を及ぼすことがある．例えば，コンクリートが中性化すると，モノサルフェートが塩化物イオンと反応して生成されたフリーデル氏塩が炭酸化し，固定されていた塩化物イオンが細孔溶液中に溶解する．細孔溶液中の塩化物イオンは，濃縮と拡散を繰返し内部へと浸透するとされている[37]．他にも，コンクリート中の細孔に存在する水分が凍結すると水の膨張により生じる水圧がコンクリートに破壊をもたらし，物質移動抵抗性を低下させ，塩分浸透を促進させることが報告されている[37]．また，アルカリ骨材反応が塩害に及ぼす影響に関する研究において，ひび割れの発生がコンクリート内部への塩分や水分，酸素を供給させ，鋼材腐食を進行させることが報告されている[37]．

⑤アルカリ骨材反応

アルカリ骨材反応は，反応性シリカなどを含む骨材とセメントなどに含まれるNa^+, K^+のアルカリ金属イオンが反応してセメントペーストと骨材の界面にアルカリけい酸塩を生成し，アルカリけい酸塩が水分の存在下で膨張してコンクリートにひび割れや，ポップアウトを生じさせるものである．アルカリ骨材反応は，一般に反応性骨材，高いアルカリ量および十分な湿度の3つの条件がそろった場合に，コンクリートに被害を生じさせるとされている[7],[38]．

アルカリ骨材反応によるコンクリート構造物の被害は，1986年の旧建設省総合技術開発プロジェクトによる抑制対策（骨材の選定，低アルカリ型セメントや抑制効果のある混合セメントなどの使用およびコンクリート中のアルカリ総量の抑制）以降，沈静化しているが，当初想定していなかった劣化事例が報告されている．現行の抑制対策で十分に考慮されていない現象として，ペシマム現象，遅延膨張性骨材およびセメント以外からのアルカリ供給といったものがある[38],[39]．

ペシマム現象は，反応性骨材が単体で使用されるよりも全骨材量に対する反応性骨材の混合率が数%～数十%となった場合，例えば反応性骨材がクリストバライトの場合は10%程度で，コンクリートに最も大きな膨張が生じる現象である．ある混合率で反応が顕著になるため，対象骨材を全量使用することを前提としている現行JISのモルタルバー法では，ペシマム現象を生じる反応性骨材の検出は困難である．また，ペシマム現象を生じる高反応性骨材は，アルカリ総量$3.0kg/m^3$以下でもアルカリ骨材反応を生じることがあり，現行のアルカリ総量抑制の効果が期待できない場合がある[38),39)]．

遅延膨張性骨材は，安山岩のような急速膨張性骨材とは異なり，数十年経過した後に大きな膨張が検出されるようなアルカリ骨材反応を引き起こす．主な反応性鉱物として隠微晶質石英や微晶質石英を含んでおり，一般的な化学法やモルタルバー法では検出できない．遅延膨張性骨材についての国内での検証例は少なく，現行の抑制対策が有効かどうかは明確になっていない[39)]．

アルカリ骨材反応は，セメントから供給されるアルカリの他にも，外部から供給される凍結防止剤，海水または骨材から供給されるアルカリによって発生することが指摘されている．ただし，どの程度影響を及ぼすのかについてはまだ明らかになっておらず，国際的にも議論されている[38),39)]．

アルカリ骨材反応とは異なるが同様な膨張を示す現象として，内在硫酸塩によりコンクリートが膨張するDEF（Delayed Ettringite Formation）がある[40),41)]．コンクリートの初期材齢において，高温の熱が与えられると，コンクリート中のエトリンガイトが分解され，硫酸イオンが放出される．放出された硫酸イオンは，水酸化カルシウムやC-S-H相といった水和物に吸着されるが，長時間湿潤状態にあると徐々に再放出される．コンクリートの硬化後，数か月から数年を経て放出される硫酸イオンが再び水和物と反応することにより，エトリンガイトを生成し，コンクリートを内部から膨張させ，表面に比較的大きな間隔で多方向にひび割れを生じさせる．DEFを引き起こす要因は多くあるが，主要因とされているものが，水（湿度），最高温度と継続時間，セメントの硫酸塩とアルミネート相の含有量およびコンクリートのアルカリ含有量である[40),41)]．

他の劣化要因がアルカリ骨材反応に影響を及ぼすことがある．例えば，海水による塩分浸透では，コンクリート内部に塩化物イオンだけでなくアルカリや水分も供給されるため，塩分浸透の進行がアルカリ骨材反応に影響を及ぼすこと等が指摘されている[37)]．また，凍害の後にアルカリ骨材反応が生じても，アルカリ骨材反応膨張速度に大きな変化は確認されていないため，凍害がアルカリ骨材反応に及ぼす影響は限定的であるとも考えられるが，今後の検討課題が残されていると報告されている[37)]．

⑥機械振動

コンクリート構造物に変動荷重が作用すると，耐力以下の荷重であっても，疲労によりひび割れ，剥離・剥落，または異常振動が発生する可能性がある．

材料の疲労現象については，解説図4-2に示すようにS-N曲線を用いて表現できる．S-N曲線は繰返し荷重を作用させる際の応力比（線形軸）と疲労寿命（疲労破壊に至るまでの繰返し回数，対数軸）との関係を示している．コンクリートでは，疲労限界が確認されておらず，繰返し回数の増

加に伴い疲労破壊に至る上限の応力比が低下する[42),43),44),45)]．一方，鋼材には疲労限界が存在する．そのため，欠損もしくは欠陥のない鋼材の場合，疲労限界以下の繰返し応力がどれだけ作用しても疲労破壊に至ることはない．

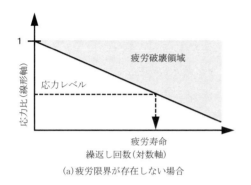
(a) 疲労限界が存在しない場合

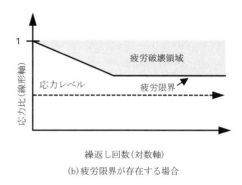
(b) 疲労限界が存在する場合

解説図 4-2　S-N 曲線のイメージ

　コンクリートの疲労損傷は，粗骨材や鉄筋周囲のセメントペーストの微細ひび割れ，応力集中による微細ひび割れなど，回復できない変形がきっかけとなる．荷重が繰返し作用すると，これらの微細ひび割れは伝播して構造上大きなひび割れを形成し変形が増加する．最終的には，ひび割れの進展や過度のたわみによりコンクリート構造物は疲労破壊する．

　既往の研究[46)]では，コンクリートの圧縮強度の 65%相当の荷重で 200 万回繰返し加力すると，圧縮破壊する可能性があることが示されている．コンクリートのコーン破壊や鉄筋の付着破壊，一軸の引張破壊，一軸の圧縮破壊といった破壊モード別の S-N 曲線を比較した研究[47)]によると，一軸の引張破壊と圧縮破壊は同様の挙動を示すとともに，繰返し回数 100 回以上の領域で，コーン破壊のS-N 曲線を一軸引張破壊や一軸圧縮破壊の疲労性状と比較すると，疲労破壊に至る上限の応力比や疲労寿命が大きくなっている．これら既往の知見も踏まえ，機械振動に対する機器支持部のコンクリートの健全性を S-N 曲線により評価する試みも検討されている[48)]．また，四角柱状や円柱状の供試体によるコンクリート圧縮強度や頭付きスタッドによるアンカー引張強度（コーン破壊）に繰返し載荷が及ぼす影響を調べた研究では，繰返し載荷後の残留強度が，載荷応力や繰返し回数の組合せによっては，繰返し載荷を受けていない強度よりも増加する例[49),50)]が報告されている．

⑦凍結融解

　凍結融解とはコンクリート中の水分が凍結し，また，それが気温の上昇や日射の影響を受けて融解するという作用で，この繰返しによってコンクリートの組織が破壊される現象である．コンクリートが凍結融解を受けると，組織膨張によるひび割れが生じ，より進展した段階でその部分のコンクリートが崩壊する．このような劣化がコンクリートの凍害の典型的なものであるが，水分条件の厳しい場合や凍結融解に加えて海水や融雪塩などの塩分の影響が作用した場合には，コンクリートの表層が剥離するスケーリングが生じる．さらに，骨材中に吸水率の極めて高い軟石成分が含まれ

ている場合には，その骨材の表面が円錐状に剥離する，ポップアウトが生じることがある[51]．

凍結融解による劣化の強さの地域区分は，凍害の危険度が極めて大きいかまたは大きい地域を重凍害地域，やや大きいか軽微の地域を一般凍害地域，ごく軽微の地域が準凍害地域として区別されている[7]．

コンクリートが塩化物イオン溶液を吸水した状態で凍結融解を繰り返すと，非常に激しいスケーリング劣化が生じるとされている[37]．また，アルカリ骨材反応によってひび割れが生じた場合には，水分供給が増大するために，凍結融解抵抗性が低下することが考えられると報告されている[37]．

⑧化学的侵食

大気，土壌および地下水に含まれる物質による化学的侵食の影響は，主に酸によるものと塩類によるものに分類でき，表層から徐々に劣化が進展し，ひび割れ，剥離・剥落および鉄筋腐食を生じさせる[52]．

コンクリートに酸が作用すると，セメント水和物が分解されることによりセメントペースト部分が溶け出し，骨材が露出するようにコンクリートが侵食されていく[52]．塩類の中で最もコンクリートを劣化させるのは硫酸塩で，硫酸塩が水分とともにコンクリート中に浸透すると，細孔中で結晶化する際の物理的な圧力により表層が薄片状に剥離・剥落するスケーリングが発生する．硫酸塩とセメント水和物が反応すると，二水石膏やエトリンガイトが生成され，生成に伴う圧力でコンクリートにひび割れが生じる[52]．海外では低温環境下にある硫酸塩を含む土壌で，ソーマサイトと呼ばれる鉱物が生成され，コンクリートを劣化させる事例が報告されている[53]．また，硫酸マグネシウムが作用すると，セメント水和物や水酸化カルシウムがせっこう，水酸化マグネシウム，シリカゲルなどに分解され，さらに，接着性のないけい酸マグネシウム水和物が生成され，セメントマトリクスが脆弱化する[54]．

⑨乾燥収縮

コンクリート内部の水分が逸散すると，コンクリートが収縮する．収縮に伴いコンクリートに作用した引張応力により，ひび割れを生じる可能性がある．この乾燥収縮の詳細な劣化機構については，諸説[55],[56]が提示されている．また，乾燥収縮によるひび割れには内部拘束によるものと外部拘束によるものがある．内部拘束によるひび割れは，部材内部と表層の乾燥収縮の程度の違いにより生じるもので，大断面の部材では発生しやすいが表面ひび割れに留まる．外部拘束によるひび割れは，端部を拘束された部材が乾燥収縮することにより生じるもので，貫通ひび割れが発生して漏水につながる可能性もある[1],[55]．

⑩クリープ[57]

クリープとは，コンクリートに対して荷重が持続的に作用した場合に，時間の経過とともにひずみが増大する現象である．クリープの大きさは，コンクリートの種類，高温[58]などの環境条件，断面寸法および材齢により異なる．コンクリート部材にクリープが生じると，過大なたわみを生じる可能性がある．

⑪日射

コンクリート構造物は，日射による温度変化の影響を受ける場合がある．屋上部のコンクリート表面の温度が上昇して膨張し，その膨張を壁が拘束する場合には，壁に引張力が生じ，ひび割れが生じる可能性がある[59]．また，塗膜などの保護材がなく，乾燥が促進される場合には，乾燥収縮と同様の劣化機構により，ひび割れが生じる可能性がある．

⑫風化

風化は，海水，酸性雨および水が作用し続けることにより，セメント水和物が影響を受ける現象で，化学的侵食と同様，ひび割れ，剥離・剥落および鉄筋腐食を生じさせる場合がある．

海水が作用した場合，塩分の作用に加え海水中のイオンが水和物と反応し（例えばマグネシウムけい酸塩を生成することにより），セメント硬化体を軟化させる場合がある[60]．

酸性雨とは，硫黄酸化物や窒素酸化物などを起源とする酸性物質が，雨・雪・霧などに溶け込み，通常より強い酸性を示す現象である．酸性雨が作用した場合，化学的侵食と同様の劣化機構でセメント水和物を分解するためコンクリートが変質・劣化する場合がある[61]．

硬度が低い水が作用した場合，水とコンクリート中のカルシウムイオンの濃度差によりコンクリート中のカルシウムイオンが溶解し，表層のセメントペーストが失われ骨材が露出するような劣化現象が発生する場合がある[62]．

⑬車両の走行など[3]

車両の走行，機器類や資材の運搬などによりコンクリート表面にすりへりが生じる．はじめにコンクリート表層のモルタル部分が，次に粗骨材が露出し，進展すると剥離する．すりへりによる劣化はコンクリートの断面減少，もしくは凹凸の発生などとして顕在化する．このような状態になると，車両の走行により振動を生じさせる可能性がある．また，すりへりは，構造物で一様に発生せずに局部的に発生することが多い．

⑭不同沈下[63]

構造物の自重に対して，地盤の圧密あるいは土壌の移動により，構造物が沈下する可能性がある．不同沈下とは構造物が一様に沈下しない現象であり，不同沈下を生じた場合には，構造物が強制変形を受けてコンクリート部材に引張応力が生じ，基礎や外壁などにひび割れを発生させる可能性がある．

⑮過荷重

設計時に想定していない車両や重量機器などの荷重が作用した場合には，ひび割れやたわみが生じる可能性がある．

⑯地震，台風などの荷重

地震，台風などの荷重により，コンクリート部材に大きな応力が作用すると，曲げひび割れやせん断ひび割れを生じる可能性がある．曲げひび割れに対して部材は十分な変形特性を有するが，せん断ひび割れは部材の脆性破壊に通じる可能性がある．大きな外力の場合には，ひび割れが進展してコンクリートの剥離・剥落を生じる可能性がある．

また，建築物が地震を経験するごとに，その固有振動数が小さくなる傾向があることも報告され

ている[64].

⑰火災による熱[65),66)]

　火災による熱を受けたコンクリートは，加熱温度に応じて化学的変質（水和生成物）と，物理的変質（質量・熱膨張係数・熱伝導率・熱拡散率・比熱）が生じ，その結果力学的性質（圧縮強度・弾性係数・応力－ひずみ関係・鉄筋との付着強度など）が変化する．加熱温度が上昇するにつれてコンクリート中のセメント水和物が化学的に分解して結合水，吸着水，毛管水，自由水などの脱水，セメントペースト部の膨張後収縮，骨材が膨張するなどの変化に伴い，コンクリートの強度低下，ひび割れおよび水分逸散が生じる．

　コンクリート強度を低下させる温度の閾値については，種々の見解があるが，解説図 4-3 に示すように高温加熱冷却後のコンクリートの圧縮強度残存比は加熱温度に応じて低下傾向を示す [65),66),67)].

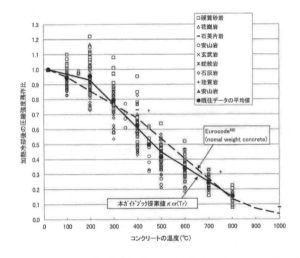

解説図 4-3　コンクリートの加熱冷却後の圧縮強度残存比と加熱温度の関係 [66)]

　鉄筋の高温時の機械的性質として，加熱試験による高温時の応力－ひずみ曲線は，降伏強度が高い鋼種ほど明瞭な降伏現象が消失する温度が低い傾向を示す．解説図 4-4 に示した高温時の応力－ひずみ関係によると，温度の上昇とともに，降伏棚も不明瞭で範囲が狭くなり，ひずみ硬化が認められなくなる [66),68)].

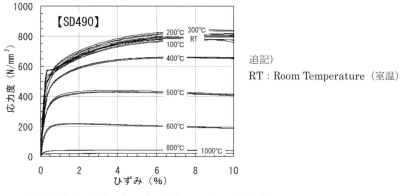

解説図 4-4 鉄筋の高温時の応力－ひずみの関係 [66]

なお，コンクリート構造物は，高温にさらされても一定のかぶり厚さがあれば，耐火構造によってコンクリート内部への劣化の影響は小さいが，コンクリート表層部では，爆裂が生じる可能性がある．しかし，爆裂によりかぶりコンクリートが剥落すると，鉄筋の温度が急上昇し，耐火性に大きく影響を与えることになる．爆裂のメカニズムについては必ずしも明確ではなく，加熱によりコンクリート表層部の細孔に非常に大きな水蒸気圧が生じることによるとする考え方，急激な温度上昇やコンクリートの含水率が高い場合に生じる内部との温度差による表層部の熱応力の増大によるとする考え方などがある．

b) 鉄骨構造物
1) 既往の指針類で着目している劣化事象および劣化要因

既往の指針類[69)～75)]で着目している劣化事象および劣化要因を整理して，解説表 4-3 に示す．

コンクリート構造物と同様に鉄骨構造物についても，性能を直接低下させるものを劣化事象とした．

解説表 4-3 既往の指針類で着目している劣化事象および劣化要因（鉄骨構造物）

劣化事象	劣化要因				
	塗膜劣化	皮膜劣化（亜鉛めっき皮膜消失）	風などの繰返し荷重（疲労）	地震・台風などの荷重	火災による熱
鋼材の腐食	○	○	—	—	—
熱による強度低下	—	—	—	—	○
鋼材の降伏・座屈・きれつ・破断・過大変形	—	—	—	○	○
接合部のすべり・きれつ・破断，ボルトのゆるみ・破断	—	—	○	○	○
疲労による強度低下	—	—	○	—	—

2) 性能と劣化事象の関係

解説表 4-3 で示した劣化事象は，「3 章　要求機能とそれに関連する性能」で記述した原子力施設の建築物の性能を低下させる可能性がある．

鉄骨構造物の構造安全性は，鋼材の腐食，熱による強度低下，鋼材の降伏・座屈・きれつ・破断・過大変形，接合部のすべり・きれつ・破断，ボルトのゆるみ・破断および疲労による強度低下により低下する可能性がある．

鉄骨構造物の使用性は，有害な振動に対する防振性能やたわみ増大への抵抗性能などと関連する．鋼材の腐食，鋼材の降伏・座屈・きれつ・破断・過大変形および接合部のすべり・きれつ・破断，ボルトのゆるみ・破断が，これらの性能に影響を与える可能性がある．

上記に示した劣化事象と性能の関係を，経年的な劣化および突発的な劣化のそれぞれについて，解説表 4-4 に示す．

解説表 4-4　原子力施設の鉄骨構造物の性能と劣化事象の関係

性能	劣化事象	
	経年的な劣化	突発的な劣化 （地震，台風，火災などによる）
構造安全性	鋼材の腐食 接合部のすべり・きれつ・破断， ボルトのゆるみ・破断 疲労による強度低下	熱による強度低下 鋼材の降伏・座屈・きれつ・破断・過大変形 接合部のすべり・きれつ・破断， ボルトのゆるみ・破断
使用性	鋼材の腐食 接合部のすべり・きれつ・破断， ボルトのゆるみ・破断	鋼材の降伏・座屈・きれつ・破断・過大変形 接合部のすべり・きれつ・破断， ボルトのゆるみ・破断

3) 劣化機構

1)に掲載した各劣化要因について劣化機構を示し，劣化事象および劣化要因との関係について整理する．

①塗膜劣化

紫外線，熱，水分，飛砂，機械的応力などにより，白亜化，ふくれ，割れ，はがれ，摩耗などが生じ，塗膜が劣化することで鋼材の腐食が発生しやすくなる．

白亜化は，塗膜を形成する樹脂などの成分が熱，紫外線，酸素などの影響でその結合力を失うことにより生じる．ふくれは，塗膜の内部や下部に発生する気体または液体による圧力が，塗膜の付着力や凝集力より大きくなった場合に発生する．割れは，塗膜内の機械的応力によって発生する塗膜の部分的な破断である[70]．摩耗は，風の作用，水の流れ，歩行などにより塗膜表面またはそれ自体が損傷する現象である[75]．

②皮膜劣化（亜鉛めっき皮膜消失）

亜鉛めっきの亜鉛層が，空気や水分などの作用を受けて，その成分が塩基性炭酸亜鉛（白さび）となり，減少して消失することにより，鋼材の腐食が生じる．

③風などの繰返し荷重（疲労）

鉄骨構造物に風などの外力が繰返し作用すると，応力集中部などの応力条件が厳しい位置からきれつが発生する可能性がある[76]．また，材料強度の低下，接合部のすべり・きれつ・破断，ボルトのゆるみ・破断が生じる可能性がある．

通常の建築物についての風荷重評価では，解説図 4-5(a)に示すように風の乱れに起因する変動風力の影響による風方向荷重が支配的になる．一方，煙突などの形状の構造物の場合は，比較的アスペクト比（煙突高さの煙突幅に対する比）が大きく，局所的な流れの二次元性（平面的な渦の状態）が保たれ，周期的なカルマン渦の発生が顕著となり，また，細長い構造物のため比較的剛性が小さい．したがって，解説図 4-5(b)に示すようにカルマン渦の発生周波数と煙突の固有振動数が一致する風速で，風の直交方向に大きな振動が発生するおそれがあり，このため，風方向荷重だけでなく，渦励振による風の直交方向荷重を考える必要がある．

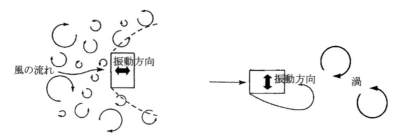

(a) 風の乱れによる変動風力（風方向）　　(b) 渦による変動風力（風直交方向）

解説図 4-5　風の乱れによる変動風力と煙突からの渦発生による変動風力 [77]

④地震・台風などの荷重

鉄骨構造物が地震・台風などの荷重を受け，鋼材に弾性限界以上の応力あるいは塑性ひずみが繰り返し生じると，鉄骨ブレースなどに鋼材の降伏・座屈・きれつ・破断・過大変形，接合部のすべり・きれつ・破断，ボルトのゆるみ・破断が生じる可能性がある [76]．

⑤火災による熱

火災による熱を受けた鋼材は，温度の上昇に伴い膨張し，強度とヤング係数は低下する．火災後の特性としては，温度が下がると鋼材は収縮し，その種類により程度は異なるが，強度とヤング係数は回復する．しかしながら，破断伸び性能は変化している可能性がある [66]．

鋼材の高温時の特性として，解説図 4-6 に示す応力－ひずみ関係によると，常温ではヤング係数および降伏棚は明瞭であるが，温度の上昇に伴い，ヤング係数が不明瞭となり，降伏棚も不明瞭で範囲が狭くなり，ひずみ硬化が認められなくなる．ヤング係数も解説図 4-7 に示すように温度の上昇に伴い，徐々に低下する [66), 78)]．

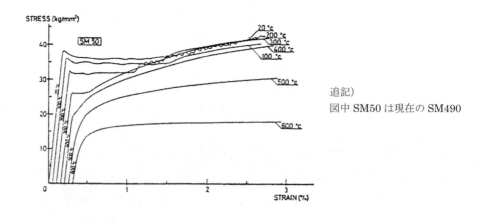

追記）
図中 SM50 は現在の SM490

解説図 4-6　鋼材（SM490）の応力－ひずみの関係 [66]

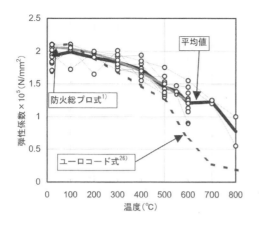

解説図 4-7 鋼材（SM490）のヤング係数（弾性係数）と加熱温度の関係 [66]

このように温度上昇により，鋼材の組織が変質して熱による強度低下を生じると，鋼材の降伏・座屈・きれつ・破断・過大変形が生じる可能性がある．また，接合部のすべり・きれつ・破断，ボルトのゆるみ・破断が生じる可能性がある．

(3) 原子力施設の特徴を踏まえた劣化要因の選定

環境条件，立地条件，構造条件，材料条件およびコンクリート表面の保護条件などの原子力施設の特徴を整理し，着目する劣化要因を選定する．

a) 原子力施設の特徴

1) 環境条件

①熱（高温）

原子力施設の建築物では高温にさらされる部位がある．例えば，原子力発電所では，放射性物質の核分裂反応で発生する熱を利用するため，通常運転時に高温にさらされる部位がある．代表的な部位としては，沸騰水型原子炉（BWR）においては原子炉建屋の原子炉本体基礎などが，加圧水型原子炉（PWR）においては原子炉建屋の内部コンクリートなどが挙げられる．

②放射線照射

原子力発電所では放射性物質の核分裂反応を利用しているため，建築物には放射線照射を受ける部位がある．例えば，沸騰水型原子炉（BWR）においては原子炉本体基礎やシェル壁が，加圧水型原子炉（PWR）においては原子炉建屋の内部コンクリートが挙げられる．

③機械振動

原子力施設の建築物では，建屋内に多くの機械類があり，その振動を受ける部位が存在する．このような部位としては，タービン発電機架台，非常用ディーゼル発電機基礎，ポンプ，モータ類の基礎などが挙げられる．

④車両などの出入り・機器の搬出入

原子力施設の建築物では，大物搬入口からの車両の出入りや，機器類の搬出入があり，床などに車両や機器類の荷重が作用する．

⑤炭酸ガス濃度

原子力施設の建築物内部の炭酸ガス濃度は，一般の建築物と比較して人が少ないことなどから低い傾向にある．

2) 立地条件

①海岸立地

国内の原子力発電所は海岸地域に立地しており，施設は海塩粒子の飛来を受ける可能性がある．構造物に到達する塩化物イオン量は，地域的特性，海岸からの距離，海岸の地形，原子力施設の周囲において飛来塩分などをさえぎる物の存在の有無などにより異なる．

②寒冷地立地

既設の原子力施設は，準凍害地域または凍害の危険度が軽微[7]以上の一般凍害地域に建設されている．

③化学的侵食を受ける立地

既設の原子力施設は，温泉地帯や酸性河川流域などの付近には建設されていない．複数の国内原子力発電所敷地内の地下水成分の調査結果から，酸性成分，硫酸塩成分および海水がコンクリートを変質させる可能性が小さいことが確認されている[79),80)]．

④屋外環境

中性化（屋外），日射，風化，乾燥，塗膜劣化を生じさせる要因（紫外線，熱，水分，飛砂，機械的応力など）については，一般の建築物の環境と変わりはない．

3) 構造条件

①主要な部位の形状

原子力施設の建築物の鉄筋コンクリート構造物は，一般の建築物に比べて大きな断面とかぶり厚さを有している部位が多い．長期間の運転経験を有する原子力発電所コンクリート構造物を活用した最新の研究では，大きな断面を持つ部材中心では長期にわたり水分が保持され，細骨材から溶出した成分と水酸化カルシウムが反応することで新たな非晶質相が生成され，セメントの水和のみで強度が発現する場合に比べて，強度が増加する場合があることが報告されている[81)]．

②支持条件

原子力施設の建築物は，原則として岩盤に直接支持または杭で間接支持されている．

③積載荷重

原子力施設の建築物には多くの重量機器が設置されているため，一般の建築物と比較して大きな積載荷重を考慮している．

4) 材料条件

原子力施設の建築物建設時において，コンクリートの材料選定および調合については，厳しい管理が行われている．JASS 5Nでは，水セメント比や塩化物イオン量の制限値，乾燥単位容積質量の

規定，凍結融解に対する抵抗性，アルカリ骨材反応の抑制対策などが規定されている．ただし，原子力施設の建築物では水和熱低減のため，普通ポルトランドセメントよりも中性化速度係数の大きい中庸熱ポルトランドセメントやフライアッシュセメントを用いる場合があるため，中性化に対して留意が必要である．

5) コンクリート表面の保護条件

原子力施設の建築物の屋外のかぶり厚さは，JASS 5N が制定（1985 年）される以前では，一般の建築物と同等の可能性はあるものの，通常は一般の建築物の場合と比較して十分なかぶり厚さが確保されているとともに，塗装などの仕上材が施されている．また，屋内のコンクリート表面は放射性物質が付着した場合に，それを取り除くこと（除染）が容易となるように，コンクリート表面が塗装されている部位が多い．さらに，液体に接する部位は，ライナや塗膜によって覆われている．

b) 着目する劣化要因の選定

1) コンクリート構造物

①熱（高温）

原子力施設の建築物では，通常運転時において高温にさらされる部位がある．このような部位は同時に放射線照射を受ける部位でもあり，断面厚が大きく，長期間にわたりコンクリート内の水分が保持されるため，強度が増加する場合もあることが知られている[82),83)]が，温度や表面の保護条件によってはコンクリートの強度低下やひび割れが生じる可能性があるため，熱（高温）は着目する劣化要因とする．

②放射線照射

原子力施設の建築物では中性子やガンマ線の照射を長期間にわたって受ける部位があり，部位の累積照射量によってはコンクリートの強度低下やひび割れを引き起こす可能性があるため，放射線照射は着目する劣化要因とする．

③中性化

原子力施設の建築物の屋外コンクリートの多くは，塗膜などの仕上材が施されており，二酸化炭素の浸透が抑制されていることから，中性化の影響は比較的少ないと考えられるが，塗膜が施されていない部位では，温度や湿度条件によっては中性化が進展する可能性がある．屋内も同様に，塗膜などの仕上材のある部位は中性化の進展は抑制されるが，塗膜のない部位は中性化が進展する可能性がある．よって，中性化は着目する劣化要因とする．

中性化は他の劣化要因の影響（例えば塩分浸透による影響や，それによるひび割れの影響）を受ける可能性があるが，中性化深さにはそれらの複合的な影響も含まれる．

④塩分浸透

原子力施設の建築物の屋外コンクリートの多くは，塗膜などの仕上材が施されており，塩化物イオンの浸透が抑制されているが，塗膜のない部位もあることから，塩分浸透の可能性がある．そのため，塩分浸透は着目する劣化要因とする．

塩分浸透は他の劣化要因の影響（例えば中性化に伴う鉄筋腐食によるひび割れの影響）を受ける可能性があるが，コンクリート中の塩化物イオン量にはその複合的な影響も含まれる．

⑤アルカリ骨材反応

原子力施設の建築物において，現行のアルカリ骨材反応抑制対策（アルカリ総量規定，混合セメントまたは混和材の使用，無害と判定された骨材の使用）では十分に考慮されていないペシマム現象や，遅延膨張性骨材によるアルカリ骨材反応が生じる可能性がある．また，1991年以前のJASS 5やJASS 5Nに準拠して建設された原子力施設の建築物の場合，アルカリ骨材反応の抑制対策が施されていない場合がある．そのため，アルカリ骨材反応は着目する劣化要因とする．

アルカリ骨材反応は他の劣化要因の影響（例えば塩分浸透に伴う鉄筋腐食によるひび割れの影響）を受ける可能性があるが，目視による点検結果にはその複合的な影響も含まれる．

DEF(Delayed Ettringite Formation)は，我が国においては蒸気養生されたプレキャスト製品で発見された例があるだけで[41], [84]，原子力施設の建築物では確認されていないが，新たな知見が得られた場合にはそれを考慮する．

⑥機械振動

原子力施設の建築物では，機械の運転中に高サイクル・低振幅の振動を受ける部位があるため，機械振動は着目する劣化要因とする．

⑦凍結融解

原子力施設の建築物の場合，凍結融解を受けやすい部分は一般の建築物と同じく局部的であることから，凍結融解によるひび割れや剥離・剥落は使用性に影響を与える可能性はあるが，構造安全性や遮蔽性を低下させるとは考えにくい．したがって，凍害危険度[7]が軽微以上の地域では使用性のみについて着目する．

凍結融解は他の劣化要因の影響（例えば塩分浸透による影響）を受ける可能性があるが，目視による点検結果にはその複合的な影響も含まれる．

⑧化学的侵食

海外文献[85]では地下水によるpH（水素イオン濃度指数），塩化物および硫酸塩による化学的侵食に関して定期的な地下水の調査が提案されている．

一方，国内の既設の原子力施設では，建設時には地下水の水質調査が実施され，温泉地帯や酸性河川流域などの付近には建設されていないことから，地盤の酸性物質や塩類（硫酸塩など）による化学的侵食によって劣化が生じるとは考えにくい．また，原子力施設で大量の薬品を用いる部位はライニングが施されており，コンクリートに薬品が直接接することはなく，薬品がライニングや塗膜のない床面などにこぼれるなどしたとしても，一時的であるためコンクリートに与える影響は少ない．

以上から，化学的侵食による劣化が生じるとは考えにくいため，着目する劣化要因とはしない．

⑨乾燥収縮

一般の建築物と同様に原子力施設の建築物においても壁，柱，梁，床などに乾燥収縮ひび割れが

4章 劣化事象および劣化要因 —53—

生じる可能性があるが，ひび割れにより使用性が低下する可能性はあっても，構造安全性に与える影響は小さいと考えられる[75]．また，ひび割れが貫通したとしても，ひび割れ面は凹凸状になることおよび放射線の直進性から，乾燥収縮によるひび割れが遮蔽性能を低下させるとは考えにくい[86]．したがって，使用性のみについて着目する．

⑩クリープ

原子力施設の建築物では常時作用する荷重や重量機器に対して，梁，床の鉄筋コンクリート部材は弾性変形とともにクリープによる変形を生じる可能性があるが，設計時にその影響は考慮されている．しかし，梁，床のクリープによる影響が顕著な場合にはたわみが生じ，使用性に影響を与える可能性があることから，使用性のみについて着目する．

⑪日射

日射による温度上昇は特に屋上において顕著であるが，原子力施設の建築物の屋上には防水層とその保護材などがあるため，コンクリート躯体の温度上昇は抑制される．一方，乾燥が促進される場合には乾燥収縮と同様の劣化機構によりひび割れが生じる可能性がある．また，屋上床の膨張を拘束する壁がある場合には，壁に引張力が生じひび割れが生じる可能性がある．

しかし，日射によるこれらのひび割れが，構造安全性や遮蔽性を低下させるとは考えにくいことから，使用性のみについて着目する．

⑫風化

原子力施設の建築物の外壁には基本的に塗膜などの仕上材があることから，風化による劣化は抑制される．また，塗膜などの仕上材がない場合は，風化によるコンクリート劣化は表面より生じるが，原子力施設の建築物の屋外コンクリートはかぶり厚さが大きいことから，風化によるひび割れなどが構造安全性や遮蔽性を低下させるとは考えにくい．したがって，使用性のみについて着目する．

⑬車両の走行など

車両の走行によるすりへりなどが床面に生じても部位の表層に限られるため，使用性に影響を与える可能性はあるが，構造安全性や遮蔽性を低下させるとは考えにくい．したがって，使用性のみについて着目する．

⑭不同沈下

原子力施設の建築物は原則として岩盤に直接支持，または杭で間接支持されており，不同沈下を生じにくいことから，着目する劣化要因とはしない．

⑮過荷重

設計時に想定した荷重を上回る重量機器などを設置する場合には，そのつど建築技術者が評価を行い，構造体や部材の健全性を確認していることから，着目する劣化要因とはしない．

⑯地震，台風などの荷重

地震，台風などの荷重が作用した場合には，壁，柱，梁，床などのコンクリート部材に劣化の可能性があるため，着目する劣化要因とする．

⑰火災による熱

火災が生じた場合には，コンクリートの受熱温度と受熱時間によっては劣化の可能性があるため，着目する劣化要因とする．

2) 鉄骨構造物

①塗膜劣化

塗膜劣化を生じさせる要因（紫外線，熱，水分，飛砂，機械的応力など）が存在する環境下にあることから，着目する劣化要因とする．

②皮膜劣化（亜鉛めっき皮膜消失）

皮膜劣化（亜鉛めっき皮膜消失）を生じさせる要因（空気，水分などの作用）の環境下にあることから，着目する劣化要因とする．

③風などの繰返し荷重（疲労）

排気筒などが風の共振現象により，繰返しの荷重を受けることから，着目する劣化要因とする．

④地震，台風などの荷重

地震，台風などの荷重が作用した場合には，劣化の可能性があるため，着目する劣化要因とする．

⑤火災による熱

火災が生じた場合には，鉄骨への受熱温度と受熱時間に応じて劣化の可能性があるため，着目する劣化要因とする．

3) 選定結果

解説表 4-5 および解説表 4-6 に着目する劣化要因を示す．

解説表 4-5　原子力施設のコンクリート構造物で着目する劣化要因の選定結果
（凡例　○：劣化要因として選定する，－：劣化要因として選定しない）

劣化要因	選定結果	対象部位	備考
熱（高温）	○	原子炉本体基礎，内部コンクリートなど	
放射線照射	○	原子炉本体基礎，シェル壁および内部コンクリート	
中性化	○	コンクリート全般	・塗装されている部位では劣化の進行は抑制される
塩分浸透	○	建物外壁面	・塗装されている部位では劣化の進行は抑制される
アルカリ骨材反応	○	コンクリート全般	
機械振動	○	タービン発電機架台，非常用ディーゼル発電機基礎，ポンプ，モータ類の基礎など	
凍結融解	○*	外壁面の開口部周りやパラペット周りなどの局部	・凍害危険度が軽微以上の地域において，使用性のみに着目する
化学的侵食	－	－	・既設原子力施設は温泉地帯や酸性河川流域などの付近には建設されていない ・屋内の部位が化学的侵食を受ける可能性は低い
乾燥収縮	○	壁，柱，梁，床など	・構造安全性や，遮蔽性が低下するとは考えにくいため，使用性のみに着目する
クリープ	○	梁，床	・設計時にその影響は考慮されているため，使用性のみに着目する
日射	○	屋上など	・温度上昇が顕著な屋上においても，防水層とその保護材があり影響は小さいため，使用性のみに着目する ・屋上床を拘束する壁も評価対象
風化	○	建物外壁面	・原子力施設はかぶり厚が大きいことから，構造安全性や遮蔽性に与える影響は小さいため，使用性のみに着目する ・塗装されている部位では劣化は少ない
車両の走行など	○	床面など	・劣化は部位の表層に限られるため，使用性のみに着目する
不同沈下	－	－	・原子力施設は原則として岩盤に直接支持，または杭で間接支持されていることから不同沈下は生じにくい
過荷重	－	－	・設計時に想定した荷重を上回る重量機器などを設置する場合には，その都度技術者が評価を行い，構造体や部材の健全性を確認している
地震，台風などの荷重	○	壁，柱，梁，床など	
火災による熱	○	火災の生じた部屋の部位	

＊：立地条件による

解説表 4-6 原子力施設の鉄骨構造物で着目する劣化要因の選定結果
（凡例 ○：劣化要因として選定する）

劣化要因	選定結果	対象部位の例
塗膜劣化	○	排気筒，屋根トラス
皮膜劣化（亜鉛めっき皮膜消失）	○	排気筒，屋根トラス
風などの繰返し荷重（疲労）	○	排気筒
地震，台風などの荷重	○	排気筒，屋根トラス
火災による熱	○	排気筒，屋根トラス

(4) 着目する劣化事象および劣化要因の整理

これまでの検討結果に基づき，原子力施設の建築物で着目する劣化事象および劣化要因の関係を性能との関係を含めて，解説表 4-7 および解説表 4-8 に示す．

解説表 4-7(a) 原子力施設のコンクリート構造物の経年的な劣化に対する劣化事象および劣化要因の整理

性能	劣化事象	劣化要因											
		熱（高温）	放射線照射	中性化	塩分浸透	アルカリ骨材反応	機械振動	凍結融解	乾燥収縮	クリープ	日射	風化	車両の走行など
構造安全性	コンクリートの強度低下	○	○	—	—	—	—	—	—	—	—	—	—
	ひび割れ	○	○	○	○	○	○	—	—	—	—	—	—
	鉄筋腐食	—	—	○	○	○	—	—	—	—	—	—	—
	剥離・剥落	—	—	○	○	○	—	—	—	—	—	—	—
使用性	ひび割れ	○	○	○	○	○	○	○*	○	—	○	○	—
	剥離・剥落	—	—	○	○	○	○	○*	—	—	—	—	—
	たわみ	—	—	—	—	—	—	—	—	○	—	—	—
	振動	—	—	—	—	—	○	—	—	—	—	—	○
	すりへり	—	—	—	—	—	—	—	—	—	—	—	○
	漏水	—	—	—	—	—	—	—	○	—	—	—	—
遮蔽性	水分逸散	○	○	—	—	—	—	—	—	—	—	—	—
	ひび割れ	○	○	○	○	○	—	—	—	—	—	—	—
	剥離・剥落	—	—	○	○	○	—	—	—	—	—	—	—

＊：立地条件による

解説表 4-7(b) 原子力施設のコンクリート構造物の突発的な劣化に対する劣化事象および劣化要因の整理

性能	劣化事象	劣化要因	
		地震，台風などの荷重	火災による熱
構造安全性	コンクリートの強度低下	－	○
	ひび割れ	○	○
	剥離・剥落	○	○
	爆裂	－	○
使用性	ひび割れ	○	○
	剥離・剥落	○	○
	爆裂	－	○
遮蔽性	水分逸散	－	○
	ひび割れ	○	○
	剥離・剥落	○	○
	爆裂	－	○

解説表 4-8(a) 原子力施設の鉄骨構造物の経年的な劣化に対する劣化事象および劣化要因の整理

性能	劣化事象	劣化要因		
		塗膜劣化	皮膜劣化（亜鉛めっき皮膜消失）	風などの繰返し荷重（疲労）
構造安全性	疲労による強度低下	－	－	○
	鋼材の腐食	○	○	－
	接合部のすべり・きれつ・破断 ボルトのゆるみ・破断	－	－	○
使用性	鋼材の腐食	○	○	－
	接合部のすべり・きれつ・破断 ボルトのゆるみ・破断	－	－	○

解説表 4-8(b) 原子力施設の鉄骨構造物の突発的な劣化に対する劣化事象および劣化要因の整理

性能	劣化事象	劣化要因	
		地震，台風などの荷重	火災による熱
構造安全性	熱による強度低下	－	○
	鋼材の降伏・座屈・きれつ・破断・過大変形	○	○
	接合部のすべり・きれつ・破断 ボルトのゆるみ・破断	○	○
使用性	鋼材の降伏・座屈・きれつ・破断・過大変形	○	○
	接合部のすべり・きれつ・破断 ボルトのゆるみ・破断	○	○

参 考 文 献

1) 国土交通省技術研究センター：建築物の耐久性向上技術シリーズ，建築構造編，鉄筋コンクリート造建築物の耐久性向上技術，技報堂出版，1986

2) 日本建築学会：鉄筋コンクリート造建築物の耐久性調査・診断および補修指針（案）・同解説，1997

3) International Atomic Energy Agency: IAEA NUCLEAR ENERGY SERIES No.NP-T-3.5, Ageing Management of Concrete Structures in Nuclear Power Plants, 2016

4) 土木学会：コンクリート標準示方書［維持管理編］，2018

5) 日本建築防災協会：震災建築物の被災度区分判定基準および復旧技術指針，2001

6) American Concrete Institute: ACI 349.3R-02, Evaluation of Existing Nuclear Safety-Related Concrete Structures, 2002

7) 日本建築学会：鉄筋コンクリート造建築物の耐久設計施工指針・同解説，2016

8) Nuclear Regulatory Commission: NUREG-1801, Generic Aging Lessons Learned (GALL) Report, Rev.2, 2010

9) 日本コンクリート工学会：コンクリート診断技術 '22［基礎編］，2022

10) 日本建築学会：建築保全標準・同解説　JAMS 3-RC　調査・診断標準仕様書－鉄筋コンクリート造構造物，2021

11) Swedish National Testing and Research Institute: Ageing effects on the fire resistance of building structures, 2002

12) 渡部翔太郎，酒井正樹，北川高史，島本龍：コンクリートの経年劣化が模擬壁試験体の遮熱性に及ぼす影響，コンクリート工学年次論文集，Vol.42，No.1，pp.869-874，2020

13) Maruyama I., Nishioka Y., Igarashi G.: Microstructural and bulk property changes in hardened cement paste during the first drying process, Cement and Concrete Research, Vol. 58d, pp.20-34, 2014

14) 嵩英雄，西祐宣，守屋健一，彦坂信之，田山隆文，丸章夫，田村雅紀，金子樹：高温にさらされたコンクリートの強度性状に及ぼすセメント種類と養生および暴露条件の影響に関する実験的研究（その 1）～（その 6），日本建築学会大会学術講演梗概集（東海），構造Ⅱ，pp.1309-1320，2012.9

15) Kitagawa T., Inoda K., Yamada T., Umeki Y., Sato R., Sakai M.: Experimental Study on Long-term Thermal Effects on Concrete, Trans. of Int. Conf. SMiRT-24th, KOREA, 2017

16) Maruyama I., Rymeš J., Aili A., Sawada S., Kontani O., Ueda S., Shimamoto R.: Long-term use of modern Portland cement concrete: The impact of Al-tobermorite formation, Materials and Design, Vol.198, 109297, 2021

17) Maruyama I., Sasano H., Nishioka Y., Igarashi G.: Strength and Young's modulus change in concrete due to long-term drying and heating up to 90℃, Cement and Concrete Research, Vol.66, pp.48-63, 2014

18) H. K. Hilsdorf, J. Kropp, H. J. Koch: The Effects of Nuclear Radiation on the Mechanical Properties of Concrete, ACI Publication / SP 55-10, pp.223-251, 1978

19) 丸山一平，紺谷修，澤田祥平，滝沢真之，河野洋介，佐藤理：放射線照射環境下にあるコンクリートの物性変化に関する研究（その1）～（その5），日本建築学会大会学術講演梗概集（北海道），構造Ⅱ，pp.1307-1316，2013.8

20) Maruyama I., Kontani O., Takizawa M., Sawada S., Ishikawa S., Yasukouchi J., Sato O., Etoh J., Igari T.: Development of Soundness Assessment Procedure for Concrete Members Affected by Neutron and Gamma-Ray Irradiation, Journal of Advanced Concrete Technology, Vol.15, Issue 9, pp.440-523, 2017

21) Yann Le Pape, Mustafa H. F. Alsaid, Alain B. Giorla: Rock-Forming Minerals Radiation-Induced Volumetric Expansion, Revisiting Literature Data, Journal of Advanced Concrete Technology, Vol.16, Issue 5, pp.191-209, 2018

22) A. V. Denisov, V. B. Dubrovsky, V. N. Solovyov: Radiation Resistance of Mineral and Polymer Construction Materials, ZAO MEI Publishing House, In Russian

23) William P., L. H. Fuchs, P. Day: Effects of Nuclear Reactor Exposure on Some Properties of Vitreous Silica and Quartz, Journal of the American Ceramic Society, Vol.38, Issue 4, pp.135-139, 1955

24) Sasano H., Maruyama I., Sawada S., Ohkubo T., Murakami K., Suzuki K.: Meso-Scale Modelling of the Mechanical Properties of Concrete Affected by Radiation-Induced Aggregate Expansion, Journal of Advanced Concrete Technology, Vol.18, Issue 10, pp 648-677, 2020

25) Le Pape Y., Sanahuja, J., Alsaid, M.H.F.: Irradiation-induced damage in concrete-forming aggregates, revisiting literature data through micromechanics, Materials and Structures, 53, 62, 2020

26) Ishikawa S., Maruyama I., Takizawa M., Etoh J., Kontani O., Sawada S.: Hydrogen Production and the Stability of Hardened Cement Paste under Gamma Irradiation, Journal of Advanced Concrete Technology, Vol.17, Issue12, pp.673-685, 2019

27) Maruyama I., Kontani O., Ichikawa Y., Takizawa M.: Development of Evaluation System for Concrete Strength Deterioration due to Radiation and Resultant Heat, 3rd International Conference on NPP Life Management (PLM) for Long Term Operations (LTO), 2012

28) 2017年度日本建築学会大会（中国）パネルディスカッション資料：鉄筋コンクリート造建築物の限界状態再考，中性化は寿命か，2017.8

29) L. Cheng, I. Maruyama, Y. Ren: Novel Accelerated Test Method for RH Dependency of Steel Corrosion in Carbonated Mortar, Journal of Advanced Concrete Technology, Vol.19, pp.207–215, 2021.3

30) U Angst, F Moro, M Geiker, S Kessler, H Beushausen, C. Andrade, J. Lahdensivu, A. Köliö, K. Imamoto, S. Greve-Dierfeld, M. Serdar: Corrosion of steel in carbonated concrete mechanisms, practical experience, and research priorities, a critical review by RILEM TC 281-CCC M Serdar,

RILEM Technical Letters, Vol.5, pp.85-100, 2020

31) 岸谷孝一，西澤紀昭，和泉意登志，喜多達夫，前田照信：コンクリート構造物の耐久性シリーズ，中性化，技報堂出版，1986

32) 唐沢智之，桝田佳寛：既存建物の仕上塗材の透気係数と中性化深さの調査に基づく仕上塗材の中性化抑止効果，日本建築学会構造系論文集，第76巻，第661号，pp.449-454，2011.3

33) 和泉意登志，嵩英雄，押田文雄，西原邦明：コンクリートの中性化に及ぼすセメントの種類，調合および養生条件の影響について，コンクリート工学年次論文集，Vol.7, No.1, pp.117-120，1985

34) 日本建築学会：原子炉建屋構造設計指針・同解説，1988

35) 小野博宜，大岸佐吉，文堅：コンクリートの電気抵抗に及ぼす試験条件および作用応力の影響，コンクリート工学年次論文集，Vol.13, No.1, pp.441-446，1991

36) Mitsugi S., Owaki E., Masuda H., Shimamoto R.: Accelerated Concrete Carbonation and Resulting Rebar Corrosion Under a High Temperature Condition in Nuclear Power Plants, Journal of Advanced Concrete Technology Vol.19, pp.382-394, 2021.5

37) 日本コンクリート工学会：鉄筋コンクリート構造物の複合劣化機構の解明とその対策に関する研究委員会，報告書，2019

38) コンクリート診断，ASRの的確な診断／抑制対策／岩石学的評価，森北出版株式会社，2017

39) 川端雄一郎，山田一夫，古賀裕久，久保善司：アルカリシリカ反応を生じた構造物の診断に対する技術者の意識調査，ASR診断の現状とあるべき姿研究委員会の活動，コンクリート工学，Vol.50, No.7, pp.593-600，2012.7

40) 平尾宙：硫酸塩劣化事例:エトリンガイトの遅延生成（DEF）に関する研究，コンクリート工学，Vol.44, No.7, pp.44-51，2006

41) 日本コンクリート工学会，エトリンガイトの遅延生成（DEF）に関する研究委員会報告書，2019

42) Stemland H., Petkovic G., Rosseland S., Lenschow R.: Fatigue of high strength concrete, Nordic Concrete Research, Vol.90, pp.172-196, 1990

43) Lee M., K., Barr B. I. G.: An overview of the fatigue behaviour of plain and fibre reinforced concrete, Cement & Concrete Composites, Vol.26, pp.299-305, 2004

44) Tóth, M., Ožbolt J., Fuchs W., Hofmann, J.: Fatigue behavior of fasteners in case of concrete failure, Numerical and experimental investigations, In. Proc. of fib Symposium on Performance-based Approaches for Concrete Structures, pp.21-23, Cape Town, 2016.11

45) Karr U., Schuller R., Fitzka M., Denk A., Strauss A., Mayer H.: Very high cycle fatigue testing of concrete using ultrasonic cycling, Materials Testing, 59(5), pp.438-444, 2017

46) 岸谷孝一，西澤紀明，石橋忠良，阪田憲次，児島孝之，松下博通：コンクリート構造物の耐久性シリーズ，疲労，技報堂出版，1987

47) R. Eligehausen, R. Mallee John, F. Silva: Anchorage in Concrete Construction Ernst & Sohn, 2006
48) Kontani O., Koge M., Shimamoto R.: Soundness Evaluation Method Using S-N Curve for Equipment Supports Subjected to Machine Vibrations, Journal of Advanced Concrete Technology, Vol.19, Issue 5, pp.414-425, 2021
49) Kontani, O., Ishitobi, N., Kawada, J., Taogoshi, N., Koge, M, Umeki, Y.: Residual static strength of concrete cylinder specimen and stud anchor specimen after cyclic loadings, Journal of Advanced Concrete Technology, Vol.14, pp.634-642, 2016
50) Bennet E. W. Muir S. E. St J.: Some fatigue tests of high-strength concrete in axial compression, Magazine Concrete Research, Vol.19, pp.113-117, 1967
51) 日本建築学会：建築工事標準仕様書・同解説　JASS 5　鉄筋コンクリート工事，2022
52) 岸谷孝一，西澤紀昭，水上国男：コンクリート構造物の耐久性シリーズ，化学的腐食，技報堂出版，1986
53) 上田洋，高田潤，立松英信：酸の影響を受けたセメントペーストの劣化メカニズム，コンクリート工学年次論文集，Vol.18，No.1，pp.879-884，1996
54) 吉田夏樹，山田一夫：ソーマサイト生成硫酸塩劣化:劣化機構の整理とリスクの評価方法のレビュー，コンクリート工学，Vol.43，No.6，pp.20-27，2005
55) 日本建築学会：鉄筋コンクリート造建築物の収縮ひび割れ－メカニズムと対策技術の現状，2003
56) Maruyama I.: Multi-scale Review for Possible Mechanisms of Natural Frequency Change of Reinforced Concrete Structures under an Ordinary Drying Condition, Journal of Advanced Concrete Technology, Vol.14, Issue 11, pp.691-705, 2016
57) 小阪義夫，森田司郎：鉄筋コンクリート構造，丸善，1982
58) 大岸佐吉：立方体コンクリートの高温多軸圧縮クリープの研究（30℃～200℃），コンクリート工学年次論文集，Vol.5，pp.173-176，1983
59) 日本コンクリート工学会：コンクリートのひび割れ調査，補修・補強指針，2013
60) 山路徹，濱田秀則：長期間海水中に浸漬されたコンクリートの劣化状況および簡易な劣化指標に関する検討，港湾空港技術研究所資料，No.1150，pp.1-19，2007.3
61) 金津努，山本武志：酸性雨の総合評価，第 6 章，コンクリート構造物への影響評価，電中研レビュー第 43 号，2001
62) 古澤靖彦：カルシウムの溶出によるコンクリート劣化とモデル化に関する研究動向，コンクリート工学，Vol.35，No.12，pp.29-32，1997
63) 日本建築学会：建築基礎構造設計指針，2001
64) 尾形芳博，菅原裕太，広谷浄，菅原長，熊谷周治，相澤直之：平成 23 年（2011 年）東北地方太平洋沖地震による女川原子力発電所 3 号機原子炉建屋のシミュレーション解析（その 1）～（その 3），日本建築学会大会学術講演梗概集（東海），構造Ⅱ，pp.1273-1278，2012.9

65) 日本建築学会：建物の火害診断および補修・補強方法指針（案）・同解説，2015
66) 日本建築学会：構造材料の耐火性ガイドブック 2017，2017
67) NUREG/CR-7031: A Compilation of Elevated Temperature Concrete Material Property Data and Information for Use in Assessments of Nuclear Power Plant Reinforced Concrete, pp.67, Figure 2.91, 2010
68) 丹羽博則，長沼一洋：鉄筋コンクリート用棒鋼の高温時における力学的性質，日本建築学会大会学術講演梗概集（関東），pp.11-12，2006.9
69) 日本建築学会：建築物・部材・材料の耐久設計手法・同解説，2003
70) 国土開発技術研究センター：建築物の耐久性向上技術シリーズ，建築構造編，鉄骨造建築物の耐久性向上技術，技報堂出版，1986
71) Nuclear Regulatory Commission, NUREG-1522: Assessment of Inservice Conditions of Safety-Related Nuclear Plant Structures, 1995
72) American Society for Testing and Materials, G 161-00: Standard Guide for Corrosion-Related Failure Analysis, 2006
73) American Society of Civil Engineers, SEI/ASCE 11-99: Guideline for Structural Condition Assessment of Existing Buildings, 2000
74) American Society for Testing and Materials, G-46-94 (Reapproved 2005): Standard Guide for Examination and Evaluation of Pitting Corrosion, 2005
75) 日本建築学会：外壁改修工事の基本的な考え方（湿式編），1994
76) 三木千壽：鋼構造，共立出版，2004
77) 日本建築学会：煙突構造設計指針，2007
78) 藤本盛久，古村福次郎，安部武雄：Primary Creep of Structural Steel (SM50) at High Temperatures, 日本建築学会論文報告集，第 306 号，pp.148-156，1981.8
79) 北折智規，前中敏伸，島本龍，松下哲郎，成田忠祥：地下コンクリートの化学的侵食に対する健全性評価手法に関する研究（その 3）原子力発電所の地下水調査，日本建築学会大会学術講演梗概集（北陸），構造Ⅱ，pp.1227-1228，2019.9
80) Di Qiao, Matsushita T., Maenaka T., Shimamoto R.: Long-term Performance Assessment of Concrete Exposed to Acid Attack and External Sulfate Attack, Journal of Advanced Concrete Technology Vol.19, 2021.7
81) Rymeš J., Maruyama I., Shimamoto R., Tachibana A., Tanaka Y., Sawada S., Ichikawa Y., Kontani O.: Long-term Material Properties of a Thick Concrete Wall Exposed to Ordinary Environmental Conditions in a Nuclear Reactor Building, the Contribution of Cement Hydrates and Feldspar Interaction, Journal of Advanced Concrete Technology, Vol.17, Issue 5, pp.195-215, 2019
82) Kitagawa T., Inoda K., Yamada T., Umeki Y., Sato R., Sakai M.: Experimental Study on Long-term Thermal Effects on Concrete, Trans. of Int. Conf. SMiRT-24th, KOREA, 2017

83) Maruyama I., Rymeš J., Aili A., Sawada S., Kontani O., Ueda S., Shimamoto R.: Long-term use of modern Portland cement concrete: The impact of Al-tobermorite formation, Materials and Design, Vol.198, 109297, 2021

84) 川端雄一郎,松下博通:高温蒸気養生を行ったコンクリートにおけるDEF膨張に関する検討,土木学会論文集E2(材料・コンクリート構造),Vol.67,No.4,pp.549-563,2011

85) IAEA: Aging Management for Nuclear Power Plants : International Generic Aging Lesson Learned AMP306 Structures Monitoring, 2020

86) 瀧口克己,長原大,西村康志郎,棟方善成,小嶋一輝,関根啓二,高木博文,依田功:ひび割れが生じたコンクリート板のガンマ線遮蔽能力に関する実験研究(その1)〜(その3),日本建築学会大会学術講演梗概集(東北),構造Ⅱ,pp.1119-1124,2009.8

5章　維持管理計画の策定

5.1　維持管理の区分

> a. 本指針で対象とする維持管理は，「現状の健全性を確保するための維持管理」および「長期的な健全性を確保するための維持管理」の二つに区分する．
> b. 「現状の健全性を確保するための維持管理」では，現時点において建築物が健全な状態にあることを確認するために，経年的な劣化を対象にした点検（現状の健全性評価のための定期点検）および突発的な劣化を対象にした点検（臨時点検）を行い，劣化事象の有無もしくはその程度を評価し，必要に応じた対策を講じる．
> c. 「長期的な健全性を確保するための維持管理」では，将来にわたって建築物の機能を維持することを目的に，経年的な劣化を対象にした点検（長期的な健全性評価のための定期点検）を行い，劣化事象が現れる前から，その原因である劣化要因の影響の程度を把握するとともに，進展予測などにより長期的な影響を評価し，必要に応じた対策を講じる．

a．維持管理の区分

　本指針における維持管理では，点検と健全性評価により建築物の性能を確認し，必要に応じて行う補修などの対策により，著しい性能の低下を顕在化させることなく，建築物を常に健全な状態に維持することを想定している．そのために，本指針では，次に示す二つの維持管理を考える．
　・現状の健全性を確保するための維持管理
　　現時点において建築物が健全な状態にあることを確認するために，現状の建築物の状態を，劣化事象の有無もしくはその程度を把握することにより評価し，必要に応じた対策を講じる．
　・長期的な健全性を確保するための維持管理
　　将来にわたって建築物の機能を維持することを目的に，劣化事象が現れる前から，その原因である劣化要因の影響の程度を把握するとともに，進展予測などにより長期的な影響を評価し，必要に応じた対策を講じる．
　「現状の健全性を確保するための維持管理」を基本として実施し，「長期的な健全性を確保するための維持管理」を加えて行うことにより，現時点において建築物が健全な状態にあることを示すのみならず，以後の供用期間においても著しい性能の低下が起こらないことを評価することができる．二つの維持管理の比較を，解説表 5-1 に示す．

解説表 5-1 二つの維持管理の比較

維持管理の区分	現状の健全性を確保するための維持管理		長期的な健全性を確保するための維持管理
着目する対象	劣化事象		劣化要因[*1]
劣化の種類	経年的な劣化	突発的な劣化	経年的な劣化
点検の種類	現状の健全性評価のための定期点検	臨時点検	長期的な健全性評価のための定期点検
点検の対象部位	建築物全体		代表部位
点検の方法	主に目視による方法		局部破壊による方法など
健全性評価の対象	劣化事象の有無もしくはその程度		劣化要因の影響の程度
健全性評価の方法	点検結果と評価基準の比較		点検結果に基づく進展予測と評価基準の比較
点検・健全性評価の実施時期	5年以内[*2]の周期	地震などの発生時	現状の健全性を確保するための維持管理の周期より長くしてよい

[*1]：主に構造安全性と遮蔽性に影響を与える劣化事象を生じさせる劣化要因
[*2]：目視による方法の場合[1)]

b. 現状の健全性を確保するための維持管理

　この維持管理の目的は，現時点において建築物が健全な状態にあることを確認することである．したがって，建築物の性能低下につながるような劣化の有無を調査し，評価結果に応じた対策を講じることが具体的な活動内容となり，比較的高い頻度で行うものである．

　建築物の性能低下につながる劣化とは，「4 章 劣化事象および劣化要因」で抽出された劣化事象である．「現状の健全性を確保するための維持管理」で着目する劣化事象を解説表 5-2 に示す．

　時間の経過とともに生じる経年的な劣化事象は，現状の健全性評価のための定期点検により，突発的に発生する地震，台風，火災などによる劣化事象は臨時点検により調査する．これらの劣化事象は，コンクリートの強度低下などの一部を除き，コンクリート表面のひび割れ，塗装表面のきれつなどの変状として現れることが多いため，目視による方法により把握することが可能である．現時点における建築物の変状の有無を確認するために実施するものであることから，基本的に，建築物全体を対象に実施する．また，コンクリートの強度低下については，目視による方法では確認できないため，非破壊による方法により傾向監視を行うことを基本とする．

　点検の結果を，評価基準と照らし合わせることにより，建築物の健全性評価を実施し，対策を検討する．補修方法などの検討を行うにあたって，劣化事象が生じた原因である劣化要因を調べることが必要な場合には，非破壊による方法，局部破壊による方法などにより詳細なデータを取得する．補修の実施後は，その効果の確認を行うとともに，点検，健全性評価および対策と効果の確認の結果を記録・保管し，必要に応じて維持管理計画の見直しを行う．

　以上に示した維持管理活動の実施内容に関わるフローを，解説図 5-1 に示す．

解説表 5-2(a) 「現状の健全性を確保するための維持管理」で着目する劣化事象（コンクリート構造物）

	コンクリート構造物で着目する劣化事象	構造安全性	使用性	遮蔽性
経年的な劣化	コンクリートの強度低下	○	—	—
	ひび割れ	○	○	○
	鉄筋腐食	○	—	—
	剥離・剥落	○	○	○
	たわみ	—	○	—
	振動	—	○	—
	すりへり	—	○	—
	漏水	—	○	—
	水分逸散	—	—	○
突発的な劣化	コンクリートの強度低下（火災）	○	—	—
	水分逸散（火災）	—	—	○
	ひび割れ	○	○	○
	剥離・剥落	○	○	○
	爆裂（火災）	○	○	○

解説表 5-2(b) 「現状の健全性を確保するための維持管理」で着目する劣化事象（鉄骨構造物）

	鉄骨構造物で着目する劣化事象	構造安全性	使用性
経年的な劣化	疲労による強度低下	○	—
	鋼材の腐食	○	○
	接合部のすべり・きれつ・破断，ボルトのゆるみ・破断	○	○
突発的な劣化	熱による強度低下（火災）	○	—
	鋼材の降伏・座屈・きれつ・破断・過大変形	○	○
	接合部のすべり・きれつ・破断，ボルトのゆるみ・破断	○	○

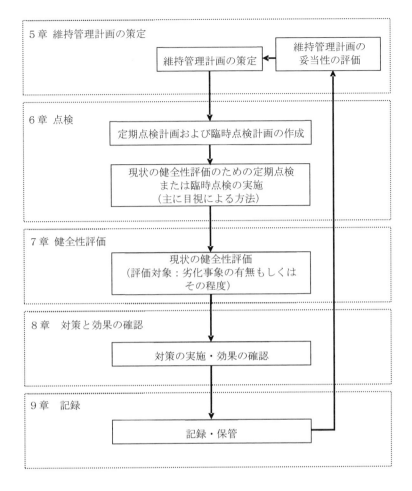

解説図5-1 「現状の健全性を確保するための維持管理」の実施フロー

c. 長期的な健全性を確保するための維持管理

　この維持管理の目的は，現時点のみならず，将来にわたっても建築物が健全な状態にあることを評価することである．現時点で，劣化事象として現れていなくとも，その劣化事象を生じさせる劣化要因の影響の程度を把握し，想定している期間中に建築物が持つべき性能が所要の水準を上回るかどうかを評価することが具体的な活動内容となる．

　時間の経過とともに進展する劣化を対象とすることから，突発的な劣化を含まず，必要となるデータは長期的な健全性評価のための定期点検により取得する．点検によるデータ取得は，劣化事象として現れる前に行うため，目視による方法や非破壊による方法ではなく，局部破壊による方法が必要となる場合がある．点検対象部位はあらかじめ定めておく必要があり，それらは建築物を代表するものでなければならない．また，原子力施設の建築物の重要性の観点から，供試体を採取することによる躯体の損傷に留意する必要があり，点検箇所数は必要最小限にすることが望ましい．

　躯体に損傷を与える局部破壊による方法などの手法を用いることから，全ての劣化要因を対象と

するのではなく，「4章 劣化事象および劣化要因」で抽出された劣化要因のうち，建築物の安全上重要な性能である構造安全性と遮蔽性に影響を与える劣化事象を生じさせる劣化要因を中心に，着目する劣化要因を抽出するとよい．また，劣化要因の影響が大きい箇所で劣化事象が進展すると考えられるため，劣化要因の影響が大きい箇所を代表部位として選定することにより，点検箇所数を低減できる．ただし，劣化要因の影響が明確でない場合には，劣化要因に影響を及ぼすと考えられる条件を参考に試験箇所の選定を行う．なお，使用性に影響を与える劣化要因については，「現状の健全性を確保するための維持管理」で，関連する劣化事象を確認していることにより評価できていると考える．解説表5-3に，着目する劣化要因の例を示す．これらは，解説表4-7(a)および解説表4-8(a)から抽出した構造安全性と遮蔽性に影響を与える劣化事象を生じさせる劣化要因である．

　点検で取得したデータに基づいて劣化要因の影響の程度を把握するとともに，進展予測を行い，予測値と評価基準を比較することにより健全性を評価し，必要に応じた対策を検討する．補修の実施後は，その効果の確認を行うとともに，点検，健全性評価および対策と効果の確認の結果を記録・保管し，必要に応じて維持管理計画の見直しを行う．この維持管理で行う点検や健全性評価の実施間隔は，対象とする劣化が急激には進展しないことから，「現状の健全性を確保するための維持管理」よりも長くすることができる．なお，実施間隔を長くすることは，局部破壊による方法などによる躯体の損傷を極力少なくする意味でも有効である．

　以上に示した維持管理活動の実施内容に関わるフローを解説図5-2に示す．

解説表5-3 「長期的な健全性を確保するための維持管理」で着目する劣化要因の例

コンクリート構造物	鉄骨構造物
熱（高温）	塗膜劣化
放射線照射	皮膜劣化（亜鉛めっき皮膜消失）
中性化	風などの繰返し荷重（疲労）
塩分浸透	
アルカリ骨材反応	
機械振動	

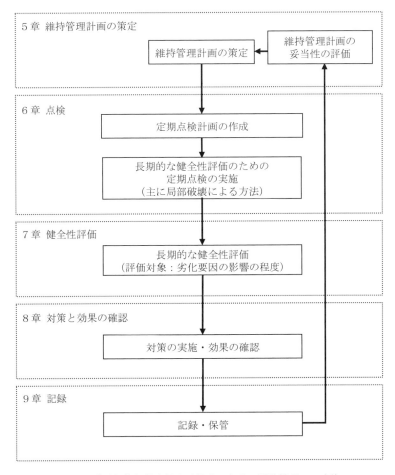

解説図5-2 「長期的な健全性を確保するための維持管理」の実施フロー

5.2 維持管理計画の策定

a. 維持管理の実施に先立って，以下の項目を定めた維持管理計画を策定する．
  (1) 対象とする建築物
  (2) 着目する劣化事象および劣化要因
  (3) 維持管理の実施体制
  (4) 点検および健全性評価の実施時期・実施間隔
  (5) 点検の方法
  (6) 健全性評価の方法
  (7) 対策と効果の確認の方法
  (8) 記録・保管の方法
  (9) 維持管理計画の評価の方法
b. 点検，健全性評価および対策と効果の確認の結果に基づいて，維持管理計画の妥当性について評価し，必要に応じ見直しを行う．

a. 維持管理計画の策定

維持管理計画を策定する上で，設計図書，建設時の各種工事記録などを整備するとともに，対象とする建築物の供用開始後における初期状態を把握しておくことが重要である．維持管理計画の策定では，これらの情報を参考に以下に示す事項を定める．なお，既設の建築物においても，同様の情報をできるだけ追跡し収集することが求められるとともに，過去に点検などを実施し関連するデータなどがある場合には，それらについても整理し，維持管理計画策定の参考とする．

(1) 対象とする建築物

解説表 1-2 に例示されるように，原子力施設にはさまざまな建築物があり，その重要度も異なる．施設内のどの建築物を対象に維持管理を行うかは，主に建築物の安全上の重要度によって決められる．詳細は，「1.2 適用範囲」や原子力施設の安全重要度を定めた指針などを参考に定めるとよい．

(2) 着目する劣化事象および劣化要因

「現状の健全性を確保するための維持管理」では着目する劣化事象を，「長期的な健全性を確保するための維持管理」では着目する劣化要因を，建築物の条件，環境条件などを考慮して選定する．選定にあたっては，「4 章 劣化事象および劣化要因」を参考にするとよい．

(3) 維持管理の実施体制

維持管理の責任者，点検，健全性評価，対策選定の実施者などで構成される維持管理の実施体制を定める．責任者は，一級建築士，技術士などの資格を有するか，コンクリート構造および鉄骨構造に関する十分な知識と経験を持つことが求められる．さらに原子力施設の建築物の設計および施工に関する知識と経験を有することが望ましい．点検などの実施者は，コンクリート構造および鉄骨構造に関する知識と経験を有する者が望ましい．

(4) 点検および健全性評価の実施時期・実施間隔

点検および健全性評価の実施時期または実施間隔を，対象とする建築物の重要度，主要な環境条件，劣化事象の進展の程度，劣化要因の影響の程度などを考慮して定める．

参考として，解説表 5-4 に ACI 349.3R-18[1] における原子力施設のコンクリート構造物に対する目視検査の頻度を示す．ACI 349.3R-18 では，基本的にコンクリート構造物の目視検査の間隔は，長くても 10 年を超えないものとし，構造物の区分に従って，5 年を超えない，10 年を超えない目視検査の頻度を示している．これより，建築物の劣化を抑制する観点から，「現状の健全性を確保するための維持管理」のうち目視による方法の間隔については長くとも 5 年以内とすることが望ましい．また，コンクリートの圧縮強度などの非破壊による方法についても，目視による方法にならって，5～10 年程度とすることが望ましい．「長期的な健全性を確保するための維持管理」は，着目する劣化要因（コンクリートの中性化，塩分浸透など）に起因する劣化が急激には進展しないことか

ら,「現状の健全性を確保するための維持管理」よりも間隔を長くすることができる.ただし,劣化要因の進展程度は,劣化要因ごとに異なるため,「長期的な健全性を確保するための維持管理」の間隔は,着目する劣化要因ごとに定めることが望ましい.

「現状の健全性を確保するための維持管理」のうち,突発的な劣化に対して行う臨時点検は,一定規模以上の地震などの発生時に実施されるが,その規模や程度は,当該施設の立地地域などにより異なるため,適切な指標(例えば,地震の場合,地表における観測震度など)を用いて施設ごとに想定する必要がある.

解説表5-4 ACIによるコンクリート構造物に対する目視検査の頻度(最小限)[1]

構造物の区分	目視検査の頻度
・地下構造物	10年
・自然環境(直接的,間接的)に曝される構造物	5年
・格納容器内の構造物	5年
・連続的に流体に曝される構造物	5年
・流体,圧力を保持する構造物	5年
・管理された内部環境	10年

(5) 点検の方法

定期点検には,「現状の健全性を確保するための維持管理」における劣化事象に着目した点検(現状の健全性評価のための定期点検)と,「長期的な健全性を確保するための維持管理」における劣化要因に着目した点検(長期的な健全性評価のための定期点検)がある.また,突発的な劣化に対して行う臨時点検は,経年的な劣化に対して行う定期点検と同様に,「現状の健全性を確保するための維持管理」として実施する.それぞれについて点検計画(点検方法,点検対象部位,点検実施時期,点検実施体制など)を定める.詳細は,「6章 点検」を参考に定めるとよい.

記載する項目のうち,点検対象部位については,維持管理の種類ごとに,その特徴に応じて選定の考え方が異なる.以下に維持管理の種類ごとに,部位選定の考え方を示す.

a)「現状の健全性を確保するための維持管理」における点検対象部位選定の考え方

点検時点において,建築物の性能を低下させるような劣化事象が生じているかどうかを確認することが目的であることから,基本的に建築物全体を対象に点検を行う.ただし,劣化事象のうちコンクリートの強度低下に関しては,必要な情報が目視による方法では得られないことから,構造安全性を求められる部位を代表として非破壊による方法により傾向監視を行う.

b)「長期的な健全性を確保するための維持管理」における点検対象部位選定の考え方

点検対象部位は,a)項と同じく,基本的に建築物全体である.しかし,劣化事象として現れる前に,その原因である劣化要因の影響の程度を把握することが目的であることから,建築物全体を対象にして必要な情報を取得することは難しい.したがって,あらかじめ定めた代表部位を対象に点検を実施する.代表部位の選定にあたっては,以下に示す事項を考慮する.

①劣化要因の影響

　水セメント比などのコンクリートの仕様とともに環境条件を考慮し，劣化が最も厳しくなると想定される箇所を選定することが望ましい．環境条件としては，例えば，中性化であれば炭酸ガス濃度が高い部位，表面の仕上材がない部位など，塩分浸透であれば表面の仕上材がない外壁，温度・相対湿度が高い部位などから試験箇所を選定する．中性化のように複数の環境条件が関係する劣化要因については，進展予測式を参考にして試験箇所を選定することができる．

②過去の試験結果との連続性

　過去の試験箇所および点検結果を考慮して，連続性が確保できるように試験箇所を選定することにより，材料特性の傾向監視に活用することができる．

③建築物に与える影響

　局部破壊による方法を行う場合は建築物に損傷を与えるため，原子力施設の重要性を考慮して，点検箇所数は必要最小限にすることが望ましい．コンクリート構造物から供試体を採取する位置は，設計図書などを参考に，供試体採取による損傷が小さくなる位置とすることを原則とする．また，建築物と同等な条件で作製して同等な環境に置いた模擬試験体を用いることにより，建築物に損傷を与えずにデータを得ることができる．

　なお，選定した部位がライナや埋戻し土に覆われている場合，隣接構造物，機器配管，その他の設備などによりアクセスが妨げられている場合，または環境条件（高温，高放射線量など）により，アクセスが困難な場合については，環境条件調査による方法，近傍の点検結果などを準用する方法，模擬試験体による方法などの間接的な手法により評価することができる．

(6) 健全性評価の方法

　点検結果に基づき，どのように健全性評価を行うかを定める．具体的には，評価の方法，劣化事象または劣化要因ごとの評価基準を定める．詳細は，「7 章　健全性評価」を参考に定めるとよい．

(7) 対策と効果の確認の方法

　健全性評価の結果に応じ，対策の方法や補修を行った場合の効果の確認方法について定める．補修の方法，実施時期などの個々の劣化に対する具体的な対応は，その都度，補修計画を別途定めることとし，維持管理計画では対策の基本的な考え方を示す．詳細は，「8 章　対策と効果の確認」を参考に定めるとよい．

(8) 記録・保管の方法

　点検，健全性評価および対策と効果の確認の実施結果や維持管理計画の変更履歴を記録・保管するための方法について定める．詳細は，「9 章　記録」を参考に定めるとよい．

(9) 維持管理計画の評価の方法

維持管理の継続的な改善を図ることを目的に実施する維持管理計画の評価について定める．
詳細は，「b. 維持管理計画の妥当性の評価」を参考に定めるとよい．

b. 維持管理計画の妥当性の評価

点検および健全性評価を行った際には，維持管理計画の妥当性について評価し，必要に応じ維持管理計画の見直しを行う．維持管理計画の見直しにあたっては，点検，健全性評価および対策と効果の確認の実績だけではなく，原子力施設に関する国内外の運転状況，最新の技術的知見，試験研究成果などの情報も，判断材料とする．

維持管理計画の見直しを検討する場合の例を以下に示す．

- 健全性評価において健全でないと判定された箇所に対して，点検の強化および補修などの対策が施される場合には，これらを維持管理計画に盛り込む必要がある．具体的には，点検の強化により当該箇所に対する点検頻度，点検方法などが見直される場合，補修した箇所に対してその効果を確認する目的で追加の検査が実施される場合などが挙げられる．
- 点検により劣化の進展がほとんどないことが確認され，かつ今後も進まないと予想される場合には，点検頻度を減らすことや，点検箇所，範囲などを絞り込むことを検討することが可能である．
- より有効な検査・試験方法が確立された場合には，維持管理計画に最新の手法を盛り込むことを検討する必要がある．
- 本指針に記載のない新たな劣化事象やその原因となる劣化要因が明らかになった場合には，その劣化機構を調査し対策について検討することになる．

参考文献

1) ACI (American Concrete Institute)：ACI349.3R-18, Evaluation of Existing Nuclear Safety-Related Concrete Structures, 2018

6章 点　　検

6.1　点検の区分

> a. 点検は，周期を定めて実施する定期点検および不定期に実施する臨時点検の二つに区分する．
> b. 定期点検は，経年的な劣化の状況の把握を目的として実施する．
> c. 臨時点検は，地震，台風，火災などによって生じる突発的な劣化の状況の把握を目的として実施する．

a.　点検の区分

　点検は，一定期間ごとに実施する定期点検と，地震，台風，火災などの発生時に実施する臨時点検の二つに区分する．定期点検については「6.2　定期点検」に，臨時点検については「6.3　臨時点検」に示す．

b.　定期点検の目的

　定期点検の目的は，原子力施設における建築物の経年的な劣化状況を把握することである．定期点検で劣化の発生位置および劣化の程度を把握し，記録することにより，健全性評価に必要なデータを得る．

c.　臨時点検の目的

　臨時点検の目的は，地震，台風，火災などの発生直後に原子力施設における建築物の部位ごとの変状の有無を確認することにより，地震，台風，火災などによる原子力施設の建築物への影響を把握することである．臨時点検で，地震，台風，火災などによる変状，劣化の発生位置および劣化の程度を把握し記録することにより，健全性評価に必要なデータを得る．

6.2 定期点検

> a. 定期点検は，劣化事象に着目して行う現状の健全性評価のための定期点検，および劣化要因に着目して行う長期的な健全性評価のための定期点検の二つに区分する．
> b. 現状の健全性評価のための定期点検は，劣化事象の程度を，目視による方法および非破壊による方法で把握することを基本とする．
> c. 長期的な健全性評価のための定期点検は，劣化要因の影響の程度を，局部破壊による方法などで把握することを基本とする．
> d. 定期点検の実施にあたっては，点検方法，点検対象部位，点検実施時期および点検実施体制を定めた定期点検計画を策定する．

a. 定期点検の種類

　定期点検は，現状の健全性評価のための定期点検と長期的な健全性評価のための定期点検に大別される．それぞれ，直接的な方法と間接的な方法による点検がある．いずれも目視による方法，非破壊による方法，あるいは局部破壊による方法に代表される直接的な方法にて点検を行い，必要に応じて間接的な方法（環境条件調査による方法，近傍の点検結果などを準用する方法，模擬試験体による方法）で代替する．現状の健全性評価のための定期点検では，建築物全体を対象に目視による方法および非破壊による方法を基本とし，長期的な健全性評価のための定期点検では，代表部位を対象に局部破壊による方法を実施することが必要になる場合がある．定期点検の種類と方法を解説図 6-1 に示す．

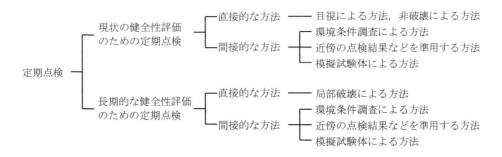

解説図 6-1　定期点検の種類と方法

b. 現状の健全性評価のための定期点検の方法

(1) 基本方針

　現状の健全性評価のための定期点検は，一定期間ごとに繰返し行う点検であり，経年的な劣化事象に着目する．現状の健全性評価のための定期点検の方法は，直接的な方法と間接的な方法に分けられ，解説図 6-1 に示される直接的な方法による点検を基本とする．

　コンクリート構造物の経年的な劣化事象は，解説表 5-2(a)に示されるコンクリートの強度低下と水分逸散を除き，コンクリート表面に顕在化する．表面に顕在化した変状を広い範囲で迅速に把握

するためには目視による方法が適しており，目視による方法はコンクリート構造物を点検する上で基本とすべき方法である．目視による方法では，コンクリートの表面に顕在化するひび割れ，鉄筋腐食，剥離・剥落，たわみ，すりへり，漏水などの劣化事象を確認する．コンクリート表面が塗膜あるいはライナで保護されている場合，塗膜の変状（変退色，光沢度低下，白亜化，汚れなど）や表面の変状（ふくれ，割れ，剥がれ，摩耗など）について確認し，表面に変状がなければコンクリートの表面状況を直接確認する必要はない．また，定期的に塗替えを行っている塗膜（適合みなし仕様に基づいて維持管理している塗膜）については健全性評価を実施しないが，使用性（液密）を塗膜で確保する場合には，目視による方法で塗膜のひび割れや劣化の有無を確認する．目視による方法の一部として実施するものとして，打音による方法やひび割れの測定がある．打音による方法は，コンクリート表面をハンマなどで打撃しその音質などにより剥離の有無を確認する方法で，ひび割れの測定は，クラックスケール，メジャーなどの簡易な器具を用いてひび割れ幅やひび割れ長さを測定するものである．

　鉄骨構造物の経年的な劣化事象は，解説表 5-2(b)に示されるように表面に顕在化する．したがって，コンクリート構造物の場合と同様，現状の健全性評価のための定期点検は，目視による方法で点検を実施することを基本とする．鉄骨構造物の場合には，塗膜の変状（変退色，光沢度低下，白亜化，汚れなど）および表層の変状（ふくれ，割れ，剥がれ，摩耗など）に加えて表面のさびおよび断面欠損の有無についても同時に確認する．

　原子力施設においては高放射線領域，機器が障害になる箇所，地下外壁など，当該部位へ直接アクセスすることが困難な箇所が存在する．アクセスが困難な代表的な箇所を解説表 6-1 に示す．点検計画を立案する場合においては，アクセスが困難な箇所をあらかじめ把握し，点検方法を定めておく必要がある．

解説表 6-1　原子力発電所においてアクセスが困難な箇所の例[1]

沸騰水型原子力発電所	原子炉本体基礎
	シェル壁（ライナ部）
	格納容器底部基礎マット（内側ライナ部，地盤側）
	使用済燃料プール（ライナ部）
	原子炉建屋原子炉棟・付属棟（地下部外壁）
	格納容器底部以外の基礎マット（地盤側）
加圧水型原子力発電所	原子炉格納容器（ライナ部）
	内部コンクリート（1次遮蔽壁内側）
	格納容器底部基礎マット（内側ライナ部，地盤側）
	使用済燃料ピット（ライナ部）
	外周建屋（地下部外壁）
	格納容器底部以外の基礎マット（地盤側）

アクセスが困難な箇所には間接的な方法により点検を行う．具体的な方法を以下に示す．

①環境条件調査による方法

　コンクリートの強度低下および水分逸散の影響を確認するため，点検対象部位がさらされる環境条件を測定し劣化要因の影響を確認する方法で，コンクリート内部の温度，放射線照射量などを解析により求める場合もある．

②近傍の点検結果などを準用する方法

　点検対象箇所がアクセス困難な箇所の場合，点検対象箇所の周囲にある類似の構造および類似の環境条件の箇所における点検結果を，アクセスが困難な箇所の点検結果とみなすことができる．

③模擬試験体による方法

　模擬試験体を建築物と同等な条件で作製して同等な環境に置き，局部破壊による方法を実施することで，建築物に損傷を与えずに点検を実施することがこれに相当する．

(2) コンクリート構造物

　コンクリート構造物に対する現状の健全性評価のための定期点検は，劣化事象に着目して建築物全体に対して行う．コンクリート構造物に発生する劣化事象は表面の変状として現れることが多いため，目視による方法で劣化事象の発生状況を把握する．

　ただし，目視による方法では直接確認できない劣化事象，目視による方法で変状が確認された部位，経過観察を実施している部位および環境条件や構造条件から劣化事象の進展が危惧される部位には，非破壊による方法や間接的な方法により点検を行う．非破壊による方法は，反発度による方法，弾性波による方法，赤外線による方法および各種測定による方法がある．間接的な方法は，環境条件調査による方法，近傍の点検結果などを準用する方法および模擬試験体による方法がある．維持管理においては，必要な情報は目視による方法や非破壊による方法で得る計画とし，局部破壊による方法は躯体への影響を考慮し，必要最小限とする．目視による方法で劣化事象が確認できた場合には，解説表 6-2 に示す方法によりさらに詳細に点検を行い，関連する性能への影響を把握する．

解説表 6-2 現状の健全性評価のための定期点検
(コンクリート構造物)

劣化事象	関連する性能	対象部位	点検項目	点検方法
コンクリートの強度低下	構造安全性	高温になる部位	温度	間接的な方法（環境条件調査による方法，温度の解析，放射線量の解析）
		長期間放射線照射を受ける部位	放射線量	
		コンクリート構造物全般	圧縮強度の変化	非破壊による方法（反発度による方法，弾性波による方法）
				局部破壊による方法（コア採取による方法）
				間接的な方法（近傍の点検結果などを準用する方法，模擬試験体による方法）
ひび割れ	構造安全性 使用性 遮蔽性	コンクリート構造物全般	ひび割れの状況	目視による方法（ひび割れの測定）
鉄筋腐食	構造安全性		さび汁	目視による方法（打音による方法）
				局部破壊による方法（はつりによる方法）
剥離・剥落	構造安全性 使用性 遮蔽性		剥離・剥落の有無	目視による方法（打音による方法）
				非破壊による方法（赤外線による方法など）
たわみ	使用性	重量機器を支える部位	変形量	目視による方法（変形測定）
振動	使用性	振動機器を支える部位	振動	非破壊による方法（振動測定）
すりへり	使用性	車両・重量物が通行する床面	すりへり	目視による方法（表面測定）
漏水	使用性	屋根スラブ，地上および地下外壁，内壁	漏水	目視による方法（打音による方法）
水分逸散	遮蔽性	遮蔽要求部位	温度	間接的な方法（温度の解析，環境条件調査による方法）
			密度※1	局部破壊による方法（コア採取による方法）
				間接的な方法（環境条件調査による方法，近傍の点検結果などを準用する方法，模擬試験体による方法）

※1：関連する性能である遮蔽性を直接評価する場合

a) コンクリートの強度低下

原子力施設に使用されているコンクリートは，建設時において，品質を確認した材料を使用し，構造体コンクリートの圧縮強度が設計基準強度を満足していることを確認している．また，後述する点検および健全性評価を行い，解説表 4-7(a)に示す劣化要因（高温および放射線照射）に対してコンクリートの強度低下が要求性能に影響を及ぼさないことを確認している．さらに，建築物の用途や機器類および建築物がさらされる環境に変化がなく*，表面に変状が確認されない場合には，コンクリートの強度低下は生じていないものと推定できる．よって，原子力施設においては，目視による方法でもコンクリートの強度低下を確認できると考えられるが，定量的に把握することは困難であるため，構造安全性が要求される箇所においては，直接的な方法や間接的な方法でコンクリートの強度低下が生じていないことを定期的に確認することが必

要である．

　直接的な方法には，非破壊による方法と局部破壊による方法がある．非破壊による方法は，反発度による方法および弾性波による方法がある．非破壊による方法の測定結果は，コンクリート表面の乾湿による影響や使用骨材，骨材寸法，調合，施工，環境条件などの影響を受けるため，他の方法の測定結果と整合を取ることにより信頼性を向上させることができる[2]．局部破壊による方法は，コア採取による方法が一般的である．コア供試体を採取する際には鉄筋，埋設配管などを切断・損傷しないように留意するとともに，コア供試体を採取した後にはすみやかに補修する必要がある．一般に採取するコア供試体は，直径100mm程度のものを使用する場合が多いが，鉄筋との干渉の回避および構造体へ与える影響を低減するために，付録Ⅰ.4に示す中径コアによる方法を適用することができる．一般に，コンクリートの強度低下は圧縮強度で代表され，非破壊による方法と局部破壊による方法の測定結果を蓄積し，相関関係をあらかじめ求めておけば，非破壊による方法で圧縮強度を推定することができる．一般的なコンクリートの圧縮強度の推定方法を解説表6-3にまとめて示す．

　直接的な方法で点検ができない場合においては，間接的な方法でコンクリートの強度低下を確認することができ，環境条件調査による方法，近傍の点検結果などを準用する方法，模擬試験体による方法が適用できる．

＊：定期点検を実施する時などには建築物がさらされる環境は変化するが，供用期間を通じてそのサイクルは繰り返されるため，用途や機器類に変化がなければ，大局的に大きな変化は生じない．

解説表 6-3　コンクリートの圧縮強度の推定方法

点検項目	点検方法	一般的に用いられる方法	概要
圧縮強度	非破壊による方法	・JIS A 1155「コンクリートの反発度の測定方法」 ・CTM-15「コンクリート中を伝わる超音波の縦波伝播速度の測定方法（案）」[3] ・CTM-16「反発度法，超音波法及びその複合法による構造体コンクリートの強度推定のための非破壊試験方法（案）」[3] ・MMS-002「鋼板コンクリート構造物の内部コンクリートの弾性波伝搬速度計測方法（案）」（付録Ⅰ.5）	反発度による方法は，コンクリートの反発度を測定し，表面硬度から強度を推定する． 超音波，衝撃弾性波などの弾性波による方法は，コンクリート部材中の弾性波の伝播速度を測定し，弾性波の伝播特性から強度などを推定する．
	局部破壊による方法	・JIS A 1107「コンクリートからのコアの採取方法及び圧縮強度試験方法」 ・JIS A 1108「コンクリートの圧縮強度試験方法」 ・CTM-14「コンクリートからの小径コアの採取方法及び小径コア供試体を用いた圧縮強度試験方法（案）」[3] ・MMS-001「コンクリートからの中径コアの採取方法及び中径コア供試体を用いた圧縮強度試験方法（案）」（付録Ⅰ.4）	コア採取による方法は，他の試験方法に比べて直接的にコンクリートの強度を評価できる． ただし，測定結果は，部材の種類，部材の厚さ，部材中の位置および欠陥（ひび割れ，コールドジョイントなど）などの影響を受けるため，これらの要因を考慮して評価する必要がある．

b) ひび割れ

　目視による方法でひび割れが確認された場合，ひび割れの発生状況から劣化要因を推定し，影響する性能を推定することが求められるため，コンクリート構造に関する知識・経験を有する技術者が点検を実施する必要がある．

　目視による方法で確認されたひび割れが，中性化や塩分浸透に伴う鉄筋の腐食，アルカリ骨材反応または機械振動を劣化要因として発生した場合，構造安全性に影響する可能性があり，影響範囲を確認し対策を行う必要がある．ここに，目視による方法でひび割れの劣化要因を推定する場合，解説表 6-4 に示すひび割れの特徴やひび割れパターン[3]が参考になる．しかし，ひび割れの特徴およびパターンは，部材の特性，拘束条件および環境条件により多岐に変化するため，目視により確認できた項目は詳細に記録に残すことが必要である．

　ひび割れが構造安全性に影響を及ぼさないと判断された場合，使用性および遮蔽性に及ぼす影響を確認し，ひび割れ幅，長さ，パターン，特徴などを確認する．

　ひび割れ幅はクラックスケールで，ひび割れ長さはスケールで，ひび割れの深さは弾性波などを用いて測定することができる．また，高所のひび割れを双眼鏡や光波測量器などで測定する方法，望遠レンズなどを用いて撮影したデジタル画像を分析する方法も活用できる．

解説表 6-4 構造安全性に関連するひび割れの劣化要因と特徴

劣化要因	特徴
中性化 塩分浸透	中性化および塩分浸透により鉄筋腐食が生じると，かぶりコンクリートにひび割れが生じ，さらに進展するとかぶりコンクリートの剥離・剥落につながる．鉄筋腐食先行型のひび割れであり，主筋に沿ったひび割れが生じる場合が多い[2]．中性化や塩分浸透を劣化要因とするひび割れが生じた場合は，鉄筋腐食が進展しているため，さび汁を伴うことが多い．
アルカリ骨材反応	アルカリ骨材反応に起因するひび割れは，鉄筋による拘束力が小さい場合には互いに120°の角度で発生する網目状のひび割れとなり，鉄筋による拘束が大きい部材では鉄筋方向が卓越したひび割れとなる[2]．ひび割れ以外の表面変状として，ゲルの浸出およびポップアウトが生じる場合がある．
機械振動	コンクリート構造物に変動荷重が作用すると，耐力以下の荷重であっても，疲労によりひび割れや剥離・剥落，さらに異常振動が発生する可能性がある．

c) 鉄筋腐食

鉄筋腐食は，表面に生じたさび汁を目視による方法で確認する．さび汁は，コンクリート表面近傍にある鋼材のさびがコンクリート表面を雨水などとともに流され付着した場合と，コンクリート内部の鉄筋が腐食し，ひび割れから腐食生成物が表面に現れた場合がある．コンクリート内部の鉄筋腐食は，中性化，塩分浸透，既存のひび割れ，湿度などの環境条件の影響を受ける．目視による方法でさび汁が確認された場合，構造安全性に影響する可能性があり，発生要因と影響範囲を確認し対策を行う必要がある．

鉄筋腐食による影響を確認する方法は，目視による方法と局部破壊による方法がある．目視による方法（打音による方法）で鉄筋腐食に伴うコンクリートの剥離状況がわかり，局部破壊による方法は，かぶりコンクリートをはつり取ることで鉄筋腐食を直接確認することができる．このほか，自然電位や分極抵抗を測定して鉄筋腐食の可能性や腐食速度を確認する方法（電気化学的手法）がある．自然電位を用いる方法は腐食による鉄筋表面の電位の変化を測定し，調査時点での腐食の可能性を推定する方法である[2]．分極抵抗を用いる方法は，分極抵抗と腐食速度（腐食電流密度）が反比例の関係にあることを利用したもので，コンクリート表面の外部電極から内部鉄筋に電気的負荷を与え，電位または電流の変化量から分極抵抗を求め腐食速度を推定する[2]．しかし，いずれの方法も鉄筋の一部を露出させて測定器を接続しなければならないため，適用箇所には留意する必要がある．

d) 剥離・剥落

目視による方法で剥離・剥落が確認された場合，発生要因を分析し影響を及ぼす性能を推定する．発生要因が鉄筋腐食，アルカリ骨材反応および機械振動の場合，構造安全性に影響する可能性がある．また，剥離・剥落が生じると，使用性（液密，気密，遮熱性，遮炎性）や遮蔽性にも影響する可能性があるため，影響範囲を確認し対策を行うことが必要になる．

剥離の疑いがある場合は，目視による方法（打音による方法）を実施し剥離の範囲を確認する．非破壊による方法には，弾性波による方法，電磁波レーダによる方法，赤外線による方法などがあ

り，点検対象部位の特徴に合わせて点検方法を選択する．電磁波レーダによる方法は，電磁波をコンクリート内へ放射し，コンクリートと電気的性質の異なる物体との境界面で発生する反射波を受信するものである[2]．コンクリート内部の空隙，鉄筋腐食に伴うかぶりコンクリートの剥離などの位置や大きさの推定に役立つ．赤外線による方法は，赤外線センサにより対象物の表面温度を測定し，その温度分布より，タイルおよびモルタルの浮き部や表面剥離の分布を確認する方法である．検出深度の限界は，欠陥の大きさにもよるが，構造体表面から 50mm 程度といわれている[2]．外気温，日射などの外部環境の影響を大きく受けることに留意する必要がある．

剥落の有無については，目視による方法で確認するほか，点検時に床上に残置されているコンクリート片から剥落の可能性を確認することができる．

e) たわみ

目視による方法や異常体感（たわみ，傾きにより生ずる異常感）からたわみを確認する．たわみが確認された場合には使用性に影響が及ぶため，たわみ量の測定を実施する．特に重量機器が設置されている箇所やたわみが発生することにより使用性に影響が生じると危惧される箇所については，定期的に確認することが望ましい．

f) 振動

異常体感（振動や異音）から異常振動を確認する．異常振動が確認された場合には使用性に影響が及ぶため，振動測定を実施する．特に振動機器が設置されている箇所や振動が発生することにより使用性に影響が生じると危惧される箇所については，定期的に確認することが望ましい．

g) すりへり

目視による方法ですりへりを確認する．すりへりが確認された場合には使用性に影響が及ぶため，すりへり量の測定を実施する．特に車両や重量物が通行する床板については定期的に確認することが望ましい．

h) 漏水

目視による方法で漏水や漏水跡を確認する．漏水や漏水跡が確認された場合には使用性に影響するが，漏水に伴い鉄筋腐食が発生している可能性があるため，打音による方法で鉄筋腐食に伴う剥離状況を確認することが望ましい．なお，エフロレッセンスやさび汁の発生は，漏水が影響している可能性があるため，併せて点検を実施する必要がある．

i) 水分逸散

水分逸散は熱（高温）により生じる．現状の技術ではコンクリート中の水分量を直接的な方法により把握することが困難であるため，間接的な方法として温度の解析や環境条件調査による方法を行うことにより，性能に影響を与える水分逸散が生じない環境であることの確認を行う．

その他，局部破壊による方法（コア採取による方法）によりコンクリートの密度を測定し，関連する性能である遮蔽性を直接評価することもできる．なお，局部破壊による方法が対象部位の機能に影響を与える可能性がある場合は，間接的な方法（環境条件調査による方法，近傍の点検結果な

どを準用する方法，模擬試験体による方法）で実施することが望ましい．

(3) 鉄骨構造物

鉄骨構造物に対する現状の健全性評価のための定期点検は，劣化事象を対象に鉄骨構造物全体を目視による方法で確認することを基本とする．高所などでは，双眼鏡や望遠レンズなどを用いて撮影したデジタル画像を分析する方法で確認することもできる．特に，劣化事象が進展する可能性が高い箇所（例えば繰返し荷重を受ける箇所[排気筒，クレーンガーダ]，発生応力が比較的大きい箇所など）では，重点的に点検を実施することが必要である．鉄骨構造物に対する現状の健全性評価のための定期点検を解説表 6-5 に示す．

解説表 6-5　現状の健全性評価のための定期点検
（鉄骨構造物）

劣化事象	関連する性能	対象部位	点検項目	点検方法
疲労による強度低下	構造安全性	風などによる繰返し荷重を受ける部位（排気筒など）	塗膜の変状 皮膜の変状 過大な変形やたわみ	目視による方法
鋼材の腐食	構造安全性 使用性	鉄骨構造物全般 基礎接続部	塗膜の変状 皮膜の変状 鋼材表面の変状	目視による方法
接合部のすべり・きれつ・破断，ボルトのゆるみ・破断	構造安全性 使用性	風などによる繰返し荷重を受ける部位（排気筒など）	塗膜の変状 皮膜の変状	目視による方法 （打音による方法，マーキングの確認）

a) 疲労による強度低下

塗膜・皮膜の変状，過大な変形の有無について，目視による方法で確認する．

b) 鋼材の腐食

鋼材表面の変状（さびの状態，鋼材の腐食による厚さの減少の有無），塗膜・皮膜の変状の有無，について，目視による方法や非破壊による方法で確認する．

c) 接合部のすべり・きれつ・破断，ボルトのゆるみ・破断

接合部のすべり・きれつ・破断，ボルトのゆるみ・破断に関連する塗膜の変状や皮膜の変状について，目視による方法（打音による方法，もしくはマーキングの確認）により行う．

c. 長期的な健全性評価のための定期点検の方法

(1) 基本方針

長期的な健全性評価のための定期点検は，劣化要因の影響の程度を把握することを目的とし，劣化要因の影響の程度が顕著になる箇所を選定し，点検を実施する．現状の健全性評価のための定期点検における直接的な方法と同様に建築物の損傷は回避すべきであるが，劣化要因の影響の程度を

把握するためには局部破壊による方法が必要になる．

　高所や機器配置上の問題により当該部位へのアクセスが困難で直接的な方法による点検が困難な場合は，必要に応じて間接的な方法で代替する．間接的な方法には，以下に示すような方法がある．具体的な方法は，着目する劣化要因の特徴や環境条件によって決定する．

①環境条件調査による方法

　コンクリート構造物に対する熱（高温）および放射線照射，鉄骨構造物に対する風などの繰返し荷重（疲労）について，温度条件や環境条件について確認する．また，必要に応じて温度，風などの実測データを入力として解析により予測を行うことがこれに相当する．

②近傍の点検結果などを準用する方法

　点検対象箇所がアクセス困難な箇所の場合，点検対象箇所の周囲にある類似の構造および類似の環境条件の箇所（近傍）における点検結果を，アクセスが困難な箇所の点検結果とみなすことができる．

③模擬試験体による方法

　模擬試験体を建築物と同等な条件で作製して同等な環境に置き，コア採取および各種局部破壊による方法を実施することで，建築物に損傷を与えずに健全性評価に使用するデータを得る方法がこれに相当する．

(2) コンクリート構造物

　コンクリート構造物における長期的な健全性評価のための定期点検は，構造安全性や遮蔽性に影響を及ぼす劣化要因を対象とする．なお，使用性に影響を及ぼす劣化要因（乾燥収縮，クリープ，日射，風化，車両の通行など）については，現状の健全性を確保するための点検を継続して実施し，適切に対策を行うことにより健全性を確保することが可能である．コンクリート構造物に対する長期的な健全性評価のための定期点検を解説表 6-6 に示す．

解説表 6-6　長期的な健全性評価のための定期点検
（コンクリート構造物）

劣化要因	対象部位	点検項目	点検方法
熱（高温）	高温になる部位	温度	間接的な方法（温度の解析，放射線量の解析，環境条件調査による方法）
放射線照射	長期間放射線照射を受ける部位	放射線量	
中性化	コンクリート構造物全般	中性化深さ	局部破壊による方法
塩分浸透	飛来塩分などにさらされるコンクリート構造物の外壁など	塩化物含有量	局部破壊による方法
アルカリ骨材反応	コンクリート構造物全般	ひび割れの状況	目視による方法
機械振動	タービン発電機架台，非常用ディーゼル発電機基礎，ポンプ・モータ類の基礎など	ひび割れの状況	目視による方法

a) 熱（高温）および放射線照射

熱（高温）および放射線照射が劣化要因である部位はアクセスが困難であるため，間接的な方法（温度の解析，放射線量の解析，環境条件調査による方法）で劣化要因による影響を確認する．点検対象部位は，沸騰水型原子力発電所では原子炉建屋の原子炉本体基礎，加圧水型原子力発電所では原子炉建屋の内部コンクリートのような高温および放射線にさらされる部位である．

b) 中性化

中性化の影響に伴い鉄筋が腐食して発生するひび割れは，中性化深さを一定の間隔で測定し，中性化の進展を予測することにより，ひび割れの発生時期を予測することができる．

中性化深さの測定は，フェノールフタレイン1%エタノール溶液を噴霧して赤紫色を呈する部分を未中性化部分として測定する方法が一般的で，ドリル削孔による方法，はつりによる方法およびコア採取による方法がある．測定方法はいずれも局部破壊による方法であるため，コンクリート構造体に与える損傷に配慮する必要がある．ドリル削孔による方法は，破壊程度，作業量および補修量の面で有利な方法なため，コア採取による方法に比べて点検箇所を多くすることが可能となる[2]．コンクリートの中性化深さの測定方法を解説表6-7に示す．

点検対象部位は二酸化炭素濃度が高い箇所が対象となるが，表面の仕上げの有無，鉄筋腐食を誘発しやすい環境および点検の実績を考慮して選択することが望ましい．

解説表 6-7 コンクリートの一般的な中性化深さの測定方法

点検項目	一般的に用いられる方法	概要
中性化深さ	NDIS 3419「ドリル削孔粉を用いたコンクリート構造物の中性化試験方法」[4]	直径10mmのドリルにより削孔し，削孔粉をあらかじめフェノールフタレイン溶液を吸収させた試験紙の上に落下させ，削孔粉が試験紙に触れて赤紫色に変色したときに削孔を停止し，孔の深さを中性化深さとして測定する．
	JIS A 1152「コンクリートの中性化深さの測定方法」	採取したコア供試体の割裂面あるいは側面，もしくははつり面にフェノールフタレイン溶液を噴霧することにより，中性化深さを実測する方法である．

c) 塩分浸透

塩分浸透の影響に伴い鉄筋が腐食して発生するひび割れは，コンクリート中の塩化物含有量を一定の間隔で測定し，鉄筋表面における塩化物イオン濃度を予測することにより，鉄筋腐食に伴うひび割れの発生時期を予測することができる．

コンクリート中の塩化物含有量には，強酸によりコンクリートをほぼ完全に分解し湧出して得られる全塩化物イオン量の測定結果を用いる．測定方法を解説表6-8に示す．

点検対象部位は飛来塩分にさらされるコンクリート構造物の外壁などが対象となるが，表面の仕上材がなく塩分の浸透しやすい部位，鉄筋腐食を誘発しやすい温度，相対湿度が高い部位などを考

慮し選択することが望ましい．

解説表 6-8　コンクリートの一般的な塩化物含有量の測定方法

点検項目	一般的に用いられる方法	概要
塩化物含有量	JIS A 1154「硬化コンクリート中に含まれる塩化物イオンの試験方法」	コア供試体を微粉砕したサンプルや深さごとに採取したドリル削孔粉の塩化物イオン量を，滴定や測定器により測定する方法である．塩化物含有量のコンクリート表面からの深さ方向の分布状況を把握できるとともに，見かけの拡散係数を算出することができる．
	CTM-17「硬化コンクリート中の塩化物イオン量の簡易試験方法（案）」[3]	
	JCI-SC4「硬化コンクリート中に含まれる塩分の分析方法」[5]	
	NDIS「硬化コンクリート中の塩化物イオン量の簡易試験方法」[6]	

d) アルカリ骨材反応

　アルカリ骨材反応は種々の要因が関係するため，発生の予測は困難な場合が多い．アルカリ骨材反応の発生の可能性は，ひび割れの状況，骨材の反応性に関する検査記録，コア採取による岩石学的見地からの確認および骨材のアルカリシリカ反応性試験（化学法，モルタルバー法およびコンクリートバー法）で確認できる．なお，骨材の反応性に関する検査記録などがない場合には，解説表 6-9 に示す残存膨張量を確認することにより，アルカリ骨材反応の発生の可能性を評価することも可能である．また，解説表 6-4 に示すひび割れなどの変状によりアルカリ骨材反応の発生が確認され，将来的な影響を評価する必要が生じた場合においても，残存膨張量の評価は有効である．

解説表 6-9　硬化コンクリートのアルカリ骨材反応に関する測定方法

点検項目	一般的に用いられる方法	概要
アルカリ骨材反応によるコンクリートの残存膨張量	CTM-18「アルカリ骨材反応によるコンクリートコアの膨張量試験方法（案）」[3]	促進膨張試験の実施により，アルカリ骨材反応などによるコンクリートの残存膨張量を測定する．高温条件下で試験を行う方法が最も一般的である[7]．
	JCI-S-011-2017「コンクリート構造物のコア試料による膨張率の測定方法」[8]	

　JASS 5N[9]に基づき建設されている原子力施設は，コンクリートバー法による促進試験を実施し，ペシマム現象の影響を検討している．また，フライアッシュを混入するなどのアルカリ骨材反応の抑制対策を実施し，アルカリ骨材反応の発生防止に配慮している．しかし，各対策には限界があり，海外においてはアルカリ骨材反応の新たな発生形態の報告があることなどから，アルカリ骨材反応の発生リスクを 0 にすることは困難である．コンクリート構造物にアルカリ骨材反応が生じたとしてもただちに性能が低下するわけではないため，アルカリ骨材反応によりひび割れ，剥離・剥落ま

たはポップアウトが確認された後でも，劣化事象の進展過程をモニタリングして適宜対策を講じることにより，コンクリート構造物の長期的な健全性を確保していくことができる．モニタリングには各種方法が考えられるが，機器側の点検結果からアルカリ骨材反応の発生が確認された事例（付録I.3）もあり，多角的にモニタリングを行うことが望ましい．

e) 機械振動

直接的な方法により劣化要因の影響の程度を評価することは困難なため，ひび割れなどの劣化事象の進展を確認することにより，機械振動の影響を確認する．点検対象部位は，長期間にわたり機械振動による変動荷重を受けるタービンを支えるコンクリート構造物（タービン発電機架台），非常用ディーゼル発電機基礎，ポンプ，モータ類などの基礎などがある．

(3) 鉄骨構造物

鉄骨構造物における長期的な健全性評価のための定期点検は，発生応力が比較的大きい箇所および風などによる繰返し荷重を受けて疲労の影響が懸念される箇所について，目視による方法または非破壊による方法で確認する．鉄骨構造物に対する長期的な健全性評価のための定期点検を解説表6-10に示す．

解説表 6-10 長期的な健全性評価のための定期点検
(鉄骨構造物)

劣化要因	対象部位	点検項目	点検方法
塗膜劣化 皮膜劣化 （亜鉛めっき皮膜消失）	鉄骨構造物全般	塗膜の変状 皮膜の変状	目視による方法
風などの繰返し荷重 （疲労）	風などによる繰返し荷重を受ける部位 （排気筒など）	塗膜の変状 皮膜の変状 過大な変形やたわみ	目視による方法 非破壊による方法 （超音波探傷検査[UT]， 浸透探傷検査[PT]）

a) 塗膜劣化，皮膜劣化（亜鉛めっき皮膜消失）

鋼材腐食は，塗膜劣化および皮膜劣化（亜鉛めっき皮膜消失）による表面の変状を伴うため，目視による方法で確認する．紫外線，熱，大気中の成分などによる腐食作用，飛砂，機械的応力による劣化の環境下にある部位などが点検対象部位となる．

b) 風などの繰返し荷重（疲労）

風などの繰返し荷重（疲労）は，疲労による強度低下，接合部のすべり・きれつおよびボルトのゆるみにより，塗膜または皮膜表面に変状が顕在化するため，目視による方法で確認する．その際，過大な変形やたわみの有無についても確認する．非破壊による方法には，超音波探傷検査（UT）および浸透探傷検査（PT）による方法があり，内部欠陥や表面の微細な欠陥を確認することができる．排気筒のような風などによる繰返し荷重を受ける部位が点検部位である．

d. 定期点検計画の策定

点検の実施にあたっては，維持管理計画に従って，あらかじめ定期点検計画を策定する．定期点検計画では，設計図書，施工記録，補修記録，過去の点検記録・健全性評価結果，環境調査結果，同様な施設の維持管理計画などを参考にし，以下(1)から(4)に示す事項を定める．

(1) 点検の方法

最新の知見に基づく新しい点検方法を調査し，原子力施設に適した方法を選択することができる．点検方法を変更する場合には，データの継続性について留意する必要がある．

a) 目視による方法

目視による方法は，同時に複数の劣化事象を確認することができる．点検者がコンクリート表面に近づくことができない場合は，双眼鏡などを用いることが有効である．また，写真およびビデオが記録手段として有効である．目視による方法での点検は，日本非破壊検査協会「コンクリート構造物の目視試験方法 NDIS 3418」[10]を参考にすることができる．

b) 非破壊による方法

非破壊による方法は，目視による方法で異常が確認された場合などに適用される方法で，コンクリート構造物ではコンクリートの強度低下，剥離・剥落，振動などの測定に，鉄骨構造物では内部欠陥もしくは表面の微細な欠陥の確認に用いられる．また，環境条件調査による方法で実施する解析などもこの方法に位置付けられる．コンクリートの強度低下の場合，非破壊による方法と局部破壊による方法の測定結果について，相関関係をあらかじめ求めておけば，非破壊による方法で圧縮強度の変化を推定することができる．

c) 局部破壊による方法

コンクリート構造物を対象とした局部破壊による方法は，建築物から採取したコア供試体などから，圧縮強度などを直接測定でき，さらに劣化要因の特定や影響の程度を確認することができる．局部破壊による方法は構造体に損傷を与えるため，破壊を伴わない他の方法から得られる結果で評価できる可能性など，実施については総合的に判断する必要がある．局部破壊による方法のうち，コア採取による方法で圧縮強度を測定する場合，測定結果の信頼度の観点から複数の供試体を採取するのがよい．

JASS 5N[9]では，建設時における構造体コンクリートの圧縮強度の検査をコア供試体による場合，建設時に強度管理用部材を作成し，構造体コンクリートの強度管理材齢の時に任意の3か所から1本ずつ抜き取った3本の圧縮強度の平均値により評価している．なお，構造体コンクリートからコア採取による方法で圧縮強度を確認する方法は，施工時に採取した供試体から構造体コンクリートの圧縮強度を評価する方法で検査し，不合格となった場合の対策として位置付けられている．

土木学会「2001年制定コンクリート標準示方書[維持管理編]制定資料」[11]では，調査箇所あたり3本のコア供試体を採取し，測定結果はそれらの平均値を採用することを原則としている．

ACI349-06では，管理供試体の試験結果が設計基準強度以下の場合，代表箇所からコア供試体を

採取し，圧縮強度を評価することができる．この場合，3本のコア供試体の試験結果の平均値が設計基準強度の85％以上で，かつ各試験結果が設計基準強度の75％以上であることを健全と判断する基準の原則としている[12]．

以上より，コア供試体を3本程度採取して圧縮強度試験を実施し，その平均値を評価することが望ましい．コア採取による方法は，供試体の採取や成形において損傷が生じやすく，技量のある技術者による実施が不可欠である．結果の採用・不採用に関する検討，過去の点検結果などの経時的データに関する検討を実施し，さらに必要があれば，供試体の追加採取について検討する．

中性化および塩化物含有量の測定を実施した場合には，その平均値を測定結果とすることができる．結果の変動が顕著な場合には，測定箇所数または供試体数について検討する．

(2) 点検実施時期

点検実施時期は，維持管理計画に定められる点検頻度に従って設定する．

(3) 点検対象部位

a) 現状の健全性評価のための点検

現状の健全性評価は，点検時に建築物の性能を低下させるような劣化事象の有無，もしくはその程度を評価することが目的であるため，建築物全体が対象部位である．

ただし，劣化事象のうちコンクリートの強度低下に関しては，定量的な情報が目視による方法では得られないことから，構造安全性が求められる部位で非破壊による方法で傾向監視を行うことを基本とする．なお，非破壊による方法の検証や精度向上のために，局部破壊による方法を行う場合，点検対象部位の選定にあたっては，以下を考慮する必要がある．

・点検結果の連続性：過去の試験箇所との連続性を考慮することで，点検結果の時系列的な変化を把握し，長期的な健全性評価に活用できる．

・建築物に及ぼす影響：局部破壊による方法は建築物に損傷を与えるため，採取する供試体数は必要最小限とし，評価対象部位と環境条件が類似している箇所などから選定し，建築物に及ぼす影響に配慮する．

b) 長期的な健全性評価のための点検

長期的な健全性評価は，劣化事象として現れる前に，その原因である劣化要因の影響の程度を把握することが目的である．点検対象部位は建築物全体になるが，代表箇所を選定し健全性の確認を行う．代表部位の選定にあたっては，以下を考慮する必要がある．

・劣化要因に影響を及ぼす環境条件：例えば炭酸ガス濃度が高い部位，表面の仕上材がない部位，温度，もしくは相対湿度が高い部位などから代表部位を選定する．

・複数の環境条件が関係する場合：中性化に伴う鉄筋腐食のように，複数の環境条件が影響しあう場合，進展予測式の影響因子を参考に代表箇所を選定する．

・点検結果の連続性：過去の試験箇所との連続性を考慮する．
・建築物に及ぼす影響：局部破壊による方法は建築物に損傷を与えるため，採取する供試体数は必要最小限とし，評価対象部位と環境条件が類似している箇所などから選定し，建築物に及ぼす影響に配慮する．

(4) 点検実施体制

　　点検実施体制は責任者および実施者で構成される．責任者は，一級建築士，技術士などの資格を有する者，もしくはコンクリート構造および鉄骨構造に関する十分な知識と経験を有する者とし，さらに原子力施設の建築物の設計および施工に関する知識と経験を有する者が望ましい．実施者は，コンクリート構造および鉄骨構造に関する知識と経験を有する者が望ましい．

6.3 臨時点検

> a. 臨時点検は，目視による方法で行うことを基本とし，必要に応じてさらに詳細な方法で行う．
> b. 臨時点検の実施にあたっては，点検方法，点検対象部位および点検実施体制を定めた臨時点検計画を策定する．

a. 臨時点検の方法

　臨時点検が必要となる地震，台風，火災などが発生した場合，迅速に影響を把握することが重要である．まず広い範囲を迅速に確認できる目視による方法で変状の有無を確認する．変状が確認された場合には，さらに詳細な点検の必要性と点検が必要な範囲について検討を行う．定期点検の場合に建築物全体を目視による方法で確認することとは異なり，地震および台風の規模，火災の程度および位置を考慮し，優先すべき点検範囲を設定して，迅速に点検を実施する．

(1) コンクリート構造物

　コンクリート構造物に対する臨時点検は，地震・台風などの荷重に対しては建築物全体を，火災による場合は火害箇所の周辺を対象に劣化事象の確認を行う．臨時点検においては定期点検と同様，コンクリート構造物に発生する劣化事象は表面の変状として現れることが多いため，目視による方法で劣化事象を把握することができる．目視による方法で変状が確認できた場合には，解説表 6-11 に示す方法によりさらに詳細に点検を行い，関連する性能への影響を把握する．

解説表 6-11 臨時点検（コンクリート構造物）

劣化要因	対象部位	関連する性能	劣化事象	点検項目	点検方法
地震，台風などの荷重	損傷箇所	構造安全性 使用性 遮蔽性	ひび割れ	ひび割れの状況	目視による方法（ひび割れの測定）（打音による方法）
			剥離・剥落	剥離・剥落の有無	
火災による熱	火害箇所	構造安全性 使用性 遮蔽性	コンクリートの強度低下	中性化深さ	局部破壊による方法（ドリル削孔による方法）（コア採取による方法）
				圧縮強度の変化	非破壊による方法（反発度による方法）（弾性波による方法）
					局部破壊による方法（コア採取による方法）
			ひび割れ	ひび割れの状況	目視による方法（ひび割れの測定）
			剥離・剥落	剥離・剥落の有無	目視による方法（打音による方法）
			爆裂	爆裂の範囲	目視による方法（打音による方法）

a) 地震，台風などの荷重を受けた場合

コンクリート構造物が地震，台風などの荷重を受けた場合，経年劣化によるひび割れとは異なる曲げひび割れ，せん断ひび割れなどが発生し，構造安全性に影響を与える可能性があるため，ひび割れの状況や剥離・剥落の有無などを目視による方法で確認する．

なお，地震の場合，原子力発電所の機器を対象として，点検結果から評価される地震による影響と地震観測記録から評価される地震動のレベルから，あらかじめ設定している点検方法，健全性評価および対策を選択する方法がガイドライン[13]として提案されている．

b) 火災による熱を受けた場合

　コンクリート構造物が火災による熱を受けた場合，解説図 6-2 に示す火害診断フロー[14]に従い点検を行う．

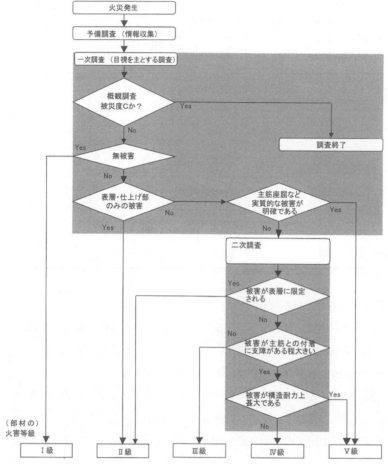

※被災度 C：倒壊の危険性があり，再使用が困難な場合

火害等級	Ⅰ級	Ⅱ級	Ⅲ級	Ⅳ級	Ⅴ級
定　義	構造耐力上，火災の影響を全く受けていない	構造体耐力上の影響はないが，表面劣化などの被害はある	構造耐力上，影響が少ない（軽微な補修で再使用可能）	構造耐力上，影響が大きい（補修・補強によって再使用可能）	構造耐力上，甚大な被害がある（部材の取換えが必要）
説　明	無被害の状態	表層（仕上材料，もしくはコンクリート表面）に限定される被害がある状態	表面から鉄筋までの位置に被害がある状態	主筋との付着に支障のある被害がある状態	鉄筋の露出が大きいなどの被害がある状態

解説図 6-2　火害診断フロー[14]

目視による方法で変状が確認できた場合には，さらに詳細に点検を行い，関連する性能への影響を把握する．コンクリートは火災の影響を受けると圧縮強度やヤング係数の低下が生じる可能性があるため，非破壊による方法，もしくは局部破壊による方法により点検を行う．非破壊による方法は，火災の影響を受けている箇所と健全な箇所で反発硬度や弾性波速度を測定し，火災の影響を判断する．局部破壊による方法は，コア採取などにより中性化深さや圧縮強度を測定する．なお，局部破壊による方法は，構造体に及ぼす影響を軽減する観点から，ドリル削孔による方法，もしくは中径コアによる方法を検討する．

　鉄筋は火災の影響を受けると，降伏点が不明瞭になり，引張強度も低下する可能性がある．点検の結果，鉄筋にまで影響が及んでいる場合には，当該箇所から鉄筋を採取し鉄筋の力学的特性（降伏点，引張強度および伸び）を確認する必要がある．

(2) 鉄骨構造物

　鉄骨構造物に対する臨時点検は，地震，台風などの荷重に対しては建築物全体を，火災による場合は火害箇所の周辺を対象に，劣化事象の確認を行う．臨時点検においては定期点検と同様に，鉄骨構造物に発生する劣化事象は表面の変状として現れることが多いため，目視による方法で劣化事象を把握する．目視による方法で変状が確認できた場合には，解説表 6-12 に示す方法によりさらに詳細に点検を行い，関連する性能への影響を把握する．

解説表 6-12　臨時点検
（鉄骨構造物）

劣化要因	対象部位	関連する性能	劣化事象	点検項目	点検方法
地震,台風などの荷重	損傷箇所	構造安全性 使用性	鋼材の降伏・座屈・きれつ・破断・過大変形	塗膜・皮膜の剥離,きれつ	目視による方法 非破壊による方法
				黒皮の剥がれの有無	
				鋼材の座屈・きれつ・破断・過大変形の有無	
			接合部のすべり・きれつ・破断,ボルトのゆるみ・破断	接合部のすべり・きれつ・破断の有無	
				ボルトのゆるみ・破断の有無	
火災による熱	火害箇所		熱による強度低下	鋼材の材料特性	局部破壊による方法
		構造安全性 使用性	鋼材の降伏・座屈・きれつ・破断・過大変形	塗膜・皮膜の剥離,きれつ	目視による方法 非破壊による方法
				黒皮の剥がれの有無	
				鋼材の座屈・きれつ・破断・過大変形の有無	
			接合部のすべり・きれつ・破断,ボルトのゆるみ・破断	接合部のすべり・きれつ・破断の有無	
				ボルトのゆるみ・破断の有無	

a) 地震,台風などの荷重を受けた場合

　鉄骨構造物が地震,台風などの荷重を受けた場合,鋼材の降伏・座屈・きれつ・破断・過大変形,接合部のすべり・きれつ・破断およびボルトのゆるみ・破断について,目視による方法や非破壊による方法で確認する.

b) 火災による熱を受けた場合

　鉄骨構造物が火災による熱を受けた場合,本会「建物の火害診断および補修・補強方法　指針・同解説」[14]に準じて点検を実施する.火災の影響の有無を判断するために,目視による方法で火害箇所を特定する.火害箇所では,受熱温度の推定,火災継続時間の推定を行い,必要に応じて非破壊による方法や局部破壊による方法で点検を実施する.非破壊による方法は下げ振り,水糸などにより構造体の変形量を測定する.局部破壊による方法は,母材を切り取り,鋼材の材料特性を確認する方法がある.

b. 臨時点検計画の策定

　維持管理計画に従って,地震,台風の規模や火災の程度や位置に応じて臨時点検計画を点検実施前に作成する.臨時点検計画には,以下の(1)から(3)に示す事項を定める.なお,あらかじめ臨時点検マニュアルなどが整備されている場合には,それを使用することができる.

(1) 点検方法

　臨時点検における劣化要因は外部からの荷重(地震,台風など)あるいは熱(火災)であるが,現状の健全性評価のための定期点検の場合と同様に劣化事象は表面に顕在化することが多いため,現状の健全性評価のための定期点検と同様に目視による方法を基本とした点検を実施する.

　臨時点検においては,臨時点検の要因となった地震,台風の規模や火災の程度や位置に対応する点検を実施することが重要である.

　点検方法は,a.項に示したように,目視による方法で損傷の有無を確認する.目視による方法で建築物の部材または部位の性能を確認する必要が生じた場合には,非破壊による方法や局部破壊による方法を用いた点検を実施する.火災発生部における点検は,本会「建物の火害診断および補修・補強方法　指針・同解説」[14]を参考にするとよい.

(2) 点検対象部位

　地震,台風の規模や火災の程度や位置に応じてあらかじめ設定する.

(3) 点検実施体制

　地震,台風の規模や火災の程度や位置に応じてあらかじめ設定する.

参 考 文 献

1) NUREG/CR-6424 ORNL/TM-13148：Report on Aging of Nuclear Power Plant Reinforced Concrete Structures，U.S. Nuclear Regulatory Commission，1996.03
2) 日本コンクリート工学会：コンクリート診断技術'22［基礎編］，2022
3) 日本建築学会：鉄筋コンクリート造建築物の品質管理および維持管理のための試験方法，2007
4) 日本非破壊検査協会：ドリル削孔粉を用いたコンクリート構造物の中性化深さ試験方法 NDIS 3419，2011
5) 日本コンクリート工学協会：JCI 規準集 (1977－2002)，2004
6) 日本非破壊検査協会：硬化コンクリート中の塩化物イオン量の簡易試験方法 NDIS 3433，2017
7) 土木学会：コンクリート標準示方書［維持管理編］，2018
8) 日本コンクリート工学会：JCI-S-011-2017 コンクリート構造物のコア試料による膨張率の測定方法，2020
9) 日本建築学会：建築工事標準仕様書・同解説 JASS 5N 原子力発電所施設における鉄筋コンクリート工事，2013
10) 日本非破壊検査協会：コンクリート構造物の目視試験方法 NDIS 3418，2012
11) 土木学会：2001 年制定 コンクリート標準示方書［維持管理編］制定資料，2001
12) Code Requirements for Nuclear Safety-Related Concrete Structures (ACI 349-13) and Commentary, American Concrete Institute Committee 349, 2013
13) 日本原子力技術協会：地震後の機器健全性評価ガイドライン ［地震前計画と地震後の点検・評価］，2012
14) 日本建築学会：建物の火害診断および補修・補強方法 指針・同解説，2015

7章　健全性評価

7.1　健全性評価の概要

> a. 原子力施設の建築物における健全性は，点検および進展予測の結果に基づき評価する．
> b. 健全性の評価は，機能を維持するために必要な性能水準に対する現状の健全性評価および長期的な健全性評価として行う．

a. 健全性評価の基本

建築物の健全性評価は，点検および進展予測の結果をあらかじめ設定した評価基準と比較することにより，建築物が機能を維持するために必要な性能水準を確保できている状態であるかを確認する行為である．健全性評価では，点検結果や進展予測の結果を劣化事象および劣化要因ごとに設定した評価基準（付録 I.1 参照）に応じて 2 段階または 3 段階に区分することにより，建築物の要求機能に関する性能が所要の性能水準を確保していることを確認する．本指針では，本章で扱う健全性評価を「一次評価」と呼ぶ．健全性評価の結果，機能が維持できていない場合や機能が維持できなくなる可能性がある場合には，対策を講じることとする．

なお，原子力施設は同一用途で同じ機能を有する建築物が建設時期や使用材料に大きな差がなく複数建設されることがあり，発生する劣化事象は類似する傾向がある．よって，健全性評価において，同一敷地内に同時期に建設された建築物を相互に参考にすることができる．

b. 健全性評価の区分

健全性は点検時点のみならず供用期間を通じて確保されなければならないことに留意し，劣化事象に着目した現状の健全性評価を行うとともに，供用期間中における構造安全性や遮蔽性に影響を及ぼす劣化要因の影響の程度に着目した長期的な健全性評価を行う．

7.2　現状の健全性評価

> a. 現状の健全性評価は，劣化事象に着目して実施する．
> b. 現状の健全性評価は，現状の健全性評価のための定期点検および臨時点検の結果を，劣化事象ごとに設定した評価基準に従い区分することにより行う．

a. 現状の健全性評価に関する基本方針

建築物の性能は劣化事象の進展により変化していくため，現在発生している劣化事象に着目して行う健全性評価は，維持管理の基本となる．対象とする劣化事象は解説表 5-2(a)，(b)に示される劣化事象で，解説図 7-1 に示すフローに従い健全性評価を実施する．

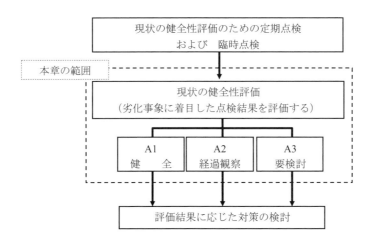

解説図 7-1 現状の健全性評価に関する維持管理のフロー

b．現状の健全性評価の具体的な方法
 (1) 健全性評価の区分
　現状の健全性評価では，現状の健全性評価のための定期点検および臨時点検の結果とあらかじめ設定した評価基準を比較し，A1（健全），A2（経過観察），A3（要検討）に区分する．
　ここに A1（健全）は点検結果が評価基準を満足する場合，A2（経過観察）は劣化が顕在化しているが点検結果は評価基準を満足している場合，A3（要検討）はすでに点検結果が評価基準を満足していない場合とする．

 (2) 評価基準の設定
　評価基準は，機能を維持するために必要な性能水準を確保する観点から，既往の指針類，最新の知見，実測結果に基づく根拠資料などにより設定する．以下に，劣化事象ごとの評価基準を示す．
a) コンクリート構造物
　1) コンクリートの強度低下
　　非破壊による方法や局部破壊による方法で得られる，構造物の代表箇所におけるコンクリートの圧縮強度が，設計基準強度以上である場合を A1（健全），設計基準強度未満である場合を A3（要検討）とする．また，A1（健全）の状態で，非破壊による方法で求めた圧縮強度が過去の結果に対して変化したことが確認された場合には，現状点検（現行の計画に基づき実施する現状を把握するための点検）の継続および点検の強化について検討する．
　2) ひび割れ

目視による方法でひび割れについて確認する．ひび割れに対する評価基準は，評価項目を有害なひび割れの有無やひび割れ幅として，着目する性能ごとに設定する．

なお，塗膜に発生しているひび割れは，塗膜に浮きやはがれなどが生じていない場合に限りコンクリートに生じているものとみなし，健全性評価を実施することができる．また，塗膜にふくれなどが確認できた場合には，A3（要検討）とする．

①構造安全性に影響を与えるひび割れ

構造安全性に影響を与えるひび割れは建築物の要求機能に与える影響が大きいため，原因となる劣化要因について後述する長期的な健全性評価を行い，劣化事象として生じる以前に対策を講じることを維持管理の基本としている．そのため，経年的な劣化要因によって構造安全性に影響を与えるひび割れが発生することは稀であるが，目視による方法で確認されたひび割れが構造安全性に影響を与える可能性があると判断された場合には，A3（要検討）とし検討を行うこととする．

また，地震などの突発的な劣化要因により発生したひび割れについて，既往の指針[1]では曲げひび割れについてはひび割れ幅を，せん断ひび割れについてはひび割れの有無を評価項目としているが，本指針では地震などの突発的な劣化要因により発生したひび割れは構造安全性に影響を与える可能性があると考え，すべてA3（要検討）とし検討を行うこととする．

②使用性に影響を与えるひび割れ

使用性に影響を与えるひび割れは，既往の指針類を参考にひび割れ幅を評価項目とする．A1（健全）とするひび割れ幅の評価基準は，耐久設計および施工上の目標値とされており，かつ補修が不要とされているひび割れ幅を参考に設定する．具体的には，雨水の浸入が懸念される屋外では0.3mm未満の場合，雨水の浸入がない屋内では0.4mm未満の場合とする．A3（要検討）とするひび割れ幅の評価基準は，補修が必要となるひび割れ幅を参考に設定し，雨水の浸入が懸念される屋外では0.8mm以上，雨水の浸入がない屋内の場合は1mm以上の場合とする．A2（経過観察）とするひび割れ幅は，屋外では0.3mm以上0.8mm未満，屋内では0.4mm以上1.0mm未満の場合とする．

なお，高所にあるひび割れや障害物によりひび割れ幅が計測できない場合には，双眼鏡，画像解析などによりひび割れ幅を推定するほか，知識や経験を有する技術者の工学的な判断に基づき，健全性評価を行う．

③使用性（液密）に影響を与えるひび割れ

使用性（液密）は，主に液体状の放射性物質の漏えい拡大を防止するために設置されている堰および堰で囲まれる壁・床（以下，堰など）に求められる漏えい防止機能に関連する性能である．これら堰などに求められる使用性（液密）の健全性評価は，耐水性を有する塗膜を評価する方法と，堰などを形成するコンクリートを評価する方法のいずれかによることができる．

使用性（液密）を塗膜で評価する場合，塗膜が健全であるならば使用性（液密）に影響を

及ぼすことはないと考えるが，膜厚の減少，ひび割れの発生および物品の衝突に伴う損傷の有無を考慮する必要がある．原子力施設における塗膜は，適合みなし仕様により定期的な塗替えが行われており，膜厚の減少に伴う性能低下は基本的に考えなくてもよい．しかし，塗膜に生じるひび割れや損傷は，発生した時点で使用性（液密）が喪失すると考え，目視による方法で発生が確認された場合には，すみやかに補修を行うこととする．本指針では，塗膜のひび割れや損傷の有無を評価基準とし，塗膜にひび割れや損傷が生じていない場合をA1（健全），塗膜にひび割れや損傷が生じている場合をA3（要検討）とする．

　コンクリートの使用性（液密）は，コンクリートへの浸透に伴う漏えいとひび割れからの漏えいを考慮する必要がある．コンクリートの透水係数は，堰などに求められる漏えいの拡大を防止するという観点からは十分に小さい値で，コンクリートへの浸透に伴う漏えいは発生しないと考えることができる．また，ひび割れからの漏えいについては，既往の指針[1]類を参考に，本指針ではひび割れ幅を評価項目とし，ひび割れ幅が 0.05mm 以下の場合を A1（健全），ひび割れ幅が 0.2mm 以上の場合を A3（要検討），ひび割れ幅が 0.05mm を超え 0.2mm 未満の場合を A2（経過観察）とする．なお，使用性（液密）をコンクリートで評価する場合，塗膜にひび割れが生じていても，コンクリートに有意なひび割れがなければ使用性（液密）に影響を及ぼすことはないと考える．コンクリートのひび割れ幅は，塗膜に浮きがない場合には塗膜のひび割れ幅をコンクリートに生じているひび割れ幅とみなし，評価することができる．

　その他にも，塗膜とコンクリートとの複合体として使用性（液密）を評価する場合も想定されるが，塗膜のひび割れとコンクリートのひび割れとの複合的な作用についての評価が必要で，現状ではその評価方法は確立されていない．

④使用性（気密）に影響を与えるひび割れ

　室内を室外に対し負圧に維持し放射性物質の拡散を抑制する負圧維持機能が要求されている部位では，ひび割れの影響で負圧維持機能に悪影響を与えてはならない．通常，コンクリート構造物の使用性が確保されていれば，空調機により室内を負圧に保つことは可能であるため，本指針では，使用性（気密）に関する評価基準を特に設定せず，使用性に影響を与えるひび割れの評価基準を準用することとする．

⑤遮蔽性に影響を与えるひび割れ

　遮蔽設計に関する文献[2]によると，乾燥収縮によるひび割れは躯体を直線的に貫通するものではないため，遮蔽性能に与える影響はないとしている．

　また，地震などにより発生した貫通するひび割れの影響について行われた解析[3]では，スリットを貫通ひび割れに見立て，その幅の違いが透過する放射線量に与える影響を検討している．壁厚 1.2m の場合，1mm のスリットではスリットのない場合と比較して透過する線量率は 10 倍以下，0.5mm のスリットでは 2 倍以下となるが，実構造物におけるひび割れ面の凹凸[4]を考えると，1mm 程度のひび割れが存在していても，放射線が直接通過することはな

いとしている．

これらの研究成果を踏まえ，コンクリート構造物の使用性が確保されていれば遮蔽性能に影響を及ぼすことはないと考え，本指針では，遮蔽性に関するひび割れの評価基準を特に設定せず，使用性に影響を与えるひび割れの評価基準を準用することとする．

ひび割れに関する評価区分を解説表 7-1 にまとめて示す．

解説表 7-1 ひび割れに対する評価区分と評価基準

影響する性能		評価区分と評価基準		
		A1（健全）	A2（経過観察）	A3（要検討）
構造安全性		構造安全性に影響を与える可能性のあるひび割れがない	—	構造安全性に影響を与える可能性のあるひび割れがある
使用性		ひび割れ幅が 0.3mm 未満（屋外） 0.4mm 未満（屋内）	ひび割れ幅が 0.3mm 以上 0.8mm 未満（屋外） 0.4mm 以上 1.0mm 未満（屋内）	ひび割れ幅が 0.8mm 以上（屋外） 1.0mm 以上（屋内）
	液密	塗膜にひび割れがない[*1]	—	塗膜にひび割れがある[*1]
		ひび割れ幅が 0.05mm 以下[*2]	ひび割れ幅が 0.05mm を超え 0.2mm 未満[*2]	ひび割れ幅が 0.2mm 以上[*2]
遮蔽性		使用性の評価区分に準ずる		

[*1]：塗膜で使用性（液密）を評価する場合
[*2]：コンクリートで使用性（液密）を評価する場合

3) 鉄筋腐食（さび汁）

鉄筋腐食の発生は鉄筋腐食先行型とひび割れ先行型に分類することができる．鉄筋腐食先行型は中性化，塩分浸透などの劣化要因の影響で発生し，ひび割れ先行型は何らかの影響でひび割れが発生し，その後のひび割れからの水分の浸入などにより鉄筋腐食が発生するものである．本指針では，鉄筋腐食先行型によるひび割れは構造安全性に影響を及ぼすものとして，劣化要因による影響について後述する長期的な健全性評価を行い，劣化事象として生じる以前に対策を講じることを基本としている．ひび割れ先行型については，ひび割れの発生により影響を受ける性能に対し評価基準を設定し，健全性評価を実施している．そのため，原子力施設の建築物において著しい鉄筋腐食が生じることは稀であることから，目視による方法で点検した結果，鉄筋腐食（さび汁）が生じていない場合を A1（健全），鉄筋腐食（さび汁）が生じている場合を A3（要検討）とする．

なお，目視による方法（打音による方法）で鉄筋腐食に伴うコンクリートの剥離状況を調べる場合には，剥離・剥落の評価における浮き範囲の確認方法に準じてよい．

また，局部破壊による方法として自然電位や分極抵抗による方法（電気化学的手法）で健全

性評価を実施することもできる[5]．

4) 剥離・剥落

　目視による方法で確認できる経年的な劣化要因により発生する剥離・剥落は，鉄筋腐食が進展した結果として生じる場合やアルカリ骨材反応，機械振動あるいは凍結融解を原因として生じる場合がある．鉄筋腐食の進展は，ひび割れや鉄筋腐食に対する現状の健全性評価を行っているため，基本的に剥離・剥落に至ることはない．また，凍結融解，アルカリ骨材反応および機械振動による影響は，剥離・剥落に至る以前の有害なひび割れの発生の有無で評価しているため，原子力施設の建築物において剥離・剥落が生じることは稀である．そのため，目視による方法で点検した結果，剥離・剥落が生じていない場合をA1（健全），剥離・剥落が生じている場合をA3（要検討）とする．

　突発的な劣化要因により発生する剥離・剥落は，建築物の要求機能に与える影響が大きいため，目視による方法の点検結果として剥離・剥落が確認された場合をA3（要検討）とする．

　また，経年的な劣化要因による場合，突発的な劣化要因による場合ともに，非破壊による方法（弾性波による方法，電磁波レーダによる方法，赤外線による方法など）により剥離の可能性が確認された場合，A3（要検討）とする．

5) たわみ

　目視による方法の点検の結果，過大なたわみが生じていない場合をA1（健全），過大なたわみが生じている場合をA3（要検討）とする．なお，たわみ量の計測を行った場合には，計測結果に基づき健全性評価を行うことができる．この場合，建設省総合技術開発プロジェクトの研究成果[6]を参考に，たわみスパン比が 1/300 未満の場合を A1（健全），1/300 以上の場合を A3（要検討）とする．

6) 振動

　異常体感の有無を確認した結果，異常な振動が生じていない場合を A1（健全），異常な振動が生じている場合を A3（要検討）とする．

7) すりへり

　目視による方法で確認した結果，粗骨材が露出していない場合を A1（健全），粗骨材が露出している場合を A3（要検討）とする．

8) 漏水

　漏水が発生した場合は，ひび割れの発生，エフロレッセンスの発生，鉄筋腐食に伴うさび汁の発生など，漏水以外の劣化事象も複合的に生じる可能性が高い．本指針では，目視による方法で点検した結果，漏水および漏水跡が認められていない場合を A1（健全），漏水または漏水跡が認められている場合を A3（要検討）とするが，複数の劣化事象が発生している場合には，総合的な評価を行うことが望ましい．

9) 水分逸散

　点検などで水分逸散を直接評価することが困難であるため，間接的な方法でその劣化要因で

ある熱（高温）に関する健全性評価を行い，現状のコンクリート温度が，温度制限値を満足する場合を A1（健全），満足していない場合を A3（要検討）とする．

遮蔽性を直接評価する場合は，コンクリートの密度が，遮蔽設計での要求値を満足する場合を A1（健全），満足していない場合を A3（要検討）とする．

10) 火災により生じる劣化事象

目視による方法，非破壊による方法および局部破壊による方法（中性化深さ計測）で，火災による被害について判断する．無被害の場合を A1（健全），表層（仕上材もしくはコンクリート表面）に被害がある場合を A3（要検討）とする．A3（要検討）と評価された場合には，本会「建物の火害診断および補修・補強方法　指針・同解説」[7]に準じて健全性評価を行う．

b) 鉄骨構造物

鉄骨構造物は表面に塗膜や皮膜が施されており，母材に関する健全性評価を直接的に行うことは一般に困難であるため，塗膜や皮膜の状態で劣化事象に対する健全性評価を行うこととする．

1) 疲労による強度低下

鉄骨構造物の疲労による強度低下を目視により確認する方法は十分に確立されていないが，本指針では，疲労による強度低下が発生した場合には塗膜や皮膜に変状が生じるものと考え，塗膜や皮膜に変状がない場合を A1（健全），塗膜や皮膜に変状がある場合を A3（要検討）とする．また，過大な変形が目視による方法で確認された場合は A3（要検討）とする．

2) 鋼材の腐食

腐食のパターンまたは塗膜や皮膜の状態により健全性を評価することとする．部材表面のさびまたは塗膜や皮膜の変状がほとんど認められない場合を A1（健全），塗膜や皮膜に変状が認められ小さな点さびなどが全面にわたって点在しているか，大きな点さびがある場合を A2（経過観察），鋼材が腐食し断面積が減少している場合を A3（要検討）とする．

3) 鋼材の降伏・座屈・きれつ・破断・過大変形

地震，台風などの荷重により，鋼材の降伏・座屈・きれつ・破断・過大変形が発生した場合には，塗膜や皮膜に変状が生じるものと考え，塗膜や皮膜に変状がない場合を A1（健全），塗膜や皮膜に変状がある場合を A3（要検討）とする．

4) 接合部のすべり・きれつ・破断，ボルトのゆるみ・破断

目視による方法で接合部のすべり・きれつ・破断もしくはボルトのゆるみ（マーキングのずれなど）・破断が発見された場合には，表面の塗膜に変状が生じるものと考え，塗膜に変状がない場合を A1（健全），塗膜に変状がある場合を A3（要検討）とする．

5) 火災により生じる劣化事象

目視による方法，非破壊による方法および局部破壊による方法で，火災による被害について判断する．無被害の場合を A1（健全），表層（塗装もしくは耐火被覆）やボルト接合部に被害がある場合を A3（要検討）とする．A3（要検討）と評価された場合には，本会「建物の火害診断および補修・補強方法　指針・同解説」[7]に準じて健全性評価を行う．

7.3 長期的な健全性評価

> a. 長期的な健全性評価は，構造安全性および遮蔽性に影響を及ぼす劣化要因に着目して実施する．
> b. 長期的な健全性評価は，劣化要因の影響に関する点検結果および進展予測式に基づく予測の結果を，劣化要因ごとに設定した評価基準に従い区分することにより行う．

a. 長期的な健全性評価に関する基本方針

原子力施設に求められる機能を維持していくためには，現状の建築物の性能を把握するだけではなく，将来的な性能の低下傾向を予測し，必要な性能水準を下回る前に対策を講じることが望ましい．建築物の性能は劣化事象の影響で変化していくが，劣化事象の発生を直接推定することは難しい．このため，本指針では，劣化事象の原因となる劣化要因による影響を予測することとし，特に原子力施設に求められる特有の機能と関連性が高い，構造安全性および遮蔽性に影響を及ぼす劣化要因について，解説図 7-2 に示すフローに従い健全性評価を実施する．

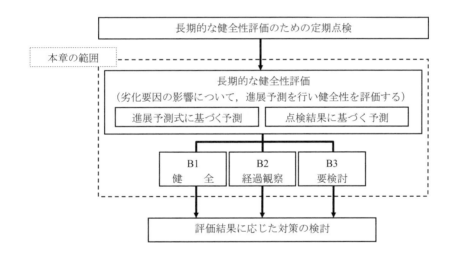

解説図 7-2 長期的な健全性評価に関する維持管理のフロー

b. 長期的な健全性評価の具体的な方法

(1) 健全性評価の区分

長期的な健全性評価では，劣化要因の影響程度の進展予測結果とあらかじめ設定した評価基準とを比較し，B1（健全），B2（経過観察），B3（要検討）のいずれかに区分する．

ここに，B1（健全）は進展予測の結果が評価基準を満足する場合，B2（経過観察）は現時点における点検結果は評価基準を満足しているが，供用期間中に評価基準を満足できなくなる可能性がある場合，B3（要検討）は，現時点における点検結果などがすでに評価基準を満足していない場合と

する.なお,評価基準は,劣化要因ごとに定める.

(2) 進展予測の方法

　劣化要因の影響程度の進展予測は,点検結果や既往の進展予測式を用いて行うことができる.進展予測式が存在する劣化要因については,その式に基づいて供用期間中の劣化要因の影響程度の進展を予測することができる.また,今まで実施してきた点検結果から,劣化の進展の傾向を予測することができる.

　a) 点検結果と進展予測式に基づく予測

　　中性化,塩分浸透,風などの繰返し荷重(疲労)については進展予測式が提案されており,必要な情報が得られた場合には進展予測を行うことが可能である(付録I.2参照).ただし,既往の進展予測式に用いられている係数などは,試験体を用いて劣化を促進させた結果に基づき定式化されていることが多いため,実構造物に対する予測結果と点検結果とが異なる場合がある.そのため,進展予測式を用いる場合には,進展予測式の適用性を確認しておく必要がある.また,予測項目に対し実構造物での点検結果がある場合,進展予測式に点検結果を考慮した予測を行うことが望ましい.例えば中性化の場合,局部破壊による方法で中性化深さを測定し,その結果と既往の進展予測式の定式化($\sqrt{t}$則)に準じて中性化速度係数を求め,解説図 7-3 のように進展予測を行うことができる.

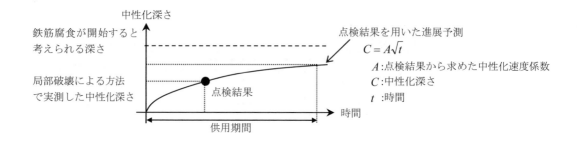

解説図 7-3　点検結果を考慮した進展予測(中性化の場合)

　b) 点検結果に基づく予測

　　蓄積された点検結果を経年的に整理することにより,進展予測式がなくても劣化要因による影響についての傾向を予測することが可能である.一般的に経年的な劣化は急激には進展しないため,今まで実施してきた点検結果から性能に影響を及ぼす劣化事象が生じていないことが確認できれば,今後も急激な性能低下が生じる可能性は低いと評価する.この予測は,蓄積された点検結果が少ない場合でも,比較的短い期間の予測については有効である.

　　例えば,建設から15年経過した建築物について,劣化要因を対象にした点検を5年ごとに実施している場合を考える.この場合,今までに3回(5年,10年,15年)の点検結果が存在し

ている．これらの点検結果が要求される性能水準を上回っている場合，突発的な劣化が生じない限り，今後数年間に要求される性能水準を下回るかどうか推定できる．

この方法は，進展予測式がない劣化要因に対して適用することができる．例えば，熱（高温），放射線照射，アルカリ骨材反応および機械振動は，これらの影響により発生する劣化事象の点検結果から，劣化の進展する傾向を把握し，進展予測を行うことが可能である．放射線照射に関しては，機器の運転履歴を反映した解析により評価することもできる．

また，進展予測式がある中性化や塩分浸透も，点検結果の経時変化から進展予測を行うことができる．この場合，進展予測の信頼性を確保するために，複数の点検結果に基づき，進展予測を行うことが望ましい．

(3) 評価基準の設定

評価基準は，機能を維持するために必要な性能水準を確保する観点から，既往の指針類，最新の知見，実測結果に基づく根拠資料などに基づき設定する．以下に，劣化要因ごとの評価基準を示す．

a) コンクリート構造物

1) 熱（高温）

設計時に実施された解析結果，周囲の環境条件・使用条件に基づく温度条件を入力として実施した解析の結果もしくは温度測定結果が，評価基準を満足していることを確認する．

評価基準は実測結果などに基づく信頼性のある根拠資料がある場合にはそれに基づき設定することができるが，根拠となる資料がない場合には，設計用の評価基準を参考に解説表 7-2 のように設定する．これは，劣化を許容せず設計時の性能水準を維持し続けていることを確認するものである．なお，温度条件は機器の仕様や運転履歴の影響を受けるため，機器の仕様が変更された場合には，改めて評価を行うことが望ましい．

解説表 7-2 熱（高温）に対する評価基準

劣化要因	評価項目	評価基準
熱 [8],[9] （構造安全性）	コンクリート温度	一般部分については 65℃，局部（配管貫通部など）については 90℃を超えないこと
熱 [10] （遮蔽性）	内部最高温度	中性子による場合は 88℃，ガンマ線による場合は 177℃を超えないこと
	周辺環境温度	中性子による場合は 71℃，ガンマ線による場合は 149℃を超えないこと

2) 放射線照射

中性子やガンマ線による放射線照射量の解析結果が，評価基準を満足していることを確認する．なお，解析は機器の運転状況の影響を受けるため，機器の運転履歴を反映して行う必要が

ある．

評価基準は実測結果などに基づく信頼性のある根拠資料がある場合にはそれに基づき設定することができるが，根拠となる資料がない場合には，実機よりも照射速度の速い条件で実施された既往の研究成果[11),12),13)]を参考に解説表7-3のように設定する．なお，中性子による影響の程度は使用する骨材の種類（岩種など）によって変わるが，解説表7-3に示す中性子の評価基準は骨材の種類によらない照射量となっている[13)]．

解説表7-3 放射線照射に対する評価基準

劣化要因	評価項目	評価基準
放射線照射[11),12),13)]（構造安全性）	放射線照射量	供用期間中における放射線照射量が，中性子による場合は $1×10^{19}\mathrm{n/cm^2}$，ガンマ線による場合は $2×10^{8}\mathrm{Gy}$ $(2×10^{10}\mathrm{rad})$ を超えないこと

3) 中性化

コンクリートの中性化に伴う鉄筋腐食の進展により，ひび割れや剥離・剥落が発生する．構造物の性能はひび割れ，剥離・剥落などの発生に伴い低下していくものと考えられるため，中性化に関する健全性評価は，ひび割れ，剥離・剥落などの劣化事象が発生する時期を評価基準に設定することが望ましい．しかし，進展予測に関する既往の研究では，中性化深さと鉄筋腐食の発生を関連付けるものは多いが，中性化深さの進展とひび割れの発生とを直接関連付ける研究はほとんどない．このような進展予測に関する研究動向を踏まえ，本指針では，安全側の評価となる鉄筋腐食を発生させる中性化深さを評価基準に設定する．

鉄筋腐食が発生する中性化深さは，実測結果などに基づく信頼性のある根拠資料がある場合には，それに基づき設定することができるが，根拠となる資料がない場合には既往の指針類[6)]を参考に，屋外では中性化深さがかぶり厚さ以上となった状態，屋内の場合は中性化深さがかぶり厚さに20mmを加えた値以上となった状態とすることができる．

本指針における評価基準を解説表7-4に示す．

解説表7-4 中性化に対する評価基準

劣化要因	評価項目	評価基準
中性化	中性化深さ	中性化深さが鉄筋腐食が始まる位置にまで供用期間中に進行していないこと*

* 根拠となる資料がない場合以下の値とする
 屋外：中性化深さがかぶり厚さ以上となった状態
 屋内：中性化深さがかぶり厚さに20mmを加えた値以上となった状態

4) 塩分浸透

コンクリートの塩分浸透に伴う鉄筋腐食の進展により，ひび割れや剥離・剥落が発生する．塩分浸透の進展予測に関する既往の研究は，大きく分けて，コンクリート内部に浸透する塩化

物イオン濃度を拡散方程式から計算し鉄筋腐食の発生する時期を予測するものと，鉄筋腐食の速度から腐食量を計算し，ひび割れが発生する時期を予測するもの[14]がある．

構造物の性能はひび割れ，剥離・剥落などの発生に伴い低下していくものと考えられるため，塩分浸透に関する健全性評価は，ひび割れ，剥離・剥落などの劣化事象が発生する時期を評価基準に設定することが望ましい．このため，本指針ではひび割れを発生させる鉄筋の腐食量を評価基準に設定することを基本とし，より安全側に評価したい場合には鉄筋腐食を発生させる塩化物イオン量を評価基準に設定できるものとする．

評価基準は，実測結果などに基づく信頼性のある根拠資料がある場合には，それに基づき設定することができる．根拠となる資料がない場合には，既往の指針類を参考に，ひび割れが発生する鉄筋の腐食量[15]については $10mg/cm^2$，鉄筋腐食が発生する塩化物イオン量[16),17]については $1.2kg/m^3$（全塩化物イオン量）とする．

本指針における評価基準を解説表 7-5 に示す．

解説表 7-5　塩分浸透に対する評価基準

劣化要因	評価項目	評価基準
塩分浸透	腐食量	鉄筋の腐食量が，ひび割れを発生させる腐食量に至っていないこと*1
	塩化物イオン量	鉄筋位置における塩化物イオン量が，鉄筋腐食を発生させる塩化物イオン量に至っていないこと*2

*1：根拠となる資料がない場合には $10mg/cm^2$ とする
*2：根拠となる資料がない場合には $1.2kg/m^3$（全塩化物イオン量）とする

5) アルカリ骨材反応

アルカリ骨材反応による劣化は，局部破壊による方法でアルカリシリカ反応性の有無や残存膨張量を確認することはできるが，直接的に進展を予測することは難しく，また，発生が懸念される場所を特定することも難しい[18]．そのため，アルカリ骨材反応に関する健全性評価は，ひび割れの評価区分に準じ，A1（健全），A3（要検討）をそれぞれ B1（健全），B3（要検討）に読み替えることとする．ただし，アルカリ骨材反応が生じたとしても，ただちに構造物の性能が低下するわけではないため，B3（要検討）に代えて，B2（経過観察）として進展過程をモニタリングし適宜対策を講じることも可能である．

6) 機械振動

機械振動による影響について，直接的に進展を予測することは困難であるため，ひび割れの発生状況により評価することとする．そのため，機械振動に関する健全性評価は，構造安全性に影響を与えるひび割れの評価区分に準じ，A1（健全），A3（要検討）をそれぞれ B1（健全），B3（要検討）に読み替えることとする．

b) 鉄骨構造物

1) 塗膜劣化および皮膜劣化（亜鉛めっき皮膜消失）

塗膜や皮膜の状態は，目視による方法を主体とした現状の健全性評価のための定期点検で確認されている．本指針では塗膜劣化および皮膜劣化（亜鉛めっき皮膜消失）に関する評価区分について，塗膜や皮膜に変状がない場合をB1（健全），塗膜や皮膜に変状がある場合をB3（要検討）とする．鋼材腐食を長期的に予防していくためには，塗膜や皮膜の健全性を維持していくことは重要で，耐用年数の評価[19),20)]を参考に定期的な塗替えの実施について判断する．

なお，鋼材表面に生じた局部的な損傷などは，鋼材腐食を防止する観点で現状の健全性評価の対象としているため，長期的な健全性評価の対象とはしない．

2) 風などの繰返し荷重（疲労）

風などの繰返し荷重による影響について，直接的に進展を予測することは困難であるため，塗膜や皮膜の状態および過大な変形の有無に関する目視による方法の点検結果から推定する．評価区分は現状の健全性評価と整合を図り，塗膜や皮膜に変状がない場合をB1（健全），塗膜や皮膜に変状がある場合または過大な変形が目視による方法で確認された場合をB3（要検討）とする．非破壊による方法として超音波探傷による内部欠陥の確認を実施した場合も，変状の有無により同様に評価する．

なお，疲労損傷については本会「鋼構造許容応力度設計規準」[21)]，「鋼構造物の疲労設計指針・同解説」[22)]に疲労損傷評価法が示されている．評価を行う場合の風速などのデータは，当該敷地もしくは近隣におけるデータなどを用いることができる．

参 考 文 献

1) 日本コンクリート工学会：コンクリートのひび割れ調査，補修・補強指針，2013
2) B.T. Price, C.C. Horton, and K.T. Spinney : RADIATION SHIELDING, International series of monographs on nuclear energy; division 10, Reactor design physics; v.2, Pergamon Press, 1957
3) 牧隆，佐藤芳幸，棟方善成，関根啓二，大石晃嗣，鳥居和敬，紺谷修：鉄筋コンクリート構造物における地震時しゃへい性能について(2) しゃへい解析結果，日本原子力学会2007年秋の大会
4) Buja BUJADHAM, Akihiko FUJIYOSHI and Koichi MAEKAWA : Crack Surface Asperity on Stress Transfer Mechanism, コンクリート工学年次論文報告集11-2, 1989
5) 日本コンクリート工学会：電気化学的手法を活用した実効的維持管理手法の確立に関する研究委員会報告，2018
6) 国土開発技術研究センター：建築物の耐久性向上技術シリーズ　建築構造編Ⅰ鉄筋コンクリート造建築物の耐久性向上技術，技報堂出版，1986
7) 日本建築学会：建物の火害診断および補修・補強方法指針・同解説，2015
8) 日本建築学会：原子炉建屋構造設計指針・同解説，1988
9) 日本機械学会：発電用原子力設備規格　コンクリート製原子炉格納容器規格，2014

10) R.G., Jaeger, E.P. Blizard, A.B. Chilton, M. Grotenhuis, A. Honig, Th.A. Jaeger and H.H. Eisenlohr：Engineering Compendium on Radiation Shielding, VOL.Ⅱ Shielding Materials, Springer-Verlag, 1975

11) H.K.Hilsdorf, J. Kropp and H.J. Koch：The Effects of Nuclear Radiation on the Mechanical Properties of Concrete, ACI Publication, SP 55-10, pp.223-251, 1978

12) NRA 技術報告，中性子照射がコンクリートの強度に及ぼす影響，NTEC-2019-1001，2019.8

13) Ippei Maruyama, Osamu Kontani, Masayuki Takizawa, Shohei Sawada, Shunsuke Ishikawa, Junichi Yasukouchi, Osamu Sato, Junji Etoh and Takafumi Igari：Development of Soundness Assessment Procedure for Concrete Members Affected by Neutron and Gamma-Ray Irradiation, Journal of Advanced Concrete Technology, Volume 15, Issue 9, pp. 440-523, 2017

14) 森永繁：鉄筋の腐食速度に基づいた鉄筋コンクリート構造物の寿命予測に関する研究，東京大学学位論文，1986

15) 土木学会：2013 年制定　コンクリート標準示方書［維持管理編］，2013

16) 土木学会：2017 年制定　コンクリート標準示方書［設計編］，2017

17) 日本建築学会：建築保全標準・同解説　JAMS 3-RC 調査・診断標準仕様書―鉄筋コンクリート造建築物，2021

18) 日本コンクリート工学会：コンクリート診断技術'22［基礎編］，2022

19) 国土開発技術研究センター：建築物の耐久性向上技術シリーズ　建築構造編Ⅱ鉄骨造建築物の耐久性向上技術，技報堂出版，1986

20) 日本建築学会：建築物の耐久計画に関する考え方，1988

21) 日本建築学会：鋼構造許容応力度設計規準，2019

22) 日本鋼構造協会：鋼構造物の疲労設計指針・同解説，1993

8章　対策と効果の確認

> a. 維持管理のための対策の方法は，現状点検の継続，点検の強化および補修などとする．
> b. 補修を実施した場合には，その効果を確認する．

　原子力施設に求められている機能を維持するためには，建築物の現状の性能や供用期間中における性能が，必要な性能水準を上回るよう，現状または長期的な健全性評価結果に応じた対策を講じる必要がある．対策の方法には，現状点検の継続，点検の強化および補修などがある．補修などには，補修のほかに，二次評価（後述）が含まれる．講じた対策については，その効果の確認を行う．

　なお，「2章 維持管理の基本」で述べているように，関連規基準の変更などによって要求される性能水準が高くなった場合に実施される補強については，本指針でいう対策に含めない．

　維持管理における対策と効果の確認のフローを解説図 8-1 に示す．

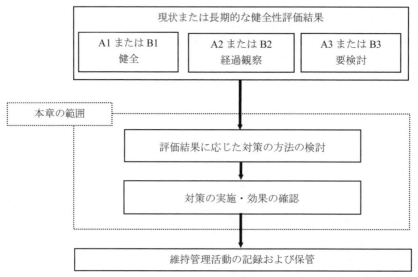

（A1～A3 は現状の健全性評価，B1～B3 は長期的な健全性評価の評価区分を示す．）

解説図 8-1　維持管理における対策と効果の確認のフロー

a. 対策の検討と方法
 (1) 対策の検討
 a) 現状の健全性評価結果に応じた対策の検討

　　A1（健全）と評価された場合は，機能を維持するために必要な性能水準を満足した状態であり，「現状の健全性評価のための定期点検」を継続して実施する．

　　A2（経過観察）と評価された場合は，劣化が顕在化しており，将来的に機能を維持するために必要な性能水準を確保できなくなる可能性があるため，当該部位を継続的に観察するにあたり，現状点検を継続するとともに，以降の点検間隔あるいは点検方法の見直しの要否を含め，点検の強化について検討する．A2（経過観察）の中でも，劣化の程度が比較的大きい場合には，劣化の進行を遅らせるための補修などの対策を検討する．

　　A3（要検討）と評価された場合は，すでに機能を維持するために必要な性能水準が確保できていない状況であるため，補修などの対策を検討する．補修などの対策の実施に際し，必要に応じて追加点検を実施する．

 b) 長期的な健全性評価結果に応じた対策の検討

　　B1（健全）と評価された場合は，劣化要因の影響程度の進展予測結果により，供用期間中において機能を維持するために必要な性能水準を満足した状態であり，「長期的な健全性評価のための定期点検」を継続して実施する．

　　B2（経過観察）と評価された場合は，現時点における点検結果により，供用期間中に機能を維持するために必要な性能水準を確保できなくなる可能性があるため，当該部位を継続的に観察する．現状点検を継続するとともに，供用期間中の性能を確保するために，以降の点検間隔あるいは点検方法の見直しの要否を含め点検の強化，計画的な補修などの対策を検討する．

　　B3（要検討）と評価された場合は，現時点における点検結果がすでに機能を維持するために必要な性能水準が確保できていない状況であるため，補修などの対策を検討する．なお，補修などの対策の実施に際し，必要に応じて追加点検を実施する．

 (2) 対策の方法

　現状および長期的な健全性評価結果に応じた対策の方法には，以下に示す現状点検の継続，点検の強化および補修などがある．

　点検の強化によって，詳細なデータを取得することは有用であり，補修が必要なときには，これらのデータを補修工法や補修材料の選定に用いることができる．ただし，点検の強化および補修のための追加点検を局部破壊による方法によって行う場合は，躯体に損傷を与えるため，必要最小限に留めることが望ましい．

　なお，点検の強化および補修のための追加点検の試験方法については「6章 点検」の方法を，劣化要因の把握および評価については「7章 健全性評価」の評価方法を参考とする．

a) 現状点検の継続

　　現状点検の継続は，劣化が認められない場合あるいは軽微な場合に選択される方法であり，現行の計画に基づく点検を以降も引き続き行うものである．

b) 点検の強化

　　点検の強化の方法には点検間隔の短縮と点検方法の変更がある．

1) 点検間隔の短縮

　　点検間隔の短縮は，劣化の状況をより高い頻度で点検し，劣化の進行状況を把握することにより，必要な性能水準を下回る前に，補修などの必要性を検討するためのものである．必要な性能水準を下回る可能性がある場合は，一時的に短い間隔で点検し，劣化の進行状況によって，その間隔を見直す．

2) 点検方法の変更

　　点検方法の変更は，点検方法自体の変更のほかに，劣化状況のより詳細な評価が必要と判断される場合に，点検対象範囲の拡大，当該劣化部位の点検項目の追加などを行うものである．

c) 補修など

　　補修などには，補修および二次評価がある．

1) 補修

　　補修の目的には，劣化要因による影響の抑制および性能の回復がある．

　　劣化要因による影響の抑制を目的とした補修は，主に健全性評価の結果が経過観察の場合に実施される．コンクリート表面に塗装を施し，中性化の進行を抑制するなどがこれに相当する．

　　性能の回復を目的とした補修は，主に健全性評価の結果が要検討の場合に実施される．鉄筋腐食が確認された場合に，かぶりコンクリート除去後の腐食した鉄筋のさび落としを行い，防せい処理を行うなどがこれに相当する．

　　補修を実施する際には，目的を明確にした上で，あらかじめ補修計画を策定する．補修計画では以下の項目について検討し，反映する．

① 補修時期

　　健全性評価の結果とともに，補修の目的，補修範囲，劣化の種類，作業の効率性などを考慮して補修時期を決定する．例えば，劣化要因による影響の抑制を目的とした補修は，現状において必要な性能水準を満足している状態であり，次回の定期点検に併せて実施することも効率的である．また，すでに機能を維持するために必要な性能水準が確保できていない場合には，性能の回復を目的とした補修を早急に実施しなければならない．

② 補修範囲

　　劣化の進行状況から部分的な補修または全体的な補修のいずれかを選択する．

　　目視による方法以外の健全性の評価は，劣化事象または劣化要因による影響について，点検箇所の個々の評価であるため，これらの評価結果から補修が必要と判断された場合には，

当該部位が含まれる同一部材または同じ環境にある部位についても，補修の必要性を検討することが重要である．この検討結果に基づき，補修を実施する範囲を部分的とするか，部位ごと，部屋ごとのようにまとまった単位とするかを判断するとよい．

③ 補修工法・材料

原子力施設における建築物の補修工法・材料は，基本的に一般建築物と相違ないため，既往の指針類[1)-11)]を参考に選定するとよい．

2) 二次評価

劣化事象または劣化要因の影響に対し，「7章 健全性評価」までに行われる「一次評価」において，要求機能を維持するために必要な性能水準が確保されていない場合，補修を行うほかに，部材や構造体に対する検討（二次評価）を行うことが考えられる．この方法では，劣化程度および劣化範囲を反映した解析的な手法により，建築物を構成する部材や構造体が，機能を維持するために必要な性能水準を満足し，健全性が確保されていることを確認する．一次評価および二次評価の関係を解説図 8-2 に示す．

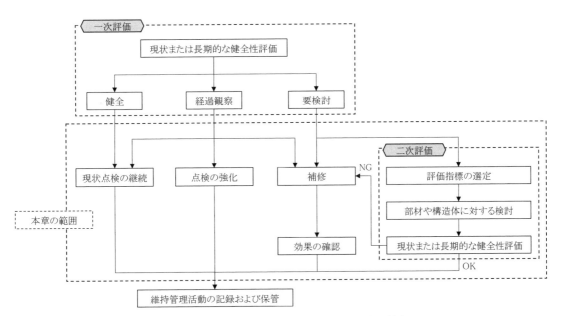

解説図 8-2 一次評価および二次評価の基本的なフロー

二次評価として実施する部材や構造体としての評価については，劣化の状況に応じて評価方法も異なり，さまざまな情報や知見を用いて総合的に判断する必要があるため，高度な知識を有する専門家の協力を得て，実施することが望ましい．二次評価の検討例としては，これまで放射線影響とアルカリ骨材反応に対策事例がある．放射線影響については，運転開始後60年時点で予想される中性子照射量およびガンマ線照射量の解析結果が目安値を超える部位がある場

合，照射量が基準目安値を超える範囲を除いた部材厚で構造体の耐力を評価し，設計荷重を上回ることを確認している[12]．アルカリ骨材反応の対策事例については，付録I.3 に示す．

部材や構造体としての評価を行う際に，コンクリートの圧縮強度に加えてヤング係数が必要になる場合がある．ヤング係数は圧縮強度の関数で表せる[13]とされているが，あくまで劣化要因の影響を受けていないコンクリートを対象にした関係式であり，劣化要因の影響を受けたコンクリートではその要因によって成立しない場合[14)15)]がある．二次評価においてヤング係数が必要な場合には，劣化要因の影響を考慮した値を用いることが望ましく，コア採取した供試体を用いて圧縮強度を取得する際にヤング係数も併せて計測するとよい．

b. 効果の確認

補修を実施した場合には，その効果を確認することが重要であり，補修直後の点検とともに，効果の継続性を確認するために，補修を施した部位を定期点検などにより，劣化要因による影響が抑制されているか，性能が回復しているかを計画的に経過観察することが望ましい．補修効果の確認の方法および時期については，補修計画を立案する段階で検討する．

なお，補修の効果が得られなかった場合には，再補修あるいは補修工法の見直しを検討する．

参 考 文 献

1) 日本建築学会：鉄筋コンクリート造建築物の耐久性調査・診断および補修指針（案）・同解説，1997
2) 日本建築学会：建築物の改修の考え方・同解説，2002
3) 日本建築学会：鉄筋コンクリート造建築物の品質管理および維持管理のための試験方法，2007
4) 日本コンクリート工学会：コンクリートのひび割れ調査，補修・補強指針，2013
5) 国土開発技術研究センター：建築物の耐久性向上技術シリーズ　建築構造編I　鉄筋コンクリート造建築物の耐久性向上技術，技報堂出版，1986
6) 国土開発技術研究センター：建築物の耐久性向上技術シリーズ　建築構造編II鉄骨造建築物の耐久性向上技術，技報堂出版，1986
7) 土木学会：2018 年制定　コンクリート標準示方書［維持管理編］，2018
8) 日本コンクリート工学会：コンクリート診断技術'21［基礎編］，2021
9) 鉄道総合技術研究所：鉄道構造物等維持管理標準・同解説（構造物編）コンクリート構造物，2007
10) 東日本・中日本・西日本高速道路：構造物施工管理要領，2014
11) 日本建築学会：建築保全標準・同解説　JAMS 4-RC　補修・改修設計規準－鉄筋コンクリート造建築物，2021

12) ATENA：ATENA 21－ME01（Rev.0）安全な長期運転に向けた経年劣化に関する知見拡充レポート，2022
13) 日本建築学会：建築工事標準仕様書・同解説　JASS 5N　原子力発電所施設における鉄筋コンクリート工事，2013
14) 日本建築学会：構造材料の耐火性ガイドブック，2017
15) コンクリート工学協会：作用機構を考慮したアルカリ骨材反応の抑制対策と診断研究委員会　報告書，2008

9章 記　録

> 維持管理計画，点検，健全性評価および対策と効果の確認に関する各結果は，記録し保管する．

(1) 基本的な考え方

維持管理を継続して実施していくためには，下記の項目について記録を行う．

・維持管理計画
・点検の内容と結果
・健全性評価の方法と結果
・対策の内容と結果および効果の確認方法と結果

また，維持管理の信頼性および有効性を高めるためには，記録を分析し継続的な改善を図るとともに，維持管理の内容を記録し，保管しなければならない．なお，各施設で実施されている維持管理は，類似する他の施設においても参考にすることができるため，維持管理に関する情報を共有することが望ましい．

(2) 記録方法と保管方法

維持管理の記録は，点検，健全性評価および対策と効果の確認の結果を，正確かつ詳細に記録し，内容を容易に理解できるよう，あらかじめ書式を定めて行う．記録方法および保管方法が，維持管理方法の改善や技術の進歩などにより変更された場合でも，過去の記録が継続的に利用できるよう配慮しておく必要がある．

なお，記録を電子化して保存する場合には，データの流出や消失に留意し，データの取扱いについては管理方法を定め，情報セキュリティの確保に向けた取組みを行う．

a) 記録の方法

記録すべき項目は，維持管理に必要な項目を選定し，解説表 9-1 に標準的な記録すべき項目およびその内容についての例を示す．なお，記録の内容から建築物の維持管理に関する履歴がわかるよう配慮する必要がある．

維持管理の記録は膨大なデータになることが予想されるため，管理方法をマニュアルなどに定め，活用しやすい環境を整備しておくことが望ましい．

記録の作成は，点検と健全性評価については定期点検，もしくは臨時点検終了時に実施し，対策については，対策を実施した後または効果を確認した後にすみやかに行う．

b) 保管の方法

原子力施設の維持管理は長期間に及ぶため,記録の種類に応じて管理方法や適切な期間を定めて保管する必要がある.点検結果などの資料は,供用期間が過ぎた後も類似した他の建築物における維持管理の参考資料となるため,供用期間を超えて建築物が解体されるまで,保管することが望ましい.

解説表 9-1 記録項目と内容の例

分類			現状の健全性を確保するための維持管理	長期的な健全性を確保するための維持管理
共通事項	区分		定期点検,臨時点検の種別	定期点検の種類
	対象		劣化事象の種類	劣化要因の種類
	時期		実施時期(年月日,過去の実施時期,頻度,点検の実施回数) 運転状況(運転中,定期点検中,長期停止中)	
	箇所		点検対象建屋,点検対象部位,点検対象範囲	
	体制		監理者,責任者,実施者	
	履歴		維持管理計画の改定履歴	
点検	方法		直接的手法の種類,もしくは間接的手法の種類 適用した基準がある場合には,実施した規格番号	
	機器		機器のリストおよび校正記録	
	項目		変状や異常の有無,各種測定結果	
	結果		結果(測定結果,写真,スケッチなど) 点検実施時の環境状況(使用状況,気温,湿度など)	
健全性評価	方法		評価方法,制限値 (根拠を記録に残す)	評価方法,制限値,将来予測の方法 (根拠を記録に残す)
	結果		現状の評価結果:A1〜A3	長期的な評価結果:B1〜B3
対策と効果の確認	範囲		対策を実施する範囲の設定 (点検結果から対策を実施する範囲を総合的に判断する)	
	計画		点検強化　　:点検計画,点検方法,点検実施間隔 二次評価　　:評価指標,健全性評価の方法 補　　修　　:補修計画,補修方法,補修実施時期,期待する効果 効果の確認　:対策実施時期および対策実施後の効果を確認する方法の計画	
	対策		対策の実施結果(箇所,時期,方法)	
	効果の確認		効果の確認結果(箇所,時期,方法)	

付　　録

付録 I.1　健全性評価における評価基準の設定に関する資料

目　　次

1. 劣化事象 ……………………………………………………… 120
　1.1　コンクリート構造物 ……………………………………… 120
　　a. ひび割れ ……………………………………………… 120
　　b. 鉄筋腐食（さび汁） ………………………………… 133
　　c. 剥離・剥落 …………………………………………… 134
　　d. たわみ ………………………………………………… 138
　　e. 振　動 ………………………………………………… 141
　　f. すりへり ……………………………………………… 142
　　g. 漏　水 ………………………………………………… 143
　　h. 火災により生じる劣化事象 ………………………… 147
　1.2　鉄骨構造物 ……………………………………………… 152
　　a. 疲労による強度低下 ………………………………… 152
　　b. 鋼材の腐食 …………………………………………… 152
　　c. 火災により生じる劣化事象 ………………………… 157

2. 劣化要因 ……………………………………………………… 162
　2.1　コンクリート構造物 …………………………………… 162
　　a. 熱（高温） …………………………………………… 162
　　b. 放射線照射 …………………………………………… 164
　　c. 中性化 ………………………………………………… 167
　　d. 塩分浸透 ……………………………………………… 169
　　e. アルカリ骨材反応 …………………………………… 173
　2.2　鉄骨構造物 ……………………………………………… 175
　　a. 塗膜劣化および皮膜劣化（亜鉛めっき皮膜消失） ………… 175
　　b. 風などの繰返し荷重（疲労） ……………………… 176

1. 劣化事象

1.1 コンクリート構造物

a. ひび割れ

(1) 基本的な考え方

維持管理に関わる規基準や文献の調査を行うことにより，本指針におけるひび割れの評価基準を策定する．ひび割れについては，構造安全性，使用性および遮蔽性に関わる評価基準を付表 I.1-1-1 に示す方針に従い，策定する．

付表 I.1-1-1 ひび割れが影響を及ぼす性能と評価基準の設定方針

性能		評価基準の設定方針
構造安全性		鉄筋腐食やアルカリ骨材反応を劣化要因とするひび割れ，地震などの突発的な劣化要因により発生する曲げひび割れ，せん断ひび割れなどは，ひび割れ幅ではなく，ひび割れの有無を評価基準とする．
使用性		主に乾燥収縮によるひび割れを対象としており，耐久性を確保する観点から，許容ひび割れ幅を設定する．
	(液密)	液密性を要求される堰に対して，塗膜やコンクリートの許容ひび割れ幅を設定する．
	(気密)	気密性が求められる部位に対して，負圧を維持する機器の容量とひび割れからの空気の漏えい量との関係より，気密性に影響を与えるひび割れ幅について設定する
遮蔽性		遮蔽要求のある部位に対して，コンクリートの許容ひび割れ幅を設定する．

(2) 健全性評価に関する規基準および文献の調査

a) 構造安全性に関わるひび割れ

1) 日本コンクリート工学会：コンクリートのひび割れ調査，補修・補強指針，2022

この指針では，「ひび割れが構造部材に生じた原因が構造外力であると推定される場合は，耐力に重大な悪影響を及ぼす可能性がある．また，アルカリ骨材反応，塩害および中性化により耐力に影響を及ぼすようなひび割れが発生している場合，あるいは，鉄筋の腐食により鉄筋の断面積が明らかに減少していると考えられる場合には，補強の要否の検討が必要である．」としている．また，この指針では，「耐力が問題となり補強の要否の判定を行う場合は，重要かつ緊急を要することが多いため，技術者の高度な判断に基づくことを原則とした．」としている．

この指針における鉄筋コンクリート構造物に関する補強の要否判定の目安を付表 I.1-1-2 に示す．構造外力により生じたひび割れについて，曲げの場合はひび割れ幅を，せん断の場合はひび割れの有無を，鉄筋腐食によるひび割れはその有無を評価基準としている．

付表 I.1-1-2　補強の要否判定の目安（RC 構造物）

損傷の原因 区分	構造外力	鋼材腐食
構造安全性を確認するための構造計算を行う前提条件	曲げひび割れ幅≧0.3 mm または，せん断ひび割れが発生している	かぶりコンクリートの剥離があり，かつ鉄筋に断面欠損がある
補強を必要とする場合	構造安全性の照査および使用性の照査を満足しない	
点検強化を必要とする場合	0.3 mm＞曲げひび割れ幅≧0.15 mm または，せん断ひび割れが発生している	かぶりコンクリートの浮き，錆汁がある
補強を必要としない場合	上記に該当しないとき	

［参考資料-1］曲げひび割れ幅およびせん断ひび割れ幅の算定（日本コンクリート工学会：コンクリートのひび割れ調査，補修・補強指針 2022，p.102）

b) 使用性に関わるひび割れ

1) 日本建築学会：鉄筋コンクリート造のひび割れ対策（設計・施工）指針・同解説，2002

　　耐久性についての設計の目標として，鉄筋コンクリート造の構造体表面に生ずるひび割れ幅に制限を設けている．ひび割れ幅の制限値は，屋内外にかかわらず一律に 0.3mm としている．これは，かぶり厚さが 25mm 以上ある場合について諸外国の規準に採用されている値である．また，この値に対応して，屋内の環境に対する許容値をあえて与えるとすれば，0.35～0.4mm 程度となるとしている．

　　主要な原子力施設のかぶり厚さは 50mm 程度であり，かぶり厚さに応じて許容ひび割れ幅を緩和できると考えると，屋内の許容値の範囲 0.35～0.4mm のうち大きい値を採用し，原子力施設の許容値を 0.4mm とすることは可能であると考えられる．

2) 日本建築学会：鉄筋コンクリート造建築物の耐久設計施工指針・同解説，2016

　　耐久性上の許容ひび割れ幅を，2004 年版では環境条件によって規定していたが，2016 年版ではかなり過酷な環境にさらされた場合を想定し，0.3mm と規定している．

3) 日本建築学会：鉄筋コンクリート造建築物の耐久性調査・診断および補修指針（案）・同解説，1997

　　鉄筋コンクリート造建築物の躯体に生じる鉄筋腐食に関わる劣化現象の調査・診断および補修を対象としており，付表I.1-1-3 に示すように劣化原因の強さとひび割れ幅の関係について記述している．

付表 I.1-1-3　ひび割れ幅による劣化原因の強さの分類

劣化原因	コンクリート表面におけるひび割れ幅	
の強さ	一般の屋外	環境の厳しい場合
小	0.4mm 未満	0.1mm 未満
大	0.4mm 以上	0.1mm 以上

4) 日本コンクリート工学会：コンクリートのひび割れ調査，補修・補強指針，2003，2022

　2003 年版では，耐久性および防水性からみた補修の要否に関するひび割れ幅の限度を，付表 I.1-1-4 に示すように設定していた．付表 I.1-1-4 から原子力施設の屋外環境を対象として，補修の要否を判断するためのひび割れ幅は，環境条件を"中間"とし，その他の要因については外壁塗膜の効果を考慮して"小"とすると，補修を必要とするひび割れ幅は 0.8mm 以上で，補修を必要としないひび割れ幅は 0.3mm 以下となる．

付表 I.1-1-4　耐久性または防水性からみた補修の要否に関するひび割れ幅の限度

区分	環境[2] その他の要因[1]	耐久性からみた場合			防水性から みた場合
		きびしい	中間	ゆるやか	―
(A) 補修を必要とする ひび割れ幅(mm)	大	0.4 以上	0.4 以上	0.6 以上	0.2 以上
	中	0.4 以上	0.6 以上	0.8 以上	0.2 以上
	小	0.6 以上	0.8 以上	1.0 以上	0.2 以上
(B) 補修を必要としな いひび割れ幅(mm)	大	0.1 以下	0.2 以下	0.2 以下	0.05 以下
	中	0.1 以下	0.3 以下	0.3 以下	0.05 以下
	小	0.2 以下	0.3 以下	0.3 以下	0.05 以下

注： 1)　その他の要因（大，中，小）とは，コンクリート構造物の耐久性および防水性に及ぼす有害の程度を示し，下記の要因の影響を総合して定める．ひび割れの深さ・パターン，かぶり（厚さ），コンクリート表面被覆の有無，材料・調（配）合，打継ぎなど
　　 2)　主として鋼材のさびの発生条件からみた環境の条件．

　2022 年版では，温度ひび割れや乾燥収縮ひび割れなどを対象として，ひび割れ幅と環境条件で部材性能への影響を評価している．鋼材腐食に対する 20 年程度の耐久性の観点で，ひび割れの耐久性への影響の程度を付表 I.1-1-5 に示すように「大」～「小」で評価し，建物に期待する延命期間に応じて補修の要否を付表 I.1-1-6 で判定している．

付表 I.1-1-5　鋼材腐食の観点からのひび割れの部材性能への影響

環境条件		塩分環境下	水掛かりあり	水掛かりなし
ひび割れ幅: w (mm)	$0.5 < w$	大（20年耐久性）	大（20年耐久性）	大（20年耐久性）
	$0.4 < w \leq 0.5$	大（20年耐久性）	大（20年耐久性）	中（20年耐久性）
	$0.3 < w \leq 0.4$	大（20年耐久性）	中（20年耐久性）	小（20年耐久性）
	$0.2 < w \leq 0.3$	中（20年耐久性）	小（20年耐久性）	小（20年耐久性）
	$w \leq 0.2$	小（20年耐久性）	小（20年耐久性）	小（20年耐久性）

※評価結果「小」，「中」，「大」の意味は下記のとおりである．
　小：ひび割れが性能低下の原因となっておらず，部材が要求性能を満たしている．
　中：ひび割れが性能低下の原因となるが，軽微（簡易）な対策により要求性能を満たすことが可能である．
　大：ひび割れによる性能低下が顕著であり，部材が要求性能を満たさない．
※※カッコ内の数値は鋼材腐食に対する耐久性の評価結果を保証できる期間の目安としての年数を示しており，（20年耐久性）はひび割れの評価時点から 15～25 年後程度を保証できる期間の目安として設定したものであり，15～25 年の平均をとって示している．

付表 I.1-1-6　評価に基づく判定表（鋼材腐食に対する耐久性の観点）

部材性能への影響	オーナーによる期待延命期間		
	10 年未満	10～20 年	20 年以上
小（20年耐久性）	補修不要	補修不要	補修不要
中（20年耐久性）	基本的には補修不要（場合によっては補修必要）	基本的には補修不要（場合によっては補修必要，点検強化）	補修必要
大（20年耐久性）	基本的には補修必要（場合によっては補修せずに点検強化）	補修必要	補修必要（補強，解体・撤去・取壊し，更新・建替えを含む）

5) ACI（American Concrete Institute）: ACI 224R-01, Control of Cracking in Concrete Structures, 2001

鉄筋コンクリート構造物の設計を行う場合の許容ひび割れ幅を，付表 I.1-1-7 のようにとりまとめており，乾燥状態で 0.41mm，湿度の高い状態で 0.30mm となっている．

付表 I.1-1-7　Guide to reasonable* crack widths, reinforced concrete under service loads

Exposure condition	Crack width	
	in.	mm
Dry air or protective membrane	0.016	0.41
Humidity, moist air, soil	0.012	0.30
Deicing chemicals	0.007	0.18
Seawater and seawater spray, wetting and drying	0.006	0.15
Water-retaining structures†	0.004	0.10

*It should be expected that a portion of the cracks in the structure will exceed these values. With time, a significant portion can exceed these values. These are general guidelines for design to be used in conjunction with sound engineering judgement.
†Excluding nonpressure pipes.

6) ACI（American Concrete Institute）：ACI 349.3R-18, Evaluation of Existing Nuclear Safety-Related Concrete Structures, 2018

既設の原子力発電所の建築物に対して，解析などによる評価，補修または交換が必要となるひび割れ幅を 1mm 以上，評価をしなくてよいひび割れ幅を 0.41mm（0.016 in.）未満としている．ここに，ひび割れ幅 0.41mm は ACI224R などの文献や経験値を参考に設定していることが記載されているが，ひび割れ幅 1mm については根拠の記載はない．

7) Eurocode 2：Design of Concrete Structures

一般的な屋内環境におけるひび割れ幅の制限はなく，湿度が高い条件で許容ひび割れ幅は 0.3mm となっている．付表I.1-1-8 に暴露条件と許容ひび割れ幅を示す．

付表 I.1-1-8　暴露条件とひび割れ幅（Eurocode2）

暴露クラス	暴露条件	許容ひび割れ幅 (mm)
1	乾燥空気中（一般的な住居，オフィス）	制限なし
2	湿った空気中（凍結，非凍結）	0.3
3	湿った空気中（凍結防止剤あり）	
4	海水・潮風をうける場合	
5	厳しい化学的環境	別途上記クラスと複合して評価

c) 使用性（液密）に関わるひび割れ

1) 日本コンクリート工学会：コンクリートのひび割れ調査，補修・補強指針，2022

防水性からみた場合，2003 年版では補修を必要とするひび割れ幅を 0.2mm 以上，補修を必要としないひび割れ幅を 0.05mm 以下としていた．2022 年版では，付表 I.1-1-9 に示すように環境条件，部材厚に応じて部材性能への影響（「大：補修必要」，「小：補修不要」）を判定しており，補修を必要とするひび割れ幅を 0.15〜0.20mm 超，補修を必要としないひび割れ幅を 0.05〜0.15mm 以下としている．

付表 I.1-1-9　防水性・水密性の観点からのひび割れの部材性能への影響

環境条件		常時水圧作用環境下		左記以外	
部材厚 (mm)		180 未満	180 以上	180 未満	180 以上
ひび割れ幅：w (mm)	$0.20 < w$	大	大	大	大
	$0.15 < w \leq 0.20$	大	大	大	中
	$0.05 < w \leq 0.15$	中	中	中	小
	$w \leq 0.05$	小	小	小	小

※評価結果「小」，「中」，「大」の意味は以下のとおりである．
　小：ひび割れが性能低下の原因となっておらず，部材が要求性能を満たしている．
　中：ひび割れが性能低下の原因となるが，軽微（簡易）な対策により要求性能を満たすことが可能である．
　大：ひび割れによる性能低下が顕著であり，部材が要求性能を満たしていない．

2) ACI（American Concrete Institute）：ACI 224R-01，Control of Cracking in Concrete Structures，2001

　　保水構造物に対して，付表 I.1-1-7 より許容ひび割れ幅を 0.1mm としている．

3) 神山幸弘，石川廣三：建築物の防雨構法に関する研究　その 5 －モルタル外壁の亀裂からの漏水について，日本建築学会大会学術講演梗概集，p.251-252，1969 年 8 月

　　壁体が飽水状況にあり，無風もしくは微風下において漏水を生じる最小ひび割れは，0.06～0.08mm としている．ひび割れからの透水量とひび割れ幅の関係について，平行平板間を通る二次元層流の流速に関する理論式に，ひび割れの凹凸による水の流路長の増大や摩擦抵抗の増大を考慮した係数（σ）を導入した式を提案し，ひび割れからの透水量はひび割れ幅の 3 乗に比例するとしている．

4) 渡部直人：発電所廃棄物陸地貯蔵・処分用コンクリートピットの水密性に関する研究－ひび割れ部および継ぎ目部の透水性評価－，電力中央研究所・研究報告：U87023，1987 年 9 月

　　発電所廃棄物陸地貯蔵・処分用コンクリートピットを対象としてコンクリートの液密性を検討している．付図 I.1-1-1 に示すコンクリートピット側壁を対象に，付図 I.1-1-2 に示す試験装置を用いて，ひび割れ幅と水頭（水圧）を変動因子とした透水試験を実施し，ひび割れ幅と透水量との関係を付図 I.1-1-3 にまとめている．透水を生じる限界ひび割れ幅は，文献 3)における式を（付 I.1-1.1）式に修正することで実験結果をよく説明できるとしている．

$$Q' = K(t - t_0)^{3.2} \quad\quad\quad\quad (付 I.1\text{-}1.1)$$

$$Q' = Q / B$$

ここで，　Q' ：ひび割れ単位長さあたりの透水量（cc/(s・cm)）
　　　　　Q ：流量（cc/s）
　　　　　B ：ひび割れ長さ（cm）
　　　　　K ：水頭 H（cm），壁厚 d（cm），水の密度 ρ（gf/cm^3），粘性度 η（gf・s/cm^2），ひび割れによる常数[3)]を一定としてまとめた定数
　　　　　t ：ひび割れ幅（cm）
　　　　　t_0 ：透水を生じない限界ひび割れ幅（cm）［0.002cm（＝0.02mm）］

　この実験から，水頭圧と透水量がほぼ比例すること，（付 I.1-1.1）式には時間の項はないが，実験の透水量は時間とともに減少することが確認されている．透水が時間とともに減少する要因として，水質によりひび割れが詰まること，ひび割れ面近傍のコンクリートが吸水により膨張しひび割れ幅が減少することなどを挙げている．

　また，限界びび割れ幅は供試体の厚さ，水頭圧，ひび割れ深さ方向の変化あるいは水温の状況により変動するとし，既往の研究を参考にして限界ひび割れは 0.02～0.1mm の範囲になるとしている．

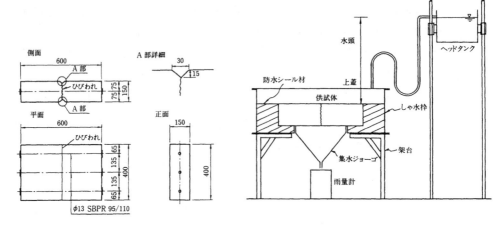

付図 I.1-1-1　ひび割れを有する試験体

付図 I.1-1-2　透水試験の方法

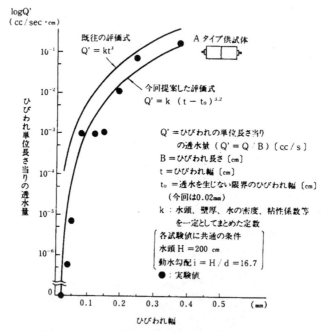

付図 I.1-1-3　ひび割れ幅と透水量の関係（Aタイプ）

d) 使用性（気密）に関わるひび割れ

1) 日本電気協会：原子力発電所耐震設計技術規程　JEAC4601-2021

　　この指針の「3.6.4　機能維持及び波及的影響防止の検討」では，「SクラスおよびBクラスの建物・構築物の部位には負圧維持機能，漏えい防止機能，遮蔽機能，支持機能（間接支持）及び波及的影響の防止機能が要求されている部分があり，地震力が生じた場合においてもこれらの部分に要求されるそれぞれの機能が維持されている必要がある．」と記載されている．したがって，建屋の負圧維持機能については，設計用最強地震（基準地震動 Ss）が発生し，ひび割れなどが発生しても建屋の気密性に問題ないことを確認することにより担保できる．

　　気密性が求められる原子炉格納施設の概要を付図 I.1-1-4 に示す．原子炉格納容器は耐圧試験により気密性は確認されているため，対象とする部位はBWR原子炉建屋の2次格納施設の外壁およびPWR原子炉建屋のアニュラス部の外側境界壁となる．

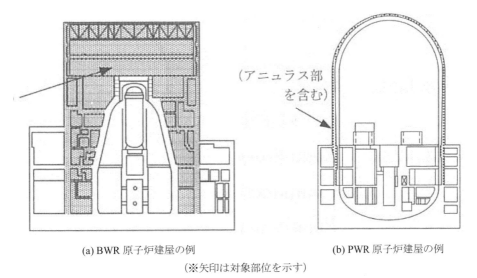

(a) BWR 原子炉建屋の例　　　　　　(b) PWR 原子炉建屋の例
(※矢印は対象部位を示す)
付図 I.1-1-4　気密性が求められる原子炉格納施設

2) 原子力発電技術機構：耐震安全解析コード改良試験　原子炉建屋の弾塑性試験　試験結果の評価に関する報告書（平成5年3月），（平成6年3月）

　　原子力発電技術機構では，耐震安全解析コード改良試験を行い，RC壁のS_1地震後のひび割れなどから空気の漏えい量と施設内部の負圧を維持する機器の容量との関係より，気密性について検討している．

　　この検討結果から，S_1地震によってRC壁に$0.1Fc$程度（F_c:コンクリートの設計基準強度）のせん断応力度が生じた場合でも，残留ひび割れからの漏えい量は負圧維持する機器容量の0.5%以下であり，S_1地震で生じたRC境界壁の残留せん断ひび割れからの漏えい量が負圧維持に与える影響が小さいことがわかったとしている．

3) 原子力発電技術機構：原子力発電施設耐震信頼性実証試験　原子炉建屋総合評価　建屋基礎地盤系評価に関する報告書（その 2）（平成 9 年 3 月）

原子力発電技術機構では，原子力発電施設耐震信頼性実証試験を行い，RC 壁の設計用限界地震（S_2 地震）後のひび割れなどから空気の漏えい量と施設の負圧を維持する機器の容量との関係から，機能維持について検討している．

この検討結果では，地震時に RC 壁に終局せん断応力度の 2/3 程度のせん断応力度（S_2 地震時の許容限界せん断ひずみ 2/1000 に相当するせん断応力度として設定）が発生した場合でも，RC 壁からの外気侵入量は安全側に評価しても最大で負圧維持する機器容量の 13%程度であり，残留ひび割れからの外気侵入総量は負圧維持用ファン容量に比較すると無視できるほど小さいとしている．

e) 遮蔽性に関わるひび割れ

1) 牧隆，佐藤芳幸，棟方善成，関根啓二，大石晃嗣，鳥居和敬，紺谷修：鉄筋コンクリート構造物における地震時遮蔽性能について　(2) 遮蔽解析結果，日本原子力学会，2007 年秋の大会

地震により損傷を受けたコンクリート壁の遮蔽性能を数値解析により評価している．コンクリートのひび割れをスリットとして安全側にモデル化している．壁厚は 1.2m とし，スリット幅と透過した放射線の評価領域（Tally）をパラメータとして遮蔽解析を行っている．なお，遮蔽解析に用いたコンクリートの物性や線源についての情報については記述がない．

付図 I.1-1-5 に解析結果を示す．スリットがない場合を基準とした場合，1mm のスリットでは線量率が 4〜9 倍程度，0.5mm のスリットでは線量率が 2〜3 倍程度になっている．また，同一のスリット幅でも，大きな領域で透過した放射線を評価するほうが，線量率比は小さくなっている．

一方，普通コンクリートで乾燥収縮によるひび割れが発生する場合，ひび割れは粗骨材を避けて，モルタルと粗骨材の境界面で形成されると考えられ，骨材の粒径（5〜20mm または 25mm）に依存して凹凸形状を示すと考えられる．したがって，放射線は直進性を有するため，幅 1mm のひび割れが存在していても，直接通過することはないと考えられ，ひび割れによる遮蔽性能の低下は非常に小さいと考えられる．

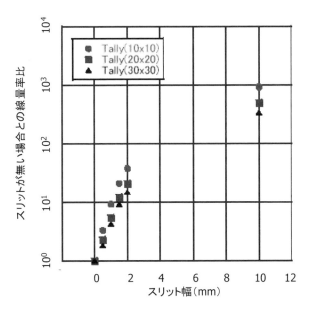

付図 I.1-1-5　スリットによる線量率変化
（文献ではスリット幅をひび割れ幅と表現している．）

2) B. T. Price, C. C. Horton and K. T. Spinney : RADIATION SHIELDING, Pergamon Press, London・NY・Paris, 1957

　ガンマ線の漏えい（Radiation Leakage）は，付図 I.1-1-6 に示すような通常のコンクリート工事で発生する乾燥ひび割れ，構造的な問題が生じないひび割れおよび美観上問題にならないひび割れについては，コンクリート躯体を直線的に貫通することはないとしている．なお，付図 I.1-1-6 における例示は，幅が 1.6mm（1/16 インチ）で，直線からの偏差が±4.8mm（±3/16 インチ）であるようなひび割れである．

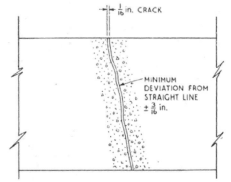

付図 I.1-1-6　Typical crack through mass concrete shield

(3) 評価基準の設定

　構造安全性に関わるコンクリートのひび割れは，鉄筋腐食やアルカリ骨材反応などによるひび割れと地震などの突発的な劣化要因による曲げひび割れやせん断ひび割れがある．日本コンクリート工学会「コンクリートのひび割れ調査，補修・補強指針」(2022) では，部材の曲げひび割れについては，その幅が鉄筋応力の大きさの目安となるため，ひび割れ幅に応じて評価の区分が適切に規定されている．また，せん断ひび割れについては，ひび割れの有無を判断の基準としている．しかし，本指針では，地震などの突発的な劣化要因により発生したひび割れは，構造安全性に影響を与える可能性が高いと考え，「曲げ」，「せん断」にかかわらず，ひび割れがない場合を A1（健全）とし，ひび割れがある場合を A3（要検討）とした．

　使用性に関わるコンクリートのひび割れについては，環境条件の違いから，屋内と屋外に分けて検討した．補修の判定や耐久設計上あるいは維持管理上考慮すべきひび割れ幅について国内外の規基準を調査した結果を付表 I.1-1-10 に示す．付表 I.1-1-10 から，本指針では，A1（健全）とする対応の必要のないひび割れ幅を，劣化の外力の強さを考慮して，屋内は 0.4mm 未満，屋外は 0.3mm 未満とした．また，A3（要検討）とするひび割れ幅を，屋内は 1.0mm 以上，屋外は 0.8mm 以上とし，A2（経過観察）とするひび割れ幅を，屋内は 0.4mm 以上 1.0mm 未満，屋外は 0.3mm 以上 0.8mm 未満とした．

付表 I.1-1-10　使用性に関わるコンクリートの許容ひび割れ幅

凡例：｜屋外の許容ひび割れ幅　｜屋内の許容ひび割れ幅　‖屋内外の許容ひび割れ幅に区別なし

指針名称		ひび割れ幅（mm） 0.1　0.2　0.3　0.4　0.5　0.6　0.7　0.8　0.9　1.0	備考
本指針の設定	屋外	A1（健全） ｜ A2（経過観察） ｜ A3（要検討）	
	屋内	A1（健全） ‖ A2（経過観察） ‖ A3（要検討）	
Eurocode2 Design of Concrete Structures, 2004	設計での耐久性上の許容ひび割れ幅	湿潤空気中・屋外	
ACI349.3R, 2018	対策に対するひび割れ幅の評価基準	対応不要 ←経過観察→ 要補修	補修の判断のためのひび割れ幅
ACI224R-01, 2001	許容ひび割れ幅（曲げ材）	湿潤空気中・屋外 ｜ 乾燥空気中・屋内	
日本コンクリート工学協会 コンクリートのひび割れ調査，補修・補強指針, 2003	耐久性上の補修に関わるひび割れ幅	補修不要 ｜ 要補修	補修の判断のためのひび割れ幅
日本コンクリート工学会 コンクリートのひび割れ調査，補修・補強指針, 2022	20年間程度にわたる耐久性の維持を想定したひび割れ幅	屋外・補修不要 ｜ 屋内・補修不要 ｜ 屋外・要補修 ｜ 屋内・要補修	本指針では定期点検（5年以内）や経過観察を実施するため，20年間を想定した要補修の判定を除外
日本建築学会 鉄筋コンクリート造建築物の耐久性調査・診断および補修指針(案)・同解説, 1997	劣化要因の程度とひび割れ幅	劣化要因弱 ← 屋外 → 劣化要因強	劣化要因の強さに対応するひび割れであり，補修に直接関係ない
日本建築学会 鉄筋コンクリート造建築物の耐久設計施工指針・同解説, 2016	耐久性上の許容ひび割れ幅	屋内外	鉄筋に沿ったひび割れ（鉄筋腐食に起因）は対象外
日本建築学会 鉄筋コンクリート造ひび割れ対策（設計・施工）指針・同解説, 2002	設計・施工上のひび割れ幅の目標値	屋内外 ｜ 屋内	耐久性のためのひび割れ幅目標値

使用性（液密）に関わるコンクリートのひび割れについては，日本コンクリート工学会「コンクリートのひび割れ調査，補修・補強指針」（2022）では，防水性の視点から，補修を必要とするひび割れ幅は 0.15～0.20mm 超で，補修を必要としないひび割れ幅は 0.05～0.15mm 以下としている．ACI (American Concrete Institute)「ACI224R-01, Control of Cracking in Concrete Structures」（2001）では，保水構造物に対する許容ひび割れ幅を 0.1mm としている．以上の規基準と学術文献の調査結果によると，液密性に関して対策する必要のない限界ひび割れは 0.02～0.1mm の範囲となっている．そこで，コンクリートの液密性については，A1（健全）であり対応の必要のないひび割れ幅を 0.05mm 以下，A3（要検討）となるひび割れ幅を 0.2mm 以上とした．また，液密性が要求される堰にはエポキシ塗装が塗布されているため，堰の液密性は，コンクリートのひび割れ幅だけでなく，耐水性のある塗膜にひび割れがないことを確認することにより担保できるとした．

　使用性（気密）に関わるコンクリートのひび割れに関しては，前述の原子力発電施設耐震信頼性実証試験において，気密性が要求される原子炉建屋の外壁全面に対してせん断ひずみ 2/1000 に対応する応力状態を考慮しても，コンクリート外壁からの外気侵入量は最大で負圧維持する機器容量の 13%程度であり，気密性が維持されていることを確認している．一方，使用性に関するひび割れの補修のための閾値を屋外で 0.8mm 以上としているが，せん断ひずみ 2/1000 が発生しひび割れが壁全体に分布している状態の方が，気密性を評価する上では厳しいと考えられる．すなわち，コンクリート壁に使用性に関わるひび割れが存在しても，負圧を維持するための機器は気密性を維持できる容量を有しているため，本指針では使用性（気密）に関わるコンクリートひび割れについての評価基準は設定しないこととする．

　遮蔽性に関わるひび割れについては，前述の牧らの文献では，スリットによる遮蔽解析により，ひび割れがあっても放射線に対する遮蔽性能はほとんど影響を受けないとの検討結果が得られている．また，コンクリート工事で許容される乾燥ひび割れで，構造的な強度や仕上げの美観上問題のないひび割れについては，コンクリート躯体を直線的に貫通することはないため，ガンマ線の漏えいが発生することはないとの知見が示されている．そこで，遮蔽性に関わるコンクリートのひび割れについては，コンクリートの使用性を確認することにより担保することができるとした．

　以上を踏まえて，本指針では，付表 I.1-1-11 にひび割れに関する評価区分と評価基準を示すように設定する．

付表 I.1-1-11 ひび割れに対する評価区分と評価基準

性能		評価区分と評価基準
構造安全性		A1（健全）：構造安全性に影響を与えるひび割れがない． A3（要検討）：構造安全性に影響を与えるひび割れがある．
使用性	屋内	ひび割れ幅が 　A1（健全）：0.4mm 未満 　A2（経過観察）：0.4mm 以上 1.0mm 未満 　A3（要検討）：1.0mm 以上
	屋外	ひび割れ幅が 　A1（健全）：0.3mm 未満 　A2（経過観察）：0.3 mm 以上 0.8mm 未満 　A3（要検討）：0.8mm 以上
	（液密）	ひび割れ幅が 　A1（健全）：0.05mm 以下 　A2（経過観察）：0.05mm を超えて 0.2mm 未満 　A3（要検討）：0.2mm 以上
遮蔽性		使用性を確認することにより担保可能

b. 鉄筋腐食（さび汁）

(1) 基本的な考え方

さび汁に関する健全性評価について文献調査を行い，健全性評価における評価基準を，機能を維持するために必要な性能水準を確保する観点から策定する．

(2) 健全性評価に関する規基準および文献の調査

a) 国土開発技術研究センター：建築物の耐久性向上技術シリーズ　建築構造編 I 鉄筋コンクリート造建築物の耐久性向上技術, 1986

　　目視検査による評価に表面状態（さび汚れ）に関する評価項目がある．その評価基準は $100m^2$ あたりに 2 か所以上の異常があれば要調査としている．

b) 日本建築学会：鉄筋コンクリート造建築物の耐久性調査・診断および補修指針（案）・同解説, 1997

　　鉄筋の腐食度が鉄筋の性能および構造物に及ぼす影響について，塩分浸透に起因する鉄筋腐食による影響を，付表I.1-1-12 のようにまとめている．同表より，コンクリート表面にさび汁が発生するときは，グレードIVの状況で，鉄筋にはかなりのダメージが発生している可能性がある．

付表 I.1-1-12 鉄筋腐食度が鉄筋の性能および構造物に及ぼす影響

		グレード			
		I	II	III	IV
ひび割れ		なし		ひび割れ発生開始	ひび割れが発生していたら必ずグレードIV
さびの拡散		さびは鉄筋とコンクリートの界面に留る		コンクリート内部へ拡散開始	ひび割れに沿って拡散したコンクリート表面ににじみ出る
付着強度	異形	ほとんど変化せず			
	丸鋼	腐食度が大きくなるに従い，むしろ増大する			
		付着強度比（グレードIを100とする）			
		100	134	166	139
降伏点		ほとんど変化せず		質量減少率に対応して低下	
				降伏点が現れにくくなる	
引張強さ		ほとんど変化せず		ピッチングなどの影響があり，質量減少率に対応する以上に低下	
伸び		腐食度が軽微な段階から低下する			
		伸びの比（グレードIを100とする）			
		100	80	57	35

(3) 評価基準の設定

　鉄筋の腐食は一般に「鉄筋腐食先行型」と「ひび割れ先行型」に区分できる．鉄筋腐食先行型は，中性化や塩分浸透などによる劣化要因の影響で発生する．これら劣化要因については劣化事象として現れる前から，劣化要因の影響程度の進展を予測することとしている．したがって，適切に維持管理が実施されていれば，基本的にはさび汁が発生するケースは稀であると考えられる．

　ひび割れ先行型の場合，まずひび割れが発生し，水分と酸素の供給により鉄筋が腐食し，表面にさび汁が現れる．ひび割れに関する評価基準は，鉄筋の腐食環境（屋内・屋外）に応じひび割れ幅で設定しており，鉄筋腐食先行型と同様にさび汁の発生は稀であると考えられる．

　以上から，鉄筋腐食（さび汁）に関する評価区分と評価基準を付表 I.1-1-13 のように設定する．

付表 I.1-1-13 鉄筋腐食（さび汁）に対する評価区分と評価基準

評価区分	評価基準
A1（健全）	さび汁が認められない
A3（要検討）	さび汁が認められる

c. 剥離・剥落

(1) 基本的な考え方

　剥離・剥落に関する健全性評価について文献調査を行い，健全性評価における評価基準について，機能を維持するために必要な性能水準を確保する観点から策定する．

(2) 健全性評価に関する規基準および文献の調査

　a) 日本建築学会：鉄筋コンクリート造建築物の耐久設計施工指針・同解説，2016

1) 日常点検

目視により，コンクリートが欠落している部分の有無を観察する．

付表 I.1-1-14 剥落の日常点検評価

評価基準	環境区分	評価区分
剥落が認められない	全環境	I
剥落が生じている箇所がある	全環境	III

付表 I.1-1-15 日常点検の評価区分と対処の一例

評価区分	評価	対処
評価I	健全と判断される	引き続き維持管理を継続する
評価II	緊急性，進展性は低いが劣化の兆候がある	速やかに専門技術者に連絡を行い，以降は注意して状態の観察を続け，定期点検と同水準の調査を行い，応急処置など暫定的な処置をとることが望ましい．
評価III	限界状態に達している可能性が高い．あるいは限界状態には達していないが，緊急性，進展性が高いことが予想される．	速やかに専門技術者に連絡を行い，対象部分について定期点検と同水準の調査を行い，適切な処置をとる．

2) 定期点検

外観調査において，浮き，剥落について，調査を行う．

付表 I.1-1-16 浮き，剥落の定期点検評価基準と区分（外観調査による）

調査項目		評価基準		評価区分
浮き	仕上材	発生面積率	3%未満	I
			3%以上	II
	コンクリート	浮きが認められない		I
		浮きを生じている箇所がある		III
剥落	仕上材	剥落は認められない		I
		剥落を生じている箇所がある		II
	コンクリート	剥落は認められない		I
		剥落を生じている箇所がある		III

付表 I.1-1-17 定期点検の評価と対処の一例

評価	対処
評価I	健全と判断される．引き続き維持管理を継続する．
評価II	建設省技術総合プロジェクト「耐久性向上技術の開発」に示す劣化診断技術指針などに基づき2次または3次診断を実施する．
評価III	速やかに性能を回復するための処置を実施する．

b) 日本建築学会：鉄筋コンクリート造建築物の耐久性調査・診断および補修指針（案）・同解説，

1997

1) 外観目視調査

　　ひび割れ，仕上材の浮きなどとともに，コンクリートの剥離（箇所数，面積，形態）を調査する．

2) 診断（劣化度の判定）

　　鉄筋腐食による幅 0.5mm 以上のひび割れ，浮き，コンクリートの剥落などがあり，鉄筋の露出などが見られる場合，劣化度「重度」とする．

c) 国土開発技術研究センター：建築物の耐久性向上技術シリーズ　建築構造編I　鉄筋コンクリート造建築物の耐久性向上技術, 1986

　1 次診断は，建物の概況を知るために，建築物概要調査と各種劣化症状調査を同時に行い，引き続き高次の診断を行う必要があるかどうかを判断し，さらに，高次の診断を行う必要のある時には，どの劣化現象に着目して行うべきかを識別する役割を有している．

　2 次・3 次診断は，劣化がある程度認められる場合の診断であり，1 次診断の結果から調査すべき劣化現象が指定されていることを前提とする．つまり，2 次・3 次診断は，各劣化現象ごとの個別の診断となる．両診断結果は，補修要否の判定という形に集約される．

1) 1 次診断

　　劣化症状調査において，発生面積率，100m² あたりの箇所数を調査する．

付表 I. 1-1-18　症状別劣化度の区分

症状			区分のための単位尺度	劣化度		
				I（健全）	II（放置可）	III（要調査）
浮き			発生面積率	1%未満	1%以上 3%未満	3%以上
剥落	仕上材のみ		発生面積率	0%	0%以上 3%未満	3%以上
	コンクリート	鉄筋露出なし	100m² 当りの箇所数	0 箇所	1 箇所未満	1 箇所以上
		鉄筋露出あり	100m² 当りの箇所数	0 箇所	1 箇所未満	1 箇所以上

2) 2 次診断

　　浮き，剥離・剥落については，発生部分，発生面積と深さ，落下の危険性について調査する．

付表 I. 1-1-19　表面劣化の 2 次診断の劣化度の区分

劣化度	区分の基準
I（軽度）	劣化は認められるが，表面的または局部的な現象であり，落下の危険性もない．
II（中度）	劣化は広い範囲に認められるが，断面欠損は部分的であり，それほど大きくはない（深さ 20mm くらいまで）
III（重度）	広範囲に大きな断面欠損（鉄筋近くまで）を生じており，劣化の進行も早いと予想される．

3) 3 次診断

劣化深さについては，表面の脆弱度，強度劣化，中性化深さとともに，はつりなどによる調査を実施する．

付表 I.1-1-20　表面劣化の 3 次診断の劣化度の区分

劣化度	区分の基準
I（軽度）	劣化は認められるが表面的または局部的である（深さ 10mm ぐらいまで）．また劣化原因も除去可能である．
II（中度）	劣化は広い範囲に認められるが，断面欠損は部分的であり，劣化の深さも 20mm ぐらいまでである．
III（重度）	広い範囲に大きな断面欠損が生じており，劣化の深さも鉄筋近くまで達している．または，現在の劣化は中度であるが，原因は不明または除去できにくく，劣化の進行も早いと予想される．

d) NRC（Nuclear Regulatory Commission）：NUREG-1801, Rev. 2, Generic Aging Lessons Learned（GALL） Report, 2010

原子炉建屋，遮蔽建屋などの RC の材料欠損に対する経年管理プログラムについて，以下のように記載されている．

1) 接近可能な範囲（地上部）

構造監視プログラムに従った調査により，鉄筋腐食によるひび割れ，付着喪失，材料欠損（spalling, scaling）を発見する．構造監視プログラムでは，許容基準が ACI 349.3R-02 に記載されていることを示している．

2) 接近不可能な範囲（地下水・土に接する地下部・基礎）

侵食性のない地下水・土（pH＞5.5，塩化物＜500ppm，硫酸塩＜1500ppm）の場合

・接近可能な範囲に接近不可能な範囲の劣化の存在を示唆する，または劣化による状況がある場合，接近不可能な範囲を評価する．

・何らかの理由で掘削した場合は，地下コンクリート露出部の試験を実施する．

侵食性のある地下水・土の場合，あるいは構造部材の劣化が過去に存在した場合

・劣化の程度を考慮した，プラント固有の経年管理プログラムを実施する．

e) ACI（American Concrete Institute）：ACI 349.3R-18, Evaluation of Existing Nuclear Safety-Related Concrete Structures, 2018

1) 第一段階の評価基準

深さ 5mm 未満の剥離，深さ 10mm 未満・一辺 100mm 以下の剥落については検査不要とする．

2) 第二段階の評価基準

深さ 30mm 未満の剥離，深さ 20mm 未満・一辺 200mm 以下の剥落については，「問題なし」，「より詳細な評価要」のいずれかを判断する．

(3) 評価基準の設定

剥離・剥落は，部材表面に現れるため，既往の規基準にならって目視による方法でコンクリート表面劣化の状況（剥離・剥落の有無）から判断することとし，付表 I.1-1-21 のように評価区分と評価基準を設定する．

付表 I.1-1-21　剥離・剥落に対する評価区分と評価基準

評価区分	評価基準
A1（健全）	剥離，剥落が認められない
A3（要検討）	剥離または剥落が生じている箇所がある

d. たわみ

(1) 基本的な考え方

たわみに関する健全性評価について文献調査を行い，健全性評価における評価基準を，機能を維持するために必要な性能水準を確保する観点から策定する．

(2) 健全性評価に関する規基準および文献の調査

a) 日本建築学会：鉄筋コンクリート造建築物の耐久設計施工指針・同解説，2016

1) 日常点検

目視，体感，建具の開閉などにより，床・梁などのたわみの有無を観察する．

付表 I.1-1-22　たわみの日常点検評価

評価基準	環境区分	評価区分
なし	全環境	I
たわみが予想される（異常体感・建具の開閉に支障など）	全環境	III

付表 I.1-1-23　日常点検の評価区分と対処の一例

評価区分	評価	対処
評価I	健全と判断される	引き続き維持管理を継続する
評価II	緊急性，進展性は低いが劣化の兆候がある	速やかに専門技術者に連絡を行い，以降は注意して状態の観察を続け，定期点検と同水準の調査を行い，応急処置など暫定的な処置をとることが望ましい．
評価III	限界状態に達している可能性が高い．あるいは限界状態には達していないが，緊急性，進展性が高いことが予想される．	速やかに専門技術者に連絡を行い，対象部分について定期点検と同水準の調査を行い，適切な処置をとる．

2) 定期点検

　　点検項目にたわみが含まれていない．外観調査にも項目として含まれていない．

b) 日本建築学会：鉄筋コンクリート造建築物の耐久性調査・診断および補修指針（案）・同解説，1997

1) 外観目視調査

　　機能障害の有無および発生箇所として，異常体感（振動，たわみ）を調査項目としている．

2) 詳細調査

　　調査項目に，たわみは含まれない．

3) 診断（劣化度の判定）

　　劣化度評価基準（外観の劣化症状，鉄筋の腐食状況）に，たわみに関する記載はない．

c) 国土開発技術研究センター：建築物の耐久性向上技術シリーズ　建築構造編Ⅰ　鉄筋コンクリート造建築物の耐久性向上技術, 1986

1) 1次診断

　　異常体感の有無を，大たわみの2次診断の要否判定基準としている．異常体感には「たわみ，傾きにより生ずる異常感」，「床の振動」および「建具の開閉感覚」などがある．

2) 大たわみの2次診断

　　たわみ（たわみ量，スパン長さ），ひび割れ（発生状況，時期）を調査項目としている．原因推定を行う場合には，荷重状況（過荷重の有無）について調査する．

付表 I.1-1-24　調査項目

調査項目	調査方法	調査箇所
たわみ	水糸，水平材，測量機などを利用し，端部に対する中央部付近の最大たわみ量を測定する．同時にスパン長さをスケールにより測定する．必要に応じて仕上材を除去する．	劣化が予想される箇所，その他の部分についても，1~2箇所
ひび割れ	クラックスケールなどによりひび割れの幅を，スケールにより長さおよび分布状況を測定し，記録する．必要に応じて仕上材を除去する．また，問診によりひび割れ発生時期を調査する．	たわみ量を調査する箇所
荷重状況	問診や荷重状況調査により．現在および過去の過荷重の有無を調査する．	同上

付表 I.1-1-25　劣化度の区分

劣化度	区分の基準	
	たわみスパン比	ひび割れ幅(mm)・総長さ(m)
Ⅰ（なし）	1/300 未満	0.5 未満　かつ　6 未満
Ⅱ（軽度）	1/200 未満	1.5 未満　かつ 15 未満
Ⅲ（中度）	1/100 未満	3 　未満　かつ 20 未満
Ⅳ（重度）	1/100 以上	3 　以上　かつ 20 以上

3) 大たわみの 3 次診断

　　固有振動数，残留たわみ率（載荷試験時の残留たわみ量測定）のいずれかを調査項目としている．原因推定のために，コンクリート強度（圧縮強度および静弾性係数の測定）や断面形状（部材寸法，配筋量，かぶり厚さ）について調査する．

付表 I.1-1-26　調査方法

調査項目	調査方法	調査箇所
固有振動数	水平部材に曲げ衝撃を与え，自由振動波形を振動計により計測し，固有振動数を求め，健全時の固有振動数との比を計算する．	劣化が予想される箇所および比較のため健全部について 1~2 か所
残留たわみ率	JASS 5（昭和 32 年版）に準じ，水平部材に荷重をかけ，除荷後の残留たわみを求める．	同上
コンクリート強度	コアによる圧縮強度測定と同時に静弾性係数の測定を行う．	劣化が確認された箇所
断面形状	部材の断面寸法測定，鉄筋探査機または一部はつりによる鉄筋量およびかぶり厚さ測定	同上

付表 I.1-1-27　劣化度の区分

劣化度	区分の基準	
	固有振動数比＝測定値／健全時計算値	載荷試験によるたわみ率*（％）
I（なし）	0.90 以上	15 未満
II（軽度）	0.75 以上	15 以上
III（重度）	0.75 未満	15 以上

＊端部に対する中央部付近の最大たわみ量のスパン長さに対する比

d) NRC（Nuclear Regulatory Commission）: NUREG-1801, Rev. 2, Generic Aging Lessons Learned（GALL）Report, 2010

　原子炉建屋，遮蔽建屋などの RC の材料欠損に対する経年管理プログラムについて，以下のように記載されている．

　　沈下に伴う応力レベルの増加によるひび割れと変形について，構造監視プログラムによって管理する．沈下の管理が排水設備に依存している場合は，排水設備の機能を確認することとしている．

e) ACI（American Concrete Institute）: ACI 349.3R-18, Evaluation of Existing Nuclear Safety-Related Concrete Structures, 2018

1) 第一段階の評価基準

　　構造性能に影響を与えうる過度の変形がない場合，それ以上の検査は不要とする．

2) 第二段階の評価基準

　　受動的な沈下，設計想定（使用性）内の変形の場合，「問題なし」，「より詳細な評価が必要」のいずれかとする．

(3) 評価基準の設定

　一般に原子力施設建築物では十分な断面性能が確保されている．既往の規基準における日常点検あるいは1次診断の方法にならい，基本的に，目視により認められる異常感より判断することとし，顕著なたわみの有無を評価基準とする．また，計測を行う場合には，(2) c)項で示した「鉄筋コンクリート造建築物の耐久性向上技術」を参考に，たわみスパン比が 1/300 に達しているかどうかを評価基準とする．評価区分と評価基準の関係を付表 I.1-1-28 に示す．

付表 I.1-1-28　たわみに対する評価区分と評価基準

評価区分	評価基準
A1（健全）	顕著なたわみが生じていない たわみスパン比が 1/300 未満である（計測を行った場合）
A3（要検討）	顕著なたわみが生じている たわみスパン比が 1/300 以上である（計測を行った場合）

e. 振動

(1) 基本的な考え方

　振動に関する健全性評価について文献調査を行い，健全性評価における評価基準を，機能を維持するために必要な性能水準を確保する観点から策定する．

(2) 健全性評価に関する規基準および文献の調査

　日本建築学会「建築物の振動に関する居住性能評価指針・同解説」（2004）では，人の動作・設備による鉛直振動の評価に，知覚確率の考え方を用いて付図 I.1-1-7 に示す評価曲線を示している．ここに，図中 V-90 という指標は90%の人が感じる可能性がある振動を示している．

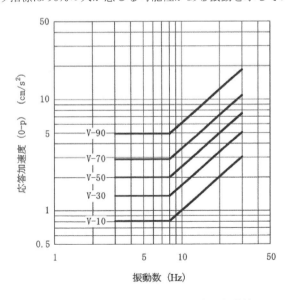

付図 I.1-1-7　鉛直振動に関する性能評価曲線

(3) 評価基準の設定

　一般に原子力施設建築物では，十分な断面性能が確保されている．振動については基本的に，点検時等に認められる異常体感より判断することとし，異常体感の有無を評価基準とする．評価区分と評価基準の関係を付表 I.1-1-29 に示す．

付表 I.1-1-29　振動に対する評価区分と評価基準

評価区分	評価基準
A1（健全）	異常体感がない
A3（要検討）	異常体感がある

f. すりへり

(1) 基本的な考え方

　すりへりに関する健全性評価について文献調査を行い，健全性評価で採用する評価基準を策定する．すりへりについては，道路舗装や水理構造物などの土木構造物に関する指針類に詳細に論じられているが，建築構造物には構造物の使用条件などが異なるため，適用しにくい面がある．ここでは，目視による方法に基づく評価基準の設定を目的としていることから，すりへりに関する劣化機構について検討を実施し，評価基準を策定する．

(2) 健全性評価に関する規基準および文献の調査

　日本コンクリート工学会「コンクリート診断技術'22」(2022)では，すりへりは表面の相対運動の結果として起きる物体の操作面からの物質の逐次損失と定義される．主な要因は，車両の往来や人・物の移動で，影響の大きさは構造物の部位により大きく異なるため，部位ごとに予測・評価を行う必要がある．

　すりへりを受ける構造物においては，点検によってすりへりの深さや範囲，すりへり面の状態，およびすりへり速度を把握することが重要である．すりへりを受けた表面の損傷程度は，付表 I.1-1-30 に示す 3 段階に分類することができる．

付表 I.1-1-30　すりへりに関する劣化分類

レベル①	レベル②	レベル③
主として表面のモルタル部分のすりへりが発生する	粗骨材が露出し，粗骨材のすりへりが発生する	粗骨材が剥離する

(3) 評価基準の設定

付表 I.1-1-30 のレベル③の状態になるとコンクリートの断面欠損やコンクリートの強度低下など躯体に与える影響も大きくなることから，すりへりに関する評価基準として「コンクリート表面に粗骨材が露出していない」を設定する．評価区分と評価基準の関係を付表 I.1-1-31 に示す．

付表 I.1-1-31 すりへりに対する評価区分と評価基準

評価区分	評価基準
A1（健全）	コンクリート表面に粗骨材が露出していない
A3（要検討）	コンクリート表面に粗骨材が露出している

g. 漏水

(1) 基本的な考え方

漏水に関する健全性評価について文献調査を行い，健全性評価における評価基準を，機能を維持するために必要な性能水準を確保する観点から策定する．

(2) 健全性評価に関する規基準および文献の調査

a) 日本建築学会：鉄筋コンクリート造建築物の耐久設計施工指針・同解説，2016

1) 日常点検

目視により，漏水または漏水の痕跡の有無を観察する．

付表 I.1-1-32 漏水の日常点検評価

評価基準	環境区分	評価区分
なし	全環境	I
漏水または漏水の痕跡がある	全環境	III

付表 I.1-1-33 日常点検の評価区分と対処の一例

評価区分	評価	対処
評価I	健全と判断される	引き続き維持管理を継続する
評価II	緊急性，進展性は低いが劣化の兆候がある	速やかに専門技術者に連絡を行い，以降は注意して状態の観察を続け，定期点検と同水準の調査を行い，応急処置など暫定的な処置をとることが望ましい．
評価III	限界状態に達している可能性が高い．あるいは限界状態には達していないが，緊急性，進展性が高いことが予想される．	速やかに専門技術者に連絡を行い，対象部分について定期点検と同水準の調査を行い，適切な処置をとる．

2) 定期点検

外観調査において，漏水，漏水痕跡，エフロレッセンスについて調査を行う．

付表 I.1-1-34　漏水の定期点検評価基準と区分（外観調査による）

調査項目	評価基準		評価区分
漏水	漏水が認められない		I
漏水痕跡	漏水が認められる		II
エフロレッセンス	100m^{2}の箇所数	4箇所未満	I
		4箇所以上	II

付表 I.1-1-35　定期点検の評価と対処の一例

評価	対処
評価I	健全と判断される．引き続き維持管理を継続する．
評価II	建設省総合技術開発プロジェクト「耐久性向上技術の開発」に示す劣化診断技術指針などに基づき2次または3次診断を実施する．
評価III	速やかに性能を回復するための処置を実施する．

b) 日本建築学会：鉄筋コンクリート造建築物の耐久性調査・診断および補修指針（案）・同解説, 1997

1) 外観目視調査

　機能障害の有無および発生箇所として，漏水跡を調査項目としている．

2) 詳細調査

　調査項目に，漏水は含まれない．

3) 診断（劣化度の判定）

　劣化度評価基準（外観の劣化症状，鉄筋の腐食状況）に，漏水に関する記載はない．

c) 国土開発技術研究センター：建築物の耐久性向上技術シリーズ　建築構造編I　鉄筋コンクリート造建築物の耐久性向上技術, 1986

1) 1次診断

　漏水痕跡の有無を，2次診断の要否判定基準としている．

　過去に漏水現象が生じた形跡はエフロレッセンスを伴うことが多く，目視だけでは識別しにくいため，問診により確認することとしている．

2) 2次診断

　漏水箇所の規模（面的範囲およびその寸法），漏水箇所の湿潤状況（乾湿の判定）などを調査項目としている．躯体コンクリートの状況（ひび割れ，ジャンカなど），水源となりうる箇所の探索を実施し，原因（雨水，設備機器など）を推定する．

付表 I.1-1-36　調査方法

調査項目	調査内容
漏水箇所の規模	漏水の及んでいる範囲のスケッチ・大きさの測定
漏水箇所の湿潤状況	コンクリートが乾いているか否かの目視観察
躯体コンクリートの状況	漏水箇所の状況，ジャンカ，ひび割れなどの有無
水源となりうる箇所の探索	雨水，設備機器の配置，配管位置など

付表 I.1-1-37 劣化度の区分

劣化度	区分の基準			
	外面部材 (屋内側)	屋内部材		屋外部材[*1]
		水まわり部分	水まわり部分以外	
I (なし)	—	—	軽微な痕跡[*2]	—
II (軽度)	軽微な痕跡[*2]	同左	—	軽微な痕跡[*2]
III (中度)	著しい痕跡[*3]	同左	同左	同左
IV (重度)	漏水あり	同左	同左	同左

(注) *1 外足場などを必要としないで調査・補修ができる部位
   *2 漏水箇所が乾いている状態
   *3 漏水箇所が湿っている状態

付表 I.1-1-38 補修要否の判定

劣化度	補修の要否				3次診断の要否
	外面部材 (内側)	屋内部材		屋外部材[*1]	
		水まわり部分	水まわり以外の部分		
I	—	—	否	—	否
II	否	否	—	要	否
III	(要)[*2]	要	要	要	外面部材 要
IV	(要)[*2]	要	要	要	外面部材 要

(注) *1 外足場などを必要としないで補修ができる部位
   *2 外壁で大規模な足場を必要としない部分，例えば，1階部分やベランダを
     使用して補修を行える箇所などは，2次診断で補修を行う場合もある．

3) 3次診断

外装仕上材の状態，躯体コンクリートの状態，コンクリートの不良部分の検出に関する調査や，漏水経路の推定および確認などを実施する．コンクリート強度，コンクリートの中性化，鉄筋の腐食の調査は，原因推定に関わる事項である．漏水の3次診断においては，劣化度の区分は行わない．全ての漏水箇所について，補修を行う．

付表 I.1-1-39 調査方法

調査項目	調査方法
外装仕上材の状態	目視観察およびたたき，設計図書
躯体コンクリートの状態	目視観察，部分的なはつり
コンクリート不良部分の検出	目視観察，部分的なはつり
漏水経路の推定および確認	着色水，ガス検知法器など
コンクリート強度	コンクリートコアによる圧縮強度試験
コンクリートの中性化	中性化調査
鉄筋の腐食	鉄筋腐食調査

d) NRC (Nuclear Regulatory Commission)：NUREG-1801, Rev. 2, Generic Aging Lessons Learned (GALL) Report, 2010

原子炉建屋，遮蔽建屋などのRCの材料欠損に対する経年管理プログラムについて，以下のように記載されている．

1) 接近不可能な範囲（地下水・土に接する地下部・基礎）

　　侵食性のない地下水・土（pH＞5.5，塩化物＜500ppm，硫酸塩＜1500ppm）の場合
　　・接近可能な範囲に接近不可能な範囲の劣化の存在を示唆する，または劣化による状況がある場合，接近不可能な範囲を評価する．
　　・何らかの理由で掘削した場合は，地下コンクリート露出部の試験を実施する．
　　侵食性のある地下水・土の場合，あるいは構造部材の劣化が過去に存在した場合
　　・劣化の程度を考慮した，プラント固有の経年管理プログラムを実施する．

2) 接近可能な範囲

　　構造監視プログラムに従った調査により，水酸化カルシウムの滲出による透水性の増加（permeability）を発見できる．構造監視プログラムでは，許容基準が ACI 349.3R-02 に記載されていることを示している．

3) 接近不可能な範囲

　　コンクリートが ACI 201.2R-77 に従っていることの文書化された証拠（建設時記録の確認）がある場合は，経年管理プログラムは不要としている．

e) ACI（American Concrete Institute）：ACI 349.3R-18, Evaluation of Existing Nuclear Safety-Related Concrete Structures, 2018

　　浸透（leaching）がない場合，それ以上の検査は不要とする．
　　浸透（leaching）が見られる場合，「問題なし」，「より詳細な評価要」のいずれかとする．

f) Eurocode 2：Part 4, Liquid retaining and containing structures

　　液密性が要求される部位に関し，許容される漏えい状態に応じて下表のように設定している．

付表 I.1-1-40　許容ひび割れ幅

区分	許容ひび割れ幅(mm)
ある程度の水漏れは許容される場合 水漏れが無関係な場合	0.30
最小限の水漏れは許容される場合 表面のしみと湿り気の跡は許される場合	0.20〜0.10
水漏れを許容しない	ライナーや止水板などを用いる

g) 日本コンクリート工学会：コンクリートのひび割れ調査，補修・補強指針，2022

　　2003年版では，防水性から見た補修を必要とするひび割れを 0.2mm 以上，補修を必要としないひび割れ幅を 0.05mm 以下としていた．2022年版では，防水性・水密性の観点からひび割れの部材性能への影響の程度を下表のように設定している．補修の要否の判定は，「大：補修必要」，「中：基本的には補修不要（場合によっては，補修必要，定期的なひび割れ調査を実施）」，「小：補修不要」とする．

付表 I.1-1-41　防水性・水密性の観点からのひび割れの部材性能への影響

環境条件		常時水圧作用環境下		左記以外	
部材厚（mm）		180 未満	180 以上	180 未満	180 以上
ひび割れ幅： w (mm)	$0.20 < w$	大	大	大	大
	$0.15 < w \leq 0.20$	大	大	大	中
	$0.05 < w \leq 0.15$	中	中	中	小
	$w \leq 0.05$	小	小	小	小

※評価結果「小」,「中」,「大」の意味は以下のとおりである.
　小：ひび割れが性能低下の原因となっておらず，部材が要求性能を満たしている.
　中：ひび割れが性能低下の原因となるが，軽微（簡易）な対策により要求性能を満たすことが可能である.
　大：ひび割れによる性能低下が顕著であり，部材が要求性能を満たしていない.

(3) 評価基準の設定

漏水は部材表面に現れるため，既往の規基準にならって，目視により漏水・漏水跡の有無を評価基準とする．評価区分と評価基準の関係を付表 I.1-1-42 に示す．

付表 I.1-1-42　漏水に対する評価区分と評価基準

評価区分	評価基準
A1（健全）	漏水および漏水跡がない
A3（要検討）	漏水または漏水跡がある

h. 火災により生じる劣化事象

(1) 基本的な考え方

火害に関する健全性評価について文献調査を行い，健全性評価における評価基準を，機能を維持するために必要な性能水準を確保する観点から策定する．

(2) 健全性評価に関する規基準・文献の調査

日本建築学会：建物の火害診断および補修・補強方法　指針・同解説，2015

　部材と材料の火害を「火害等級」で評価し，火害の調査や診断手順を示している．火害等級は受熱温度，ひび割れ幅および主筋の被害状況などを基に決定している．火害診断のフローを付図 I.1-1-8 のように，火害等級と被害の状況を付表 I.1-1-43 のように設定している．

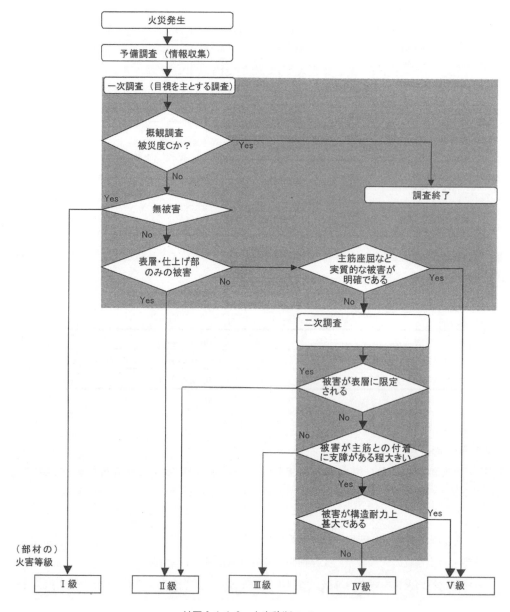

付図 I.1-1-8 火害診断のフロー

付表 I.1-1-43　火害等級と被害状況　(鉄筋コンクリート造　1/2)

火害等級	定義	説明	状況　(例)						
I級	構造耐力上、火災の影響を全く受けていない	無被害の状態	①被害全くなし ②仕上材料などが全面に残っている						
II級	構造耐力上の影響はないが、表面劣化などの被害はある	表層(仕上材料もしくはコンクリート表面)に限定される被害がある状態	①仕上材料に被害がある ②躯体に煤、油煙などの付着 ③コンクリート表面の推定受熱温度が300℃以下 ④表面に0.2mm以下のひび割れ						
			部位	変色	爆裂	ひび割れ	浮き・剥落	変形	その他
			柱	煤や煙が残る	なし	なし	仕上に一部はく落あり	なし	ー
			床スラブ(天井面)	煤や煙が残る	わずか	表面ペーストのみ	なし	なし	つり天井が広範囲に崩壊する
			梁	煤や煙が残る	わずか	0.2mm以下	なし	なし	放水による表面の剥落あり
			壁	煤や煙が残る	なし	なし	仕上に一部はく落あり	なし	ー
III級	構造耐力上、影響が少ない(軽微な補修で再使用可能)	表面から鉄筋までの位置に被害がある状態	①コンクリートの変色はピンク色 ②コンクリート表面の推定受熱温度が300℃以上 ③表面に0.3mm以上のひび割れ						
			部位	変色	爆裂	ひび割れ	浮き・剥落	変形	その他
			柱	ピンク色	わずか	微細なひび割れ	仕上に大きな被害	なし	ー
			床スラブ(天井面)	煤の付着またはピンク色	鉄筋が一部見える	かぶりに微細なひび割れ	下端コンクリートに浮きあり	なし	鉄筋とコンクリートの付着問題なし
			梁	煤の付着またはピンク色	爆裂あり、あばら筋が見える	0.3mm以上	下端コンクリートに浮きあり	なし	煤の焼失部もあり
			壁	ピンク色	わずか	微細なひび割れ	仕上に大きな被害	なし	ー

付表 I.1-1-43　火害等級と被害状況　（鉄筋コンクリート造　2/2）

火害等級	定義	説明	状況（例）						
IV級	構造耐力上、影響が大きい（補修・補強によって再使用可能）	主筋との付着に支障のある被害がある状態	①表面に数mm幅のひび割れ ②鉄筋一部露出						
			部位	変色	爆裂	ひび割れ	浮き・剥落	変形	その他
			柱	灰白色	局部的爆裂多数、鉄筋が見える	数mm幅	仕上が完全に脱落する	鉄筋は座屈していない	ー
			床スラブ（天井面）	灰白色	10％以上	数mm幅	あり	たわみ大きくない	合成床のリブは爆裂するが付着は問題なし
			梁	灰白色	下端に大きな爆裂、主筋の円周50％の露出	数mm幅	あり	主筋が1箇所以上座屈。たわみ大きくない	ー
			壁	灰白色	局部的爆裂多数、鉄筋が見える	数mm幅	仕上が完全に脱落する	鉄筋は座屈していない	ー
V級	構造耐力上、甚大な被害がある（部材の取り替えが必要）	鉄筋の露出が大きいなどの被害がある状態	①床スラブ（一部あるいは全面）が抜け落ちる ②主筋の座屈 ③たわみが目立つ ④健全時計算値に対する固有振動数測定値が0.75未満 ⑤載荷試験において、試験荷重時最大変形に対する残留変形の割合がA法で15％、B法で10％を超える。						
			部位	変色	爆裂		変形		その他
			柱	淡黄色	広範囲		1箇所以上の鉄筋が座屈し、柱がねじれて見える		ー
			床スラブ（天井面）	淡黄色か灰白色	爆裂大 主筋位置より深く爆裂		たわみ大、コンクリート脱落		付着なし
			梁	淡黄色か灰白色	下端に大きな爆裂、部分的により深い主筋が見える		大きなたわみ、破壊、主筋が座屈		ー
			壁	淡黄色	広範囲		1箇所以上の鉄筋座屈		ー

(3) 評価基準の設定

鉄筋コンクリート造は鉄骨造に比べて構造体の熱容量が大きく，火災による被害が架構に及ぶ場合は少ない．(2) a)項で示した「建物の火害診断および補修・補強方法」を参考に，コンクリート表層部の被害状況を評価基準とする．評価区分と評価基準の関係を付表 I.1-1-44 に示す．

付表 I.1-1-44 火害に対する評価区分と評価基準

評価区分	評価基準
A1（健全）	無被害
A3（要検討）	表層（仕上材もしくはコンクリート表面）に被害がある

1.2 鉄骨構造物

a. 疲労による強度低下

(1) 基本的な考え方

　鉄骨構造物の疲労劣化に対する維持管理は，これまで一部の専門家の判断によって処理されてきたが，老朽構造物の増加に伴い，疲労に関する評価をより実務で使いやすい形で標準化していく必要性が出てきている．

　疲労による強度低下は，基本的に目視による方法の点検結果に基づき行うことから，塗膜表面の状態劣化の程度から判断することとする．疲労による強度低下について文献調査を行い，健全性評価で採用する評価基準を策定する．

(2) 健全性評価に関する規基準・文献の調査

　以下のような指針の中で，鋼鉄道橋を対象とした疲労劣化の評価手法などが提案されているが，まだ十分に一般化されている状況ではない．
- 日本鋼構造協会：鋼構造物の疲労設計指針・同解説，1993
- 日本建築学会：鋼構造許容応力度設計規準，2019

(3) 評価基準の設定

　疲労による強度低下は，塗膜表面の異常により検知されると考え，付表 I.1-1-45 に示す評価区分と評価基準を設定する．

付表 I.1-1-45　疲労による強度低下に対する評価区分と評価基準

評価区分	評価基準
A1（健全）	塗膜や皮膜に異常がない
A3（要検討）	塗膜や皮膜に異常がある

b. 鋼材の腐食

(1) 基本的な考え方

　鉄骨構造物の劣化事象の一つである鋼材の腐食の評価は，基本的に目視による方法の点検結果に基づき行うことから，鋼材表面の状態から劣化の程度を判断することとする．この鋼材表面の状態を区分する評価基準の設定は，日本建築学会などの既往の指針類で示されている方法を参考に，原子力施設特有の環境条件を考慮して行う．

(2) 健全性評価に関する規基準および文献の調査

　既往の指針類に示されている評価基準を以下に示す．
　　a) 国土開発技術研究センター：建築物の耐久性向上技術シリーズ　建築構造編Ⅲ　鉄骨造建築物

の耐久性向上技術, 1986

　　1次，2次，3次診断ごとに診断結果をデグリーで区分し，それぞれのデグリーに応じたグレーディングを行い補修の要否を判定する．詳細は付表 I.1-1-46 に示す．

b) 日本建築学会：建築物の耐久計画に関する考え方，1988

　　表面の塗膜が劣化し，鋼材が腐食によりその断面積が平均 10% 減少した状態を耐用年数に達したとする．

c) 日本建築防災協会：建築物の耐震診断システムマニュアル　鉄骨造，1990

　　さびの程度に応じて 5 段階にランク付けし，ランクに応じて耐久性を評価する．詳細は付表 I.1-1-47 に示す．

付表 I.1-1-46　鉄骨造建築物の耐久性向上技術で示されている鋼材の腐食に関する評価基準

評価方法		1次、2次、3次診断ごとに診断結果をデグリーで区分し、それぞれのデグリーに応じたグレーディングを行い補修の要否を判定。			
さびの診断	1次診断	表面さびの診断			
		劣化現象	診断基準	デグリー	補修の要否*1
		表面さび	表面錆はない	R0	否
			塗膜下に錆色のにじみ発生	R1	否
			点さび・条痕錆の発生	R3	要
			全面的な錆の発生	R5	要
		断面欠損の診断			
		劣化現象	診断基準	デグリー	補修の要否*2
		欠損	断面欠損はない	DR0	否
			表面があばた状態に腐食	DR1	否
			孔食が散在	DR3	要
			著しい断面欠損	DR5	要
		亜鉛めっきの診断			
		劣化現象	診断基準	デグリー	補修の要否
		白さび	ない	WR0	否
			ほとんどない	WR1	否
			顕著に認められる	WR3	要
			白さびに加えて赤さびも認められる	WR5	要
		*1：補修を要するグレードは3(ここではデグリーでも3に相当)以上が標準と考えた場合。劣化の範囲が広い場合にはグレード2でも補修を要する。 *2：表面さびの診断に準じてグレーディングした場合			
	2次診断	表面無処理鋼材のさびの診断			
		劣化現象	診断基準	デグリー	補修の要否*1
		さびの発生	発錆なし	R0	否
			ミルスケールがほとんど存在し、赤錆が散在	R1	否
			赤錆の面積がミルスケールの面積より大	R2	要
			全面に赤錆が認められる	R3	要
			全面赤錆で、浮き錆が認められる	R4	要
			全面赤錆で、錆の層がフレーク状に剥がれる	R5	要
		表面無処理鋼材のさびの深さの診断			
		劣化現象	診断基準	デグリー	補修の要否*2
		さびの深さ	全断面の約0.5%程度以下	D0	否
			全断面の約1%程度	D1	否
			全断面の約3%程度	D2	要
			全断面の約5%程度	D3	要
			全断面の約10%程度	D4	要
			全断面の約20%程度	D5	要
		亜鉛めっき鋼材のさびの診断			
		劣化現象	診断基準	デグリー	補修の要否
		白さび、赤さびの発生	発錆は認められない	R0	否
			光沢がなく、黒変が認められる	R1	否
			薄い白錆層が認められる	R2	否
			厚い白錆層と点状赤錆が認められる	R3	要
			めっき層にかなりの赤錆面の混在が認められる	R4	要
			全面に赤錆が認められる	R5	要
		塗装鋼材のさびの診断			
		劣化現象	診断基準	デグリー	補修の要否*1
		さびの発生	発錆なし	R0	否
			錆の発生率 0.03%以下	R1	否
			錆の発生率 0.03～0.3%以下	R2	要
			錆の発生率 0.3～1%以下	R3	要
			錆の発生率 1～3%以下	R4	要
			錆の発生率 3～10%以下	R5	要
		さび発生率と$1m^2$におけるさび面積の関係 　0.03%＝$3cm^2$(約1.7cm角)、0.3%＝$30cm^2$(約1.7cm角)、3%＝$300cm^2$(約1.7cm角) 　5%＝$500cm^2$(約1.7cm角)、10%＝$1000cm^2$(約1.7cm角)			
		*1：補修を要するグレードは3(ここではデグリーでも3に相当)以上が標準と考えた場合。劣化の範囲が広い場合にはグレード2でも補修を要する。 *2：表面無処理鋼材のさびの診断に準じてグレーディングした場合			
	3次診断	評価基準は、2次診断にならう。			
備考		調査方法は以下の通り。 ・1次診断：目視。 ・2次診断：目視により、標準パターン写真と対比する。 ・3次診断：2次診断と同じ。必要に応じて、さび、表面の付着物の分析を行う。			

付録 I.1 健全性評価における評価基準の設定に関する資料 　—155—

付表 I.1-1-47 建築物の耐震診断システムマニュアルで示されている鋼材の腐食に関する評価基準

評価方法	錆の程度に応じて5段階にランク付けし、ランクに応じて耐久性を評価する。
さびの診断	錆の程度 | ランク	発錆の状況
A	発錆はほとんど認められない。
B	小さな点錆が全面にわたって点在しているか、大きな点錆が少しある。
C	かなり大きな点錆が点在しているか、小さい点錆が全面にわたって存在している。
D	全面にかなり錆が進行しており、鋼材の厚さが減少している。
E	全面に著しい錆が生じ、鋼材厚の10%以上が減少している。または、部材に錆による穴が開いている。 | 発錆状況による耐久性の評価 | 発錆のランク	耐久性の評価
A	当面は現状のままで問題ありません。塗膜の耐用年数(通常は3～5年程度)に応じて塗装し直すことをおすすめします。
B	1年以内に塗装し直すことをおすすめします。
C	できるだけ早い期間内に塗装し直すことをおすすめします。放置しておくと、錆が構造部材まで侵食します。
D	錆が構造部材まで侵食しているので、早急に塗装し直すことをおすすめします。
E	部材の耐久性に疑問があり、取り替えることをおすすめします。 | ランクB程度の状態／ランクC程度の状態／ランクD程度の状態（図解）
備考	調査方法は目視。

(3) 評価基準の設定

　原子力施設における鉄骨構造物が置かれている環境条件のうち，鋼材の腐食に関連する条件を以下に示す．

・屋内にある部材については，海塩飛散粒子，紫外線，砂などの影響を直接受けず，空調設備により温度が管理されている場合もある．
・屋外にある部材については，直接外気にさらされており，海塩飛散粒子，紫外線，砂などの飛散粒子などの影響を受ける．
・鉄骨は基本的に塗膜により保護されている．

　屋内は，鉄骨構造物が著しく厳しい腐食環境にさらされるとは考えにくい．また，屋外においても基本的に塗膜や皮膜が施されていることから，鋼材の腐食が顕在化する前に塗膜や皮膜の劣化が生じるため，これらが維持管理されていれば，鋼材の腐食は生じないと考えることができる．しかし，当たり傷部など，ある程度の腐食が必ずしも起きないとは言い切れないことから，ここでは，「建築物の耐震診断システムマニュアル」のランク付けを参考に，付表 I.1-1-48 に示すように塗膜の劣化と鋼材の腐食を組み合わせた 3 段階に評価基準を区分することとする．

付表 I.1-1-48　鋼材の腐食に関する評価区分と評価基準

評価区分	評価基準
A1（健全）	発せいはほとんど認められない
A2（経過観察）	塗膜や皮膜劣化が認められるとともに，小さな点さびが全面にわたって点在しているか，大きな点さびが少しある
A3（要検討）	鋼材が腐食し，断面積が減少している

c. 火災により生じる劣化事象
(1) 基本的な考え方
　火害に関する健全性評価について文献調査を行い，健全性評価における評価基準について，機能を維持するために必要な性能水準を確保する観点から策定する．
(2) 健全性評価に関する規基準・文献の調査
　日本建築学会：建物の火害診断および補修・補強方法　指針・同解説，2015
　　部材と材料の火害に対しては鉄筋コンクリート造と同様に「火害等級」で評価している．火害等級は受熱温度，残留変形量および材料強度などを基に決定している．火害診断のフローを付図 I.1-1-9 のように，火害等級と被害の状況を付表 I.1-1-49 のように設定している．また，代表的な材料の劣化状況と受熱温度の関係を付表 I.1-1-50 のように示している．

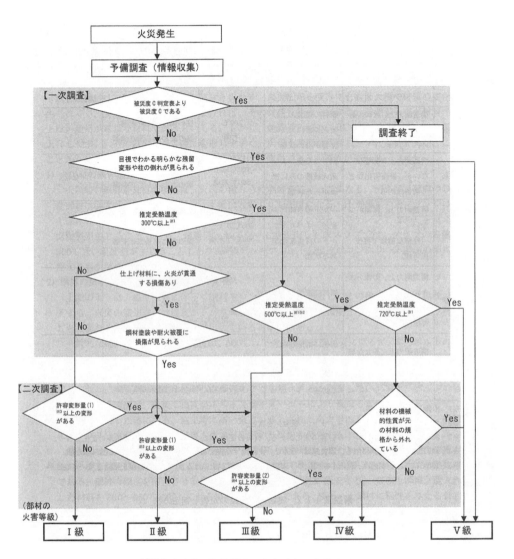

付図 I.1-1-9　鉄骨構造の火害診断の全体フロー

※1　受熱温度を推定できる状況の例は下記の通り。詳細は**解説表4.3.2**参照
　　　・鋼材表面に煤がついている→300℃以下　　　　・煤が焼失している→500℃以上
　　　・亜鉛の融点（鋼製デッキプレートのめっき）→420℃　・さび止め塗料が白亜化している→350℃以上
　　　・アルミニウム自重で変形→400℃以上　　　　・アルミニウムの溶融→650℃以上
　　　・銅の溶融→1000〜1100℃
※2　500℃という数字は、非調質鋼に限定する。調質鋼は「350℃」または「焼戻し温度−50℃」に置き換える。
※3　許容変形量(1)：柱の倒れ H/700 [2]、梁のたわみ L/250 [3] などを目安とする。(H:階高、L:スパン長)
※4　許容変形量(2)：柱の倒れ H/200 [1]、梁のたわみ L/250 [3] などを目安とする。(H:階高、L:スパン長)

付表 I.1-1-49　火害等級と被害状況（鉄骨造）

火害等級	定義	説明	状況		
			推定受熱温度	部材の残留変形[※1]	高力ボルト接合部[※2]の残留変形・すべり
I級	構造耐力上、火災の影響を全く受けていない	鋼材の塗装および耐火被覆に火災の影響がない状態	100℃未満	柱の倒れ H/700 未満 梁のたわみ L/250 未満	なし
II級	構造耐力上の影響はないが、表面劣化などの被害はある	鋼材の塗装および耐火被覆のみに損傷がある状態	100℃以上 300℃未満	柱の倒れ H/700 未満 梁のたわみ L/250 未満	なし
III級	構造耐力上、影響が少ない （軽微な補修で再使用可能）	ボルト接合部[※2]の変形・すべりやボルトの材質変化がある状態	300℃以上[※3] 500℃[※4]未満	柱の倒れ H/200 未満 梁のたわみ L/250 未満	あり
IV級	構造耐力上、影響が大きい （補修・補強によって再使用可能）	部材に変形がある状態	「500℃[※4]以上、720℃未満[※5]」 または 「柱の倒れ H/200 以上 梁のたわみ L/250 以上」		あり
V級	構造耐力上、甚大な被害がある （部材の交換が必要）	部材に構造性能を担保できない変形や材質の変化がある状態	「720℃以上[※5]」 または 「梁の過大なたわみ・ねじれ、柱の過大な倒れ・全体座屈など」		あり

付表 I.1-1-50　代表的な材料の劣化状況と推定受熱温度

材料		状　態	推定受熱温度 (℃)	使用例
大分類	小分類			
全般		煤の付着	300以下	
		煤の焼失	500以上	
金属	鋼材	溶融	1400以上	
	アルミニウムとその合金	軟化する	400	サッシ、金物、小さな機械部品
		溶融し、しずくができる	650	
	銅	溶融する	1000～1100 (融点1085)	配線、ケーブル、装飾
	亜鉛	しずくができる	400 (融点420)	衛生設備、樋、デッキプレートのメッキ
塗料	仕上げ塗料	煤や油煙が付着（損傷なし）	100未満	内・外塗装
		割れや剥離	100～300	
		黒変し、脱落	300～600	
		焼失	600以上	
	さび止め塗料	健　全	300未満	鉄骨塗装下地
		変　色	300～600	
		白亜化	350以上	
		焼失	600以上	
ガラス系	ガラス	軟化し角が丸くなる	500～600	ガラス部品、びん
		容易に流れる、粘つく	850	
	グラスウール	体積収縮	600以上	断熱材料
		溶　融	650以上	
木材		炭化なし	260未満	
		炭化あり	260以上	
有機系材料	ビニル類	軟化	50～100	配線、配管材料
	アクリル	軟化（連続加熱による耐熱温度）	60～95	透光板、装飾材料、塗料
	ポリスチレン	軟化	120～140	断熱材料
		溶融	250	
	ポリウレタン	軟化（連続加熱による耐熱温度）	90～120	防水材料、塗床材料、断熱材料

(3) 評価基準の設定

(2) a)項で示した「建物の火害診断および補修・補強方法」を参考に，鋼材表層部の被害状況を評価基準とする．評価区分と評価基準の関係を付表 I.1-1-51 に示す．

付表 I.1-1-51 火害に対する評価区分と評価基準

評価区分	評価基準
A1（健全）	無被害
A3（要検討）	表層（塗装もしくは耐火被覆）やボルト接合部に被害がある

2. 劣化要因

2.1 コンクリート構造物

a. 熱（高温）

(1) 基本的な考え方

　原子力施設には通常運転時においても高温にさらされる部位があり，構造安全性や遮蔽性の低下を引き起こす可能性がある．これらの影響を回避する目的で，設計時において温度制限値を設け，コンクリートの温度が制限値を超えないよう施設の設計が行われている．

　コンクリート構造物に対する維持管理において熱による経年劣化は，設計時に設定した許容値を満足していれば熱による悪影響は生じないものと考え，設計値を維持管理においても評価基準とする．

(2) 健全性評価に関する規基準および文献の調査

 a) 構造安全性に関わる制限値

　設計時に用いる構造安全性に関わる制限値は，日本建築学会：原子炉建屋構造設計指針・同解説（1988）および日本機械学会：発電用原子力設備規格　コンクリート製原子炉格納容器規格（2014）に示されており，制限値の設定はASME（American Society of Mechanical Engineer）：Boiler &Pressure Vessel Code, Section III Division 2（2007）に準拠している．

　また，日本機械学会：使用済燃料貯蔵施設規格　コンクリートキャスク，キャニスタ詰替装置およびキャニスタ輸送キャスク構造規格（2003）や，ACI（American Concrete Institute）：ACI 349-13, Code Requirements for Nuclear Safety-Related Concrete Structures (ACI 349-13) and Commentary（2015）では，温度制限値に加え，具体的な温度制限値の緩和措置が示されている．付表 I.1-2-1 に各国の温度制限値（一般部分）の比較を示す．

付表 I.1-2-1 各国の制限値(一般部分)

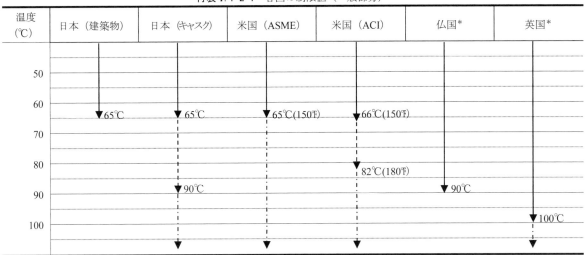

* NRC (Nuclear Regulatory Commission): NUREG/CR-6900, The Effect of Elevated Temperature on Concrete Materials and Structures - A Literature Review, 2006

1) 日本建築学会:原子炉建屋構造設計指針・同解説,1988

   定常状態におけるコンクリートの表面温度の制限値として,一般部分 65℃,局部(配管貫通部など)90℃としている.

2) 日本機械学会:発電用原子力設備規格 コンクリート製原子炉格納容器規格,2014

   原子炉建屋構造設計指針・同解説と同様の温度制限値を定めており,温度制限値を超える場合は,別途強度に関して検討することを要求している.また,熱(高温)によるコンクリートの劣化の状況を付表 I.1-2-2 の記載としている.

付表 I.1-2-2 熱(高温)によるコンクリートの劣化の状況

コンクリート温度	劣化の状況
70℃程度	コンクリートの基本特性に大きな影響を及ぼすような自由水の逸散は生じない.
100℃以下	コンクリートの圧縮強度などの低下は少ない
190℃付近	ゲル状の結晶(セメントの水和反応により生じる珪酸石灰水和物)の結晶水が解放され始め,さらに高温になると脱水現象がはなはだしくなるため,コンクリートの特性に影響が出始める

3) 日本機械学会:使用済燃料貯蔵施設規格 コンクリートキャスク,キャニスタ詰替装置およびキャニスタ輸送キャスク構造規格,2003

   コンクリートの許容圧縮応力度に 0.8,許容せん断応力度に 0.6 の低減係数を乗じることで,通常 65℃の一般部コンクリートの表面温度制限値を 90℃まで許容している.また,コンクリートの表面温度が 90℃を超える場合は実験等による影響評価を要求している.

4) ACI (American Concrete Institute): ACI 349-13, Code Requirements for Nuclear Safety-Related Concrete Structures (ACI 349-13) and Commentary, 2013

   コンクリートの表面温度制限値として,一般部分における 150°F(=66℃),局部(貫通部)

における 200°F（=93℃）を，コンクリートの実圧縮強度（例えば，材齢 28 日強度）が設計基準強度の 115%以上の場合，一般部分において 180°F（=82℃），局部（貫通部）において 230°F（=110℃）まで引き上げることを許容している．

b) 遮蔽性に関わる設計時における制限値

遮蔽性に関する温度制限値としては，付表 I.1-2-3 に示す R.G.Jaeger, E.P.Blizard, A.B.Chilton, M.Grotenhuis, A,Honig, Th.A.Jaeger and H.H.Eisenlohr: Engineering Compendium on Radiation Shielding Vol.II Shielding Material（1975）の周辺および内部最高温度の制限値が参考になる．

付表 I.1-2-3　コンクリートの遮蔽性に関わる制限値

中性子遮蔽	内部最高温度	88℃
	周辺環境温度	71℃
ガンマ線遮蔽	内部最高温度	177℃
	周辺環境温度	149℃

(3) 評価基準の設定

温度が設計値を満足していることを確認する．確認方法は直接温度を計測するか，温度分布解析結果と比較することにより，健全性を確認できる．なお，遮蔽性に関わる制限値のうち，表面最高温度に関する制限値はいずれも構造安全性に関する制限値よりも高いため，遮蔽性においてはコンクリートの内部最高温度の制限値のみを採用する．付表 1.1-2-4 に評価基準をまとめて示す．

付表 I.1-2-4　熱（高温）に対する評価項目と評価基準

関連する性能	評価項目		評価基準
構造安全性	表面最高温度	一般部分	65℃
		局部（配管貫通部など）	90℃
遮蔽性	内部最高温度	中性子遮蔽	88℃
		ガンマ線遮蔽	177℃
	周辺環境温度	中性子遮蔽	71℃
		ガンマ線遮蔽	149℃

b. 放射線照射

(1) 基本的な考え方

コンクリートへの放射線照射による主な影響としては，高速中性子の照射により骨材の体積が増加し，コンクリート内ではセメントペーストと骨材の体積変化の差に起因する微細な損傷が生じ，その結果，コンクリート強度が低下することと理解されている．岩種や岩石を構成する鉱物によって骨材の体積増加の程度は異なるため，使用する骨材によってコンクリート強度に有意な影響を及ぼす放射線照射量も異なる．

本指針では，実機よりも照射速度の速い条件で実施された知見に基づき，骨材の種類に拠らない

保守的な放射線照射量を評価基準として設定し，供用期間満了時点での放射線照射量の予測値と比較して評価する．

(2) 健全性評価に関する規基準および文献の調査

コンクリート強度に有意な影響を及ぼす放射線照射量に関する既往の知見としては，これまで，Hilsdorfらの論文（付図 I.1-2-1，付図 I.1-2-2）が参照されてきた．

- H.K. Hilsdorf, J. Kropp and H.J. Koch：The Effects of Nuclear Radiation on the Mechanical Properties of Concrete, ACI SP-55（1978）

これに対して，原子力規制庁は，より精度の高い技術的根拠を取得することを目的に，安全研究プロジェクトを実施し，その成果を NRA 技術報告および Maruyama らの論文として公表している．

- NRA 技術報告，中性子照射がコンクリートの強度に及ぼす影響，NTEC-2019-1001，令和元年 8 月
- Ippei Maruyama, Osamu Kontani, Masayuki Takizawa, Shohei Sawada, Shunsuke Ishikawa, Junichi Yasukouchi, Osamu Sato, Junji Etoh and Takafumi Igari: Development of Soundness Assessment Procedure for Concrete Members Affected by Neutron and Gamma-Ray Irradiation, Journal of Advanced Concrete Technology, 2017, Volume 15, Issue 9, Pages 440-523

この研究では，石英含有率の異なるコンクリート試験体の中性子照射試験を実施し，照射前後に取得したコンクリートの圧縮強度から非照射に対する照射後試験体の圧縮強度比を評価している（付図 I.1-2-3）．その結果，コンクリートの圧縮強度は中性子照射量がおよそ $1 \times 10^{19} \mathrm{n/cm^2}$ から低下傾向にあるとしている．なお，照射試験は，実機よりも照射速度の速い条件で実施されており，中性子照射がコンクリート強度に与える影響には一定の保守性が考慮されている．

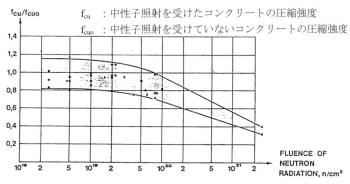

付図 I.1-2-1　Compressive Strength of Concrete Exposed to Neutron Radiation fcu Related to Strength of Untreated Concrete fcu0
（中性子照射を受けたコンクリートの受けていないコンクリートに対する圧縮強度比）

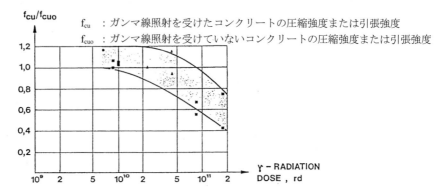

付図 I.1-2-2　Compressive and Tensile Strength of Concrete Exposed to γ-Radiation fcu,
Related to Strength of Untreated Concrete fcu0

（ガンマ線照射を受けたコンクリートの受けていないコンクリートに対する圧縮強度比または引張強度比）

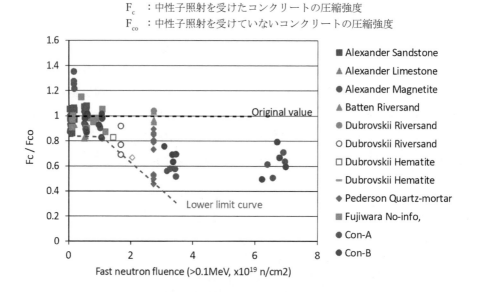

付図 I.1-2-3　Fast neutron fluence versus strength ratio (Fc/Fco) for a 55°C environment

（中性子照射量とコンクリートの圧縮強度比）

(3) 評価基準の設定

既往の実験結果である付図 I.1-2-1，付図 I.1-2-2 および付図 I.1-2-3 に基づき，コンクリート強度に影響を与える放射線照射量の評価基準を付表 I.1-2-5 のように設定する．ここで，中性子照射については，原子力規制庁の安全研究プロジェクトの成果を反映し，従来の $1.0 \times 10^{20} \mathrm{n/cm^2}$ 程度から，$1.0 \times 10^{19} \mathrm{n/cm^2}$ 程度に変更している．

付表 I.1-2-5　放射線照射に対する評価項目と評価基準

評価項目		評価基準
放射線照射量	中性子照射	放射線照射量が 1×10^{19}n/cm^2 程度以下
	ガンマ線照射	放射線照射量が 2×10^8Gy（2×10^{10}rad）程度以下

c. 中性化

(1) 基本的な考え方

中性化に関する健全性評価について文献調査を行い，評価基準を策定する．

(2) 健全性評価に関する規基準および文献の調査

a) 国土開発技術研究センター：建築物の耐久性向上技術シリーズ　建築構造編I　鉄筋コンクリート造建築物の耐久性向上技術, 1986

調査時点における中性化深さの測定値と中性化速度の重ね合わせで評価している．中性化深さに関する評価は鉄筋の腐食開始時期に関するため，屋外では鉄筋位置に中性化領域が達した時点で，屋内では鉄筋位置から 20mm 奥に進んだ時点で鉄筋腐食が始まるとして評価を実施している．中性化速度に関する評価は，既往の進展予測式（岸谷式）の予測値と測定値とを比較して，中性化速度を評価している．

また，鉄筋腐食に関する評価も規定されており，鉄筋の腐食確率を計算し，かぶりコンクリートの剥離・剥落により人間・器物に損傷を与える影響から残存耐用年数を評価している．付表 I.1-2-6 に鉄筋の腐食確率に関する限界値を示す．

付表 I.1-2-6　鉄筋の腐食確率に関する限界値

建築物	影響なし	影響あり
官公庁・病院・学校	5〜15%	15〜30%
事務所・集合住宅・ホテル	15〜30%	30〜50%
工場・倉庫	30〜50%	50%

b) 日本建築学会：高耐久性鉄筋コンクリート造設計施工指針（案）・同解説, 1991

許容劣化状態として，鉄筋が発せいしないこととしており，a)と同様，屋外では鉄筋位置に中性化領域が達した時点で，屋内では鉄筋位置から 20mm 奥に進んだ時点で鉄筋腐食が始まるとして評価を実施している．

c) 土木学会：コンクリート標準示方書［維持管理編］, 2018

劣化過程を潜伏期（中性化と水の浸透によって鋼材に腐食が発生するまで），進展期（鋼材の腐食開始から腐食ひび割れ発生まで），加速期（腐食ひび割れ発生により鋼材の腐食速度が増大する期間），劣化期（鋼材の腐食量増加により耐力の低下が顕著な期間）に分けて，標準的な評価方法と対策方法を示している．

一般的な水がかり環境下において，かぶり厚さと中性化深さの差（中性化残り）が 10mm の

ときに，腐食開始の判定としてよいとされている．なお，海砂等に起因する塩化物イオンを含み，中性化が進行した構造物の調査結果では，中性化残りが15mmを下回ると，鋼材腐食が顕著になる構造物の割合が増加することが報告されている．

腐食ひび割れの発生予測について，中性化と水の浸透に伴う鋼材の腐食は，塩害による場合と異なり全面腐食になることが多いため，コンクリートにひび割れが発生する時期として，均一に腐食が進行する電食試験の結果が参考になるとしている．また，腐食ひび割れ発生後の鋼材腐食の進展について，鋼材の腐食の予測手法は研究途上であり確立されたものではないが，酸素移動速度や水分移動速度を考慮して予測することを推奨している．

d) 日本建築学会：鉄筋コンクリート造建築物の耐久設計施工指針・同解説，2016

鉄筋コンクリート造建築物の耐久性を確保するための設計および施工に適用する指針で，設計耐用年数に至るまでは設計限界状態に達しないこと，また，設計耐用年数に至るまでに維持保全を行う場合には維持保全限界に達する前に対策を行うこととし，設計用の限界値を設定している．設計限界状態は，躯体の一部にひび割れが発生する可能性がある状態として定義している．維持保全限界は，中性化深さが鉄筋表面を腐食させる位置に達したときとして定義し，具体的には，屋外の雨がかり部および屋内の水まわり部で湿度が高い部分は中性化深さがかぶり厚さまで達した時，屋外の雨がかりではない部分および一般の屋内では中性化深さが鉄筋のかぶり厚さから20mm奥まで達した時としている．

(3) 評価基準の設定

日本建築学会に関連する指針類では，鉄筋の腐食の有無に関する評価基準が多く，土木学会のように性能低下に直接結びつくひび割れとの関連で評価基準を設けているものはない．本指針においても，いままでの日本建築学会の指針類に準拠し，「中性化深さが鉄筋の腐食が始まる位置にまで進展していないこと」を評価基準に設定する．

ここに，鉄筋を腐食させる位置は，信頼性のある根拠資料がある場合には，それに基づき設定することができる．根拠資料がない場合には，既往の指針類に基づき，屋外の雨がかり部や屋内の水まわり部で湿度が高い部分では，中性化深さがかぶり厚さまで達した時，屋外の雨がかりではない部分および一般の屋内では中性化深さが鉄筋のかぶり厚さから20mm奥まで達した時とすることができる．以上をまとめて付表I.1-2-7に示す．

付表 I.1-2-7　中性化に対する評価項目と評価基準

評価項目	評価基準
中性化深さ	中性化深さが鉄筋の腐食が始まる位置にまで進行していないこと*

* 根拠となる資料がない場合，以下の値とする
屋外：中性化深さがかぶり厚さ以上となった状態
屋内：中性化深さがかぶり厚さに20mmを加えた値以上となった状態

d. 塩分浸透

(1) 基本的な考え方

コンクリート構造物の劣化要因の一つである塩分浸透では，外部から侵入した塩化物イオンがコンクリート中を移動し，鉄筋まで到達した後，ある濃度を超えると鉄筋の腐食を誘発し，その腐食量がひび割れ発生限界を超えると，かぶりコンクリートにひび割れが発生する．建築物の性能はひび割れの発生により低下することから，鉄筋腐食に伴うひび割れを発生させないよう，塩分浸透による影響について評価する必要がある．評価基準の設定は，日本建築学会などの既往の指針類で示されている方法を参考に行う．

(2) 健全性評価に関する規基準および文献の調査

a) 日本建築学会：鉄筋コンクリート造建築物の耐久性調査・診断および補修指針（案）・同解説，1997

効果的な補修工法を選定するためには劣化原因を特定することが重要とし，そのための判断指標として鉄筋位置における塩化物イオン量による劣化原因の強さを整理している．

付図 I.1-2-4 にコンクリート中での鋼材腐食に及ぼす塩化物イオン量の影響を検討した事例を示す．この結果から，塩化物イオン量が 1.2～2.5kg/m^3 の間に鉄筋の腐食開始に関する閾値があると考察している．

また，実際の建築物を対象にしたコア採取およびはつりによる塩害調査を実施し，塩化物イオン量，かぶり厚および鉄筋の腐食減量を調べ，劣化要因の強さを鉄筋位置の塩化物イオン量によって分類し，付表 I.1-2-8 のようにまとめている．

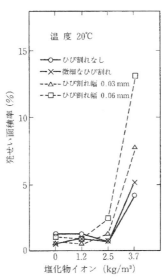

付図 I.1-2-4 コンクリート中での鋼材の腐食に及ぼす
塩化物イオン量（全塩化物イオン量）の影響

付表 I.1-2-8　コンクリート中の塩化物量による劣化要因の強さの分類

劣化要因の強さ	鉄筋位置の塩化物イオン量の平均値による分類
小	0.3kg/m³を超え，0.6kg/m³以下
中	0.6kg/m³を超え，1.2kg/m³以下
大	1.2kg/m³以上

b) 日本建築学会：鉄筋コンクリート造建築物の耐久設計施工指針・同解説，2016

　　中性化における説明と同様，設計耐用年数に至るまでは設計限界状態に達しないこと，また設計耐用年数に至るまでに維持保全を行う場合には維持保全限界に達する前に対策を行うこととし，設計用の限界値を設定している．

　　設計限界状態は，鉄筋腐食によりコンクリートにひび割れが発生した時としている．維持保全限界は，コンクリート中の塩化物イオン量がいずれかの鉄筋を腐食させる量に達した時としている．鉄筋が腐食するときの鉄筋位置における塩化物イオン量は，コンクリートの含水率，かぶり厚さ等の影響を考慮して信頼できる方法により定める．これらの影響が不明の場合には，付表 1.1-2-8 を参考にし，鉄筋位置におけるコンクリート中の塩化物イオン 0.6kg/m³ を超えたときに鉄筋が腐食し始めるとしている．

c) 土木学会：コンクリート標準示方書［維持管理編］，2013，2018

　　劣化過程を潜伏期（塩化物イオン濃度が腐食発生限界濃度に達するまで），進展期（腐食開始から腐食ひび割れ発生まで），加速期（ひび割れにより腐食速度が増大する期間），劣化期（腐食により耐荷力が低下する期間）に分けて，それぞれの期間を予測することを基本とし，塩化物イオンの拡散と鋼材の腐食の進展を予測対象としている．

1) 塩化物イオンの拡散の予測

　　コンクリートの品質と構造物の環境条件を適切に考慮して行うこととし，以下のいずれかの方法を用いてよいとしている．

　　①見かけの拡散現象として予測する方法
　　②塩化物イオンの反応や移動のメカニズムに基づいて予測する方法

2) 腐食発生限界塩化物イオン濃度

　　維持管理編 2001 年版において鉄筋が腐食するときの鉄筋位置における塩化物イオン量は，鋼材の腐食状態と鋼材位置における塩化物イオン濃度の点検結果から求めることとし，できない場合は 1.2kg/m³（全塩化物イオン量）を用いてよいとしており，これは「コンクリート標準示方書［設計編］2017 年版」に整合する．

　　なお，維持管理編 2018 年版において，腐食発生限界塩化物イオン濃度は，コンクリートの使用材料，調合，コンクリートの含水状態に影響されるとし，セメントの種類ごとに設定している．適用範囲である水セメント比が 30～55%の間において，最小の腐食発生限界塩化物イオン濃度は 1.39kg/m³ となる．

3) ひび割れ発生限界腐食量

ひび割れが発生する鉄筋の腐食量を予測する方法や，かぶり厚さ，コンクリート強度，鋼材の径などの影響を取り込んで力学モデルのパラメータを適切に定めて評価する方法を紹介している．なお，ひび割れが発生する鉄筋の腐食量については，コンクリート標準示方書［維持管理編］2013年版までは10mg/cm^{2}としていたが，同2018年版では，この値は電食試験の結果から安全を見込んで設定された値であるとした表現に留めている（土木学会 コンクリートライブラリー153「2018年制定コンクリート標準示方書改定資料（維持管理編・規準編）」）．

4) 腐食の進展予測

コンクリートの品質と構造物の環境条件を適切に考慮した，以下のいずれかの方法を用いてよいとしている．

①点検結果で得られた腐食量に基づく方法

②鋼材の腐食反応速度に基づく方法

ただし，塩分浸透における腐食ひび割れ発生までの鋼材の腐食の進展予測は，信頼性に欠ける面があるとし，今後の研究の蓄積が望まれるとしている．

5) 腐食ひび割れの発生予測

腐食ひび割れの発生予測は，以下のいずれかの方法を用いてよいとしている．

①腐食量から判定する方法

②力学モデルを用いる方法

(3) 評価基準の設定

a) 腐食量

塩分浸透による建築物の性能の低下は，鉄筋腐食によるひび割れが発生することにより生じ，このひび割れの発生を直接評価する指標は，鋼材の腐食量である．コンクリート標準示方書［維持管理編］2018年版では，ひび割れ発生の判定を，腐食の進展予測結果とひび割れ発生限界腐食量を比較することにより行うこととしている．本指針においても，鉄筋の腐食量をひび割れ発生限界腐食量と比較することにより評価を行うこととする．

1) 腐食量の評価

鉄筋の腐食量は直接測定する方法と進展予測による方法とがある．直接測定する場合，コンクリートを鉄筋位置まではつり取り鉄筋を露出する必要があり，コンクリート構造物に対する影響が大きいため，実施には留意する必要がある．また，進展予測式に基づく場合には，局部破壊試験により鉄筋位置における塩化物イオン量を測定し，過去の測定結果と合わせて腐食速度を計算し供用期間（年数）で積分することにより腐食量を計算することができる．腐食速度の計算には森永式（森永繁：鉄筋の腐食速度に基づいた鉄筋コンクリート構造物の寿命予測に関する研究，東京大学学位論文，1986）などがあり，参照することができる．

2) ひび割れ発生限界腐食量

ひび割れの発生に関する鉄筋腐食量の限界値は，かぶり厚さ，コンクリート強度，鉄筋径などの影響を取り込んだ弾性解析，弾塑性解析などにより計算することができる．なお，ひび割れが発生する鉄筋の腐食量は水結合材比，かぶり厚さ，鉄筋径により変化し，ばらつきは大きいものの 17〜89mg/cm^2 とする報告（本間大輔，米澤敏男，押田文雄，山口善弘，岡本博史，中尾正純：鉄筋の腐食ひび割れ発生限界腐食量に関する研究，日本建築学会構造系論文集，第 79 巻，第 701 号，pp.867-876，2014 年 7 月）や，腐食量が 20mg/cm^2 では腐食ひび割れの発生はなく，腐食していない場合と比較して初期剛性および最大耐力にはほとんど違いが見られないとする報告（T. Oyamoto, A. Nimura, T. Okayasu, S.Sawada, Y. Umeki, H. Wada, T. Miyazaki, "Experimental and Analytical Study of Structural Performance of RC Shear Walls with Corroded Reinforcement", Journal of Advanced Concrete Technology, Vol. 15, pp.662-683, 2017）もあるが，根拠となる資料がない場合などは，コンクリート標準示方書［維持管理編］2013 年版（土木学会）を参考に 10mg/cm^2 とする．

b) 塩化物イオン量

塩分浸透に伴うひび割れの発生を安全側に評価する方法として，鉄筋位置における塩化物イオン濃度が腐食発生限界濃度以下であることを確認する方法があり，これを健全性評価に用いることもできる．

1) 塩化物イオンの移動の評価

外部からの塩化物イオンの侵入は，基本的に拡散によって表現できるとされている．拡散の評価については，日本建築学会および土木学会の既往の指針類に示されている拡散方程式を参照することができる．なお，これらの式は，ひび割れがない健全なコンクリートを対象としており，ひび割れが適切に処置されていることが前提となる．本指針で示されている維持管理を行っていれば，コンクリートに有害なひび割れは入っていないと考えられるため，評価式にひび割れの影響を考慮する必要はないこととする．また，表面仕上材の影響については，塩化物イオンのコンクリート内への浸透を遅延させる効果があるが，既往の指針類において具体的なモデルの提案は行われていないため，安全側に考慮しないこととする．

2) 鉄筋腐食を生じさせる塩化物イオン濃度

鉄筋腐食を生じさせる塩化物イオン濃度は，コンクリートの品質，使用環境などの要因を考慮して確かめることを基本とする．根拠となる資料がない場合には，付図 I.1-2-4 に示すように，鉄筋発せい面積が顕著な上昇を見せ始めるのはおおよそ 1.2〜2.5kg/m^3 の間であること，また「コンクリート標準示方書［設計編］2017 年版」で示されているように，実環境での暴露実験の結果では腐食を生じさせる塩化物イオン濃度は 1.2〜2.5kg/m^3 程度であることなどを参考に，1.2kg/m^3（全塩化物イオン量）とすることができることとする．なお，日本建築学会「鉄筋コンクリート造建築物の耐久設計施工指針・同解説」2016 年版において，鉄筋腐食を生じさせる塩化物イオン濃度を 0.6kg/m^3 としている．この値の根拠文献（「コンクリート構造物の耐久性シリーズ塩害II」，技報堂出版，1991）によると，塩化物イオン濃度が

0.65kg/m³ 以上になるとかぶり厚さが小さい部分での腐食速度が大きくなり，1.30kg/m³ 以上になるとかぶり厚さが十分であっても腐食速度が大きくなるとしている．原子力発電所の建築物は一般建築物よりもかぶり厚さが大きいことを鑑みると，鉄筋腐食を生じさせる塩化物イオン量として 1.2kg/m³ は妥当であると考える．以上をまとめて付表 I.1-2-9 に示す．

付表 I.1-2-9　塩分浸透に対する評価項目と評価基準

評価項目	評価基準
腐食量	鉄筋の腐食量が，ひび割れを発生させる腐食量に至っていないこと[*1]
塩化物イオン量	鉄筋位置における塩化物イオン量が，鉄筋腐食を生じさせる塩化物イオン量に至っていないこと[*2]

*1：根拠となる資料がない場合には 10mg/cm² とする
*2：根拠となる資料がない場合には 1.2kg/m³（全塩化物イオン量）とする

e. アルカリ骨材反応

(1) 基本的な考え方

我が国では，アルカリ骨材反応はアルカリシリカ反応（以下，ASR という）が主であるため，ASR を対象に評価基準を策定する．

(2) 健全性評価に関する規基準および文献の調査

　a) 原子力発電所における現状

　　四国電力「伊方発電所 1 号機コンクリート構造物の ASR に関わる技術評価書」（平成 18 年 8 月）によると，コンクリートコアを採取し，圧縮強度試験，促進膨張試験，コア観察を実施している（付録 I.3 参照）．このうち，圧縮強度については設計基準強度を上回っていること，促進膨張試験から膨張性なしと評価されている．

　b) 指針類の調査

　　日本コンクリート工学会「コンクリート診断技術'22」（2022）によると，ASR による反応は，化学反応によりアルカリシリカゲルが生成する化学的過程と，アルカリシリカゲルが吸水膨張する過程がある．一般に，ASR による構造物の劣化過程は，コンクリートの膨張量およびそれに伴うひび割れの進展を指標とすることが望ましい．残存膨張量は今後の膨張の可能性を示すため，現実の構造物における膨張量を定量的に評価することは困難であるが，補修工法の選定および維持管理計画の策定においては，有用なデータを得ることができる．

(3) 原子力施設におけるアルカリ骨材反応の発生する可能性

アルカリ骨材反応は 1940 年にアメリカで最初の報告が行われ，我が国では昭和 50 年代以降に ASR が西日本各地で発見された．これらに対する対策は，1989 年に JIS A 5308：レディーミクストコンクリート，アルカリ骨材反応に関する骨材の試験方法および判定基準ならびにアルカリ骨材反

応抑制対策の方法（建設大臣官房技術審議官通達 371 号）が示された．したがって，1989 年以前に建設された原子力関連施設では ASR の疑いのある骨材が使われている可能性がある．

(4) 評価基準の設定

既往の指針類の調査結果から，アルカリ骨材反応の進展により定量的に劣化事象に結びつく評価基準を見出すことはできないため，「アルカリ骨材反応に起因するひび割れが生じていないこと」を評価基準として，付表 I.1-2-10 に示す．

付表 I.1-2-10 アルカリ骨材反応に対する評価項目と評価基準

評価項目	評価基準
ひび割れ	アルカリ骨材反応に起因するひび割れが生じていないこと

2.2 鉄骨構造物

a. 塗膜劣化および皮膜劣化（亜鉛めっき皮膜消失）

(1) 基本的な考え方

　鉄骨構造物の塗膜劣化および皮膜劣化に関する健全性評価について調査を行い，維持管理指針で採用する評価基準を策定する．

(2) 健全性評価に関する規基準および文献の調査

　国土開発技術研究センター「建築物の耐久性向上技術シリーズ　建築構造編Ⅲ　鉄骨造建築物の耐久性向上技術」(1986) では，塗膜と亜鉛めっきの劣化現象について，1次，2次，3次診断ごとに診断結果をデグリーで区分し，それぞれのデグリーに応じたグレーディングを行い，補修の要否を判定している．補修の要否の設定は，要求される性能に応じてそれぞれ行われるため，外観の変化を重視する場合または防食性を重視する場合などがある．防食性を重視した場合の補修グレードは，変退色，汚れなどの外観に関する劣化現象については低く，さびまたはさびに直結する劣化現象については高くなる．

　目視による結果に基づき行う1次診断について，防食性を重視した場合の塗膜および亜鉛めっき皮膜の劣化現象の診断基準を次に示す．

a) 塗膜の劣化現象

　　塗膜層の劣化は，ふくれ，割れ，剥がれといった現象として現れるとし，それぞれ劣化の程度を付表I.1-2-11〜付表I.1-2-14のように区分している．いずれも，塗膜の全層にわたってグレードが3（デグリーがそれぞれB3，C3，S3，M3に相当）以上になった場合に補修を要するのが標準であるとしている．

付表 I.1-2-11　ふくれの診断

劣化現象	診断基準	デグリー
ふくれ	ない	B0
	ほとんどない	B1
	認められる	B3
	顕著に認められる	B5

付表 I.1-2-12　割れの診断

劣化現象	診断基準	デグリー
割れ	ない	C0
	ほとんどない	C1
	認められる	C3
	顕著に認められる	C5

付表 I.1-2-13　剥がれの診断

劣化現象	診断基準	デグリー
剥がれ	ない	S0
	ほとんどない	S1
	認められる	S3
	顕著に認められる	S5

付表 I.1-2-14　ふくれ，割れ，剥がれなどの混在の診断

劣化現象	診断基準	デグリー
ふくれ，割れ，剥がれ などの混在	ない	M0
	ほとんどない	M1
	認められる	M3
	顕著に認められる	M5

b) 亜鉛めっき皮膜の劣化現象

亜鉛めっき皮膜の劣化は，皮膜だけが劣化した場合に生じる白さびと，それらが進展し，下地の鋼材にさび（赤さび）が生じるものがあるとし，劣化の程度を付表1.1-2-15のように区分している．デグリーがWR3以上の場合に補修することとしている．

付表 I.1-2-15　亜鉛めっきの診断

劣化現象	診断基準	デグリー
白さび	ない	WR0
	ほとんどない	WR1
	顕著に認められる	WR3
	白さびに加えて赤さびも認められる	WR5

(3) 評価基準の設定

塗膜や皮膜の劣化は，部材表面に現れるものであり，基本的に目視検査によって確認できるものである．したがって，鋼材の腐食に関する劣化要因である塗膜劣化や皮膜劣化の評価は，部材表面に現れる劣化の状態に応じて行うこととする．鉄骨造建築物の耐久性向上技術における診断基準を参考に，付表 I.1-2-16 のように評価基準を設定する．

付表 I.1-2-16　塗膜劣化および皮膜劣化（亜鉛めっき皮膜消失）に対する評価基準

評価項目	評価基準
表面の劣化	塗膜や皮膜に異常がないこと

ここで，塗膜の場合は，ふくれ，割れ，剥がれが認められるかどうかで判断し，皮膜の場合は，白さびの有無で判断することとする．

b. 風などの繰返し荷重（疲労）

(1) 基本的な考え方

鉄骨構造物の疲労劣化に関する維持管理は，まだ十分に一般化されている状態ではない．風などの繰返し荷重による影響を直接的に評価することは困難であることから，鉄骨部の風などの繰返し荷重による疲労損傷は，塗膜表面の異常により評価する．

(2) 健全性評価に関する規基準および文献の調査
　以下のような指針の中で，鋼鉄道橋を対象とした疲労劣化の評価手法などが提案されているが，まだ十分に一般化されている状況ではない．
　　・日本鋼構造協会：鋼構造物の疲労設計指針・同解説，1993
　　・日本建築学会：鋼構造許容応力度設計規準，2019

(3) 評価基準の設定
　鉄骨部の風などの繰返し荷重による疲労損傷は，塗膜表面の異常により検知されると考え，付表 I.1-2-17 に示す評価基準を設定する．

付表 I.1-2-17　風などの繰返し荷重（疲労）に対する評価基準

評価項目	評価基準
表面の劣化	塗膜に異常がないこと

付録 I.2 進展予測式に関する資料

既往の指針類からコンクリート構造物については中性化,塩分浸透,アルカリ骨材反応に関する進展予測式,鉄骨構造物については塗膜劣化および皮膜劣化に対する耐用年数,風などの繰返し荷重による疲労設計方法に関して調査を行った.

1. 中 性 化

中性化に関する進展予測は中性化深さに関するものが多い.付表 I.2-1-1 に中性化深さに関する代表的な進展予測式中で考慮されている項目をまとめ,以下にそれぞれの式の特徴について述べる.

付表 I.2-1-1 中性化深さの進展予測式と考慮されている項目

		岸谷式	依田式	和泉式	森永式	耐久設計式[*1]
コンクリート	普通	○	○	○	○	○
	軽量	○	—	—	—	—
混和剤	AE	○	—	○	—	○
	AE減水	—	—	○	—	○
	その他	分散剤	—	—	—	分散剤
セメント	普通	○	○	○	—	○
	早強	○	—	○	—	○
	中庸熱	○	—	—	—	—
	高炉	—	A種B種C種	A種B種	—	A種B種C種
	フライアッシュ	B種	—	A種	—	B種
	その他	シリカセメント	—	—	—	—
水セメント比		○	○	○	○	○
気温		—	—	○	○	○
湿度		—	—	○	○	○
CO_2濃度		○	—	○	○	○
その他		—	品質,仕上材	養生方法	仕上材	雨がかり

*1:日本建築学会「鉄筋コンクリート造建築物の耐久設計施工指針・同解説,2016」に示されている方法を示す.

a. 岸谷式

岸谷らは暴露試験および促進試験を実施し，その実験結果に基づき浜田らの既往の提案式[1),2)]の係数を改め，（付 I.2-1.1）式として提案している[3),4),5)]．

$$t = \frac{0.3 \cdot (1.15 + 3 \cdot w)}{R^2 \cdot (w - 0.25)^2} \cdot x^2 \qquad (w \geqq 0.6)$$

$$t = \frac{7.2}{R^2 \cdot (4.6 \cdot w - 1.76)^2} \cdot x^2 \qquad (w < 0.6)$$

(付 I.2-1.1)

ここに，　t　：深さ x まで中性化する期間（年）
　　　　　x　：中性化深さ（cm）
　　　　　w　：水セメント比
　　　　　R　：中性化比率（付表 I.2-1-2 参照）　　$R = \gamma_c \times \gamma_a \times \gamma_s$
　　　　　γ_c　：セメントの種類に伴う中性化比率
　　　　　γ_a　：骨材の種類に伴う中性化比率
　　　　　γ_s　：表面活性剤に伴う中性化比率

付表 I.2-1-2　岸谷式における中性化比率（R）

γ_c \ γ_a / γ_s	川砂・川砂利			川砂・軽砂利			軽砂・軽砂利		
	プレーン	AE剤	AE減水剤	プレーン	AE剤	AE減水剤	プレーン	AE剤	AE減水剤
普通ポルトランド	1.0	0.6	0.4	1.2	0.8	0.5	2.9	1.8	1.1
早強ポルトランド	0.6	0.4	0.2	0.7	0.4	0.3	1.8	1.0	0.7
高炉セメント[*1]	1.4	0.8	0.6	1.7	1.0	0.7	4.1	2.4	1.6
高炉セメント[*2]	2.2	1.3	0.9	2.6	1.6	1.1	6.4	3.8	2.6
シリカセメント	1.7	1.0	0.7	2.0	1.2	0.8	4.9	3.0	2.0
フライアッシュセメント[*3]	1.9	1.1	0.8	2.3	1.4	0.9	5.5	3.3	2.2

*1：高炉スラグ混入量が 30～40%，*2：高炉スラグ混入量が 60%，*3：フライアッシュ混入量が 20%

本式を用いる場合には，水セメント比が強度上の水セメント比であることに留意する必要がある．強度上の水セメント比とは，AE 剤や分散剤を用いることによって増加する空気量に対する強度低下を見込んで補正した水セメント比のことであり，AE 剤や分散剤を使用する場合には実際の水セメント比とは異なり，実際の水セメント比より大きな値となる[4)]．また，和泉らは AE 剤や分散剤を使用する場合には，w に実際の水セメント比を代入し，表面活性剤に関する中性化比率を $\gamma_s=1.0$（付表 I.2-1-2 におけるプレーンの項のみを採用）とすれば適用可能であると報告している[6)]．

また，岸谷式の中性化比率 R について，本会「高耐久性鉄筋コンクリート造設計施工指針（案）・同解説」[7]において，既存構造物の実態調査の結果を基に新たな係数を示している．

$$R = \alpha \cdot \beta \cdot \gamma \qquad (付 \text{I.2-1.2})$$

ここに，α ：劣化外力の区分による係数　　　（付表 I.2-1-3 参照）
　　　　β ：仕上材による係数　　　　　　　（付表 I.2-1-4(a),(b)参照）
　　　　　　仕上材がない場合は β=1.0
　　　　γ ：セメントによる係数　　　　　　（付表 I.2-1-5 参照）

付表 I.2-1-3　劣化外力の区分による係数

劣化外力の区分	屋外	屋内
係数 α	1.0	1.7

付表 I.2-1-4(a)　仕上材による係数（屋内）

プラスター	ペイント	モルタル＋プラスター	モルタル	タイル	人造石	モルタル＋ペイント
0.73	0.61	0.49	0.48	0.31	0.31	0.19

付表 I.2-1-4 (b)　仕上材による係数（屋外）

モルタル	モルタル＋ペイント	タイル	モルタル＋リシン
0.26	0.20	0.16	0.12

付表 I.2-1-5　セメントによる係数

普通ポルトランド	早強ポルトランド	中庸熱ポルトランド	高炉 B 種	フライアッシュ B 種
1.0	1.1	1.2	1.4	1.4

b. 依田式

依田は普通ポルトランドセメントおよび高炉セメントA種，B種，C種を用いたコンクリートの20年間の自然暴露試験結果より付表 I.2-1-6 に示す式を提案している[4]．

付表 I.2-1-6　依田の提案式

	屋内	屋外
普通ポルトランドセメント	$t = \alpha \cdot \beta \cdot \gamma \cdot \dfrac{262}{(100 \cdot x - 18)^2} \cdot C^2$	$t = \alpha \cdot \beta \cdot \gamma \cdot \dfrac{155}{(100 \cdot x - 36)^2} \cdot C^2$
高炉セメントA種	$t = \alpha \cdot \beta \cdot \gamma \cdot \dfrac{117}{(100 \cdot x - 25)^2} \cdot C^2$	$t = \alpha \cdot \beta \cdot \gamma \cdot \dfrac{182}{(100 \cdot x - 27)^2} \cdot C^2$
高炉セメントB種	$t = \alpha \cdot \beta \cdot \gamma \cdot \dfrac{95}{(100 \cdot x - 26)^2} \cdot C^2$	$t = \alpha \cdot \beta \cdot \gamma \cdot \dfrac{207}{(100 \cdot x - 24)^2} \cdot C^2$
高炉セメントC種	$t = \alpha \cdot \beta \cdot \gamma \cdot \dfrac{68}{(100 \cdot x - 28)^2} \cdot C^2$	$t = \alpha \cdot \beta \cdot \gamma \cdot \dfrac{251}{(100 \cdot x - 19)^2} \cdot C^2$

ここに，　t　：期間（年）

　　　　　x　：水セメント比

　　　　　α　：コンクリートの品質係数　（付表 I.2-1-7 参照）

　　　　　β　：中性化遅延（抑制）効果係数　　　（付表 I.2-1-8 参照）

　　　　　γ　：環境条件（一般の地域の場合 1.0）

　　　　　C　：平均中性化深さ（mm）

付表 I.2-1-7　コンクリートの品質係数（α）

コンクリートの施工の程度	品質係数
施工が優れている場合 （コンクリートの締固めが十分行われた場合）	1
施工が普通（上）の場合 （コンクリートの締固めがある程度よく行われた場合）	2/3
施工が普通（中）の場合 （コンクリートの締固めがある程度行われた場合）	1/2
施工が普通（下）の場合 （コンクリートの締固めがほとんど行われなかった場合）	1/4

付表 I.2-1-8　コンクリートの中性化速度に対する仕上材の遅延（抑制）効果（β）

仕上材なし	ペイント	モルタル	タイル
1.0	2.5	厚さ 15mm 以上 5.0 厚さ 12mm 以下 2.5	8

c. 和泉式

　和泉は 95 件にわたる既存建築物の実態調査結果と広範囲な中性化促進試験の結果を基にして，炭酸ガス濃度，温度，湿度の影響を考慮した(付 I.2-1.3)式を提案している[4),5),8),9)]．

$$C = 35.4 \cdot R_1 \cdot R_2 \cdot R_3 \cdot R_4 \cdot R_5 \cdot R_6 \cdot \sqrt{t} \qquad (付\ I.2\text{-}1.3)$$

ここに，　C　：中性化深さ（mm）

　　t　：材齢（年）

　　R_1　：セメントの種類に関する係数

　　　　普通ポルトランドセメント　　：$R_1 = 1.000 \cdot \exp(3.34 \cdot x - 2.004)$

　　　　早強ポルトランドセメント　　：$R_1 = 0.977 \cdot \exp(3.39 \cdot x - 2.004)$

　　　　高炉セメント A 種　　　　　　：$R_1 = 0.968 \cdot \exp(3.42 \cdot x - 2.004)$

　　　　高炉セメント B 種　　　　　　：$R_1 = 1.586 \cdot \exp(2.69 \cdot x - 2.004)$

　　　　フライアッシュセメント A 種　：$R_1 = 1.188 \cdot \exp(3.06 \cdot x - 2.004)$

　　x　：水セメント比

　　R_2　：養生条件に関する係数

　　　　普通ポルトランドセメント　　：$R_2 = 2.60 \cdot M^{-0.157}$

　　　　中庸熱ポルトランドセメント　　$R_2 = 3.85 \cdot M^{-0.176}$

　　　　フライアッシュセメント B 種：：$R_2 = 2.90 \cdot M^{-0.115}$

　　　　高炉セメント B 種　　　　　　：$R_2 = 5.08 \cdot M^{-0.191}$

　　M　：水中養生期間中の積算温度（°D・D）

　　R_3　：炭酸ガスに関する係数

$$R_3 = \sqrt{\frac{CO_2}{5}}$$

　　　　CO_2：炭酸ガス濃度(%)

　　R_4　：温度の影響係数

$$R_4 = 0.017 \cdot T + 0.49$$

　　　　T：促進試験温度（℃）

　　R_5　：湿度の影響係数

$$R_5 = \frac{H_u \cdot (100 - H_u) \cdot (140 - H_u)}{192000}$$

　　　　H_u：相対湿度(%)

　　R_6　：仕上材に関する係数

d. 森永式

森永は実験結果と文献調査結果などを加味して，仕上材を含めたコンクリートの中性化進展予測式を提案している[10]．

$$x = \sqrt{\frac{C}{5}} \cdot 2.44 \cdot R \cdot (1.391 - 0.017 \cdot RH + 0.022T) \cdot (4.6 \cdot w/c/100 - 1.76) \cdot \sqrt{t} \quad (w/c \leqq 60)$$

$$x = \sqrt{\frac{C}{5}} \cdot 2.44 \cdot R \cdot (1.391 - 0.017 \cdot RH + 0.022 \cdot T) \cdot \frac{4.9 \cdot (w/c/100 - 0.25)}{\sqrt{1.15 \cdot 3.0 \cdot w/c/100}} \cdot \sqrt{t} \quad (w/c > 60)$$

(付 I.2-1.4)

ここに，
- x　：中性化深さ（mm）
- T　：温度（℃）
- t　：材齢（日）
- C　：炭酸ガス濃度（%）
- RH　：湿度（%）
- w/c　：水セメント比（%）
- R　：中性化比率（付表 I.2-1-9 参照）

付表 I.2-1-9　中性化比率

仕　様	中性化比率 R
打ち放し	1.00
モルタル塗り（3層:5～6mm/層）	0.23
ビニルクロス	0.004
合成樹脂エマルション（GP）	0.66
マスチック（CE）	0.27
合成樹脂エマルション砂壁状吹付(SE)	0.97
複層模様吹付仕上げ(セメント系)	0.98
複層模様吹付仕上げ(アクリル系)	0.28
複層模様吹付仕上げ(エポキシ系)	0.39
含浸性塗布剤	0.86

e. 耐久設計式

耐久設計式は，本会「鉄筋コンクリート造建築物の耐久設計施工指針・同解説」[5]に示されており，岸谷式および白山式に，和泉式などの知見から気温，湿度，炭酸ガス濃度，部材の置かれる環境の影響を考慮できるように改良されている．

$$C = k \cdot \alpha_1 \cdot \alpha_2 \cdot \alpha_3 \cdot \beta_1 \cdot \beta_2 \cdot \beta_3 \cdot \sqrt{t} \tag{付 I.2-1.5}$$

ここに， C ：中性化深さ(cm)

t ：期間（年）

k ：係数（岸谷式を改良する場合 1.72，白山式を改良する場合 1.41）

α_1 ：コンクリートの種類（骨材の種類）による係数

　　　普通コンクリートの場合　$\alpha_1 = 1.0$

α_2 ：セメントの種類による係数（付表 I.2-1-10 参照）

付表 I.2-1-10　セメントの種類に関する係数（α_2）

セメントの種類	岸谷式	白山式	耐久設計式
普通ポルトランド	1.00	1.00	1.00
早強ポルトランド	0.60	0.79	0.85
高炉A種	1.40	1.29	1.25
高炉B種	2.20	1.41	1.4
高炉C種	-	1.82	1.8
フライアッシュB種	1.90	1.82	1.8

α_3 ：調合（水セメント比）による係数

$\alpha_3 = w/c - 0.38$

w/c ：水セメント比

β_1 ：気温による係数

$\beta_1 = (0.017 \cdot T + 0.48) / (0.75)$

T ：温度(℃)

0.75：東京地区における年平均気温（15.9℃）に対する係数

β_2 ：湿度およびコンクリートに作用する水分の影響による係数

$\beta_2 = kr(Hu \cdot (100-Hu) \cdot (140-Hu)) / 192000$

kr ：雨がかりを表す係数（雨がかり環境 1.0，乾燥環境 1.6 とする．
　　　湿潤環境では $\beta_2 = 0.2$ とする）

Hu ：相対湿度(%)

β_3 ：炭酸ガス濃度による係数

$\beta_3 = \sqrt{CO_2/5.0} / 0.1$

CO_2 ：炭酸ガス濃度（%）（一般に屋外 0.05%，屋内 0.20%）

0.1：屋外環境における炭酸ガス濃度（0.05%）に対する係数

2. 塩分浸透

　塩分浸透に関する進展予測は，塩化物イオンの浸透を予測するものと鉄筋の腐食量を予測するものとに分類できる．ここでは，塩化物イオンの浸透については拡散方程式に基づく進展予測の方法を，鉄筋の腐食量の予測については森永式[10]を紹介する．

a. 塩化物イオンの浸透に関する進展予測

　コンクリート表面から塩化物イオンがコンクリート内部へ浸透していく現象は，多くの文献[5),11)～14)]で塩化物イオンの濃度差に基づく拡散を基本的な機構として定式化が行われている．以下では，コンクリート表面の塩化物イオン濃度と見かけの拡散係数から，コンクリート中の塩化物イオン量を拡散方程式により求める方法を紹介する．

　(1) 拡散方程式

　　コンクリート表面の塩化物イオンはフィックの第2法則に従い拡散するものと仮定すると，鉄筋位置における塩化物イオン量は(付I.2-2.1)式で表すことができる[5)]．

$$C = (C_0 - C_{init}) \cdot \left[1 - erf\left(\frac{x}{2 \cdot \sqrt{D \cdot t}} \right) \right] + C_{init} \qquad (付 I.2\text{-}2.1)$$

　　ここに　C　：鉄筋位置における塩化物イオン量（kg/m³）
　　　　　　C_0　：コンクリート表面の塩化物イオン量（kg/m³）
　　　　　　C_{init}：コンクリート中の初期塩化物イオン量（kg/m³）
　　　　　　erf　：誤差関数．誤差関数の近似式を(付I.2-2.2)式に示す．

$$erf(x) = \frac{2}{\sqrt{\pi}} \int_0^x e^{-t^2} dt \qquad (付 I.2\text{-}2.2)$$

　　　　　　x　：かぶり厚さ(mm)
　　　　　　D　：コンクリートの材料，調合，含水状態などに応じて定まる
　　　　　　　　　　コンクリート中の塩化物イオンの見かけの拡散係数（mm²/年）
　　　　　　t　：材齢（年）

　なお，コンクリート表面の塩化物イオン量と見かけの拡散係数は，塩化物イオン濃度に関する点検結果を，(付I.2-2.1)式を用いて回帰分析することにより求めることができる．

　(2) 見かけの拡散係数（D）

　　見かけの拡散係数は環境条件（温度，湿度），水和の程度（材齢，セメントの種類），調合（単位細骨材量，単位粗骨材量，単位水量，セメント種類など）によって変化する．見かけの拡散係数は，信頼性のある根拠資料がある場合にはそれに基づき設定することができるが，根拠となる資料がない場合には，既往の指針類を参考に設定することができる．ここでは，文献[5)]に

おいて紹介されている見かけの拡散係数を求める式を（付I.2-2.3）式～（付I.2-2.6）式に示す[13)14)].

- 普通ポルトランドセメントを使用する場合

$$log_{10}D = 3.0(W/C) - 1.8 \quad \text{（付 I.2-2.3）}$$

- 低熱ポルトランドセメントを使用する場合

$$log_{10}D = 3.5(W/C) - 1.8 \quad \text{（付 I.2-2.4）}$$

- 高炉セメントB種相当を使用する場合

$$log_{10}D = 3.2(W/C) - 2.4 \quad \text{（付 I.2-2.5）}$$

- フライアッシュセメントB種相当を使用する場合

$$log_{10}D = 3.0(W/C) - 1.9 \quad \text{（付 I.2-2.6）}$$

ここで，W/C ：水セメント（結合材）比（$0.30 \leq W/C \leq 0.55$）
　　　　D ：コンクリートの見かけの拡散係数（cm^2/年）

(3) コンクリート表面の塩化物イオン量 C_0

建築物に飛来する塩分量は季節風，台風，地形などの影響を受け，地域による差が大きく，同じ地域でも建築物の立地条件によって異なるため，実測に基づくことが望ましい．

文献[13),14)]では，海水の塩化物イオンの影響を受ける構造物に関するコンクリート表面における塩化物イオン濃度を付表I.2-2-1のように示している．

付表 I.2-2-1　表面塩化物イオン量 C_0（kg/m³）

飛沫帯	海岸からの距離（km）				
	汀線付近	0.1	0.25	0.5	1.0
13.0	9.0	4.5	3.0	2.0	1.5

また，既往の研究からでもコンクリート表面の塩化物イオン濃度を推定することができ，文献[9)]にまとめられているので，必要に応じて参考にすることができる．

b. 鉄筋腐食量の進展予測

 塩分濃度，温度，湿度などの条件の異なるコンクリート中の鉄筋腐食速度を推定するために，森永は暴露実験を行い，(付 I.2-2.7) 式を提案している[10]．なお，ひび割れ発生までの期間（年）は，コンクリートにひび割れが発生する腐食量を (付 I.2-2.7) 式の腐食速度で除すことにより予測することができる．

$$q = q_1 \cdot q_2 / q'_2 \quad \text{(付 I.2-2.7)}$$

ここに，　q：鉄筋の腐食速度（×10^{-4}g/cm²/年）

　　　　　q_1：塩分環境下での腐食速度（×10^{-4}g/cm²/年）

$$q_1 = d/c^2 \{-0.51 - 7.60 \cdot N + 44.97 \cdot (W/C)^2 + 67.95 \cdot N \cdot (W/C)^2\}$$

　　　　　q_2：寿命予測対象部位で，塩分環境下での腐食速度（×10^{-4}g/cm²/年）

$$q_2 = 2.59 - 0.05 \cdot T - 6.89 \cdot H - 22.87 \cdot O - 0.99 \cdot N$$
$$+ 0.14 \cdot T \cdot H + 0.51 \cdot T \cdot O + 0.01 \cdot T \cdot N + 60.81 \cdot H \cdot O + 3.36 \cdot H \cdot N + 7.32 \cdot O \cdot N$$

　　　　　q'_2：寿命予測対象部位で，標準条件下（温度15℃，湿度69%，酸素濃度20%）での腐食速度（×10^{-4}g/cm²/年）

$$q'_2 = 0.56528 + 1.4304 \cdot N$$

　　　　　d：鉄筋径（mm）

　　　　　c：かぶり厚さ（mm）

　　　　　N：練り混ぜ水の塩分濃度（%）

　　　　　W/C：水セメント比（%/100）

　　　　　T：温度（℃）

　　　　　H：湿度に関する項

　　　　　　　$H = (RH - 45)/100$

　　　　　RH：相対湿度（%）

　　　　　O：酸素濃度

3. アルカリ骨材反応

アルカリ骨材反応に伴い発生する劣化事象を定量的に予測することは，現状では難しい場合が多い．そのため，アルカリ骨材反応の進展予測は，アルカリ骨材反応が原因と考えられる劣化事象が生じた後に行われ，ひび割れなどの継続的なモニタリング，点検およびコンクリートコアによる残存膨張量の計測の結果を参考に，構造物に及ぼす影響を予測している．付図I.2-3-1にコンクリートコアを用いた膨張の予測の概念を示す．

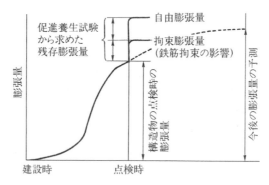

付図I.2-3-1 コンクリートコアによる膨張の予測 [15]

4. 塗膜劣化および皮膜劣化（亜鉛めっき皮膜消失）

鉄骨部に施される塗膜や皮膜の耐用年数は一般に短く，定期的に補修を行う必要がある．補修の実施時期は，塗膜や皮膜の劣化状況を鑑み決定する場合や，塗膜や皮膜の耐用年数を目安に実施される場合がある．鉄骨部材の耐用年数は，文献[16]では表面無処理鋼材と塗膜，皮膜の耐用年数の和として示している．

$$Y_m = D_p \cdot B_p \cdot C \cdot M \cdot Y_{op} + D_z \cdot B_z \cdot C \cdot M \cdot Y_{oz} + D_s \cdot B_s \cdot C \cdot M \cdot Y_{os} \tag{付I.2-4.1}$$

ここに，　Y_m ：部材の耐用年数（年）

C ：施工管理係数　　　　（施工状況に応じ0.6〜1.2とする）

M ：維持保全係数　　　　（維持管理状況に応じ0.6〜1.2とする）

右辺第1項（塗膜の耐用年数）

D_p ：地域環境別設計用劣化係数

B_p ：塗膜の部位別設計用劣化係数

Y_{op} ：塗膜の標準耐用年数（年）

右辺第2項（亜鉛めっきの耐用年数）

D_z ：地域環境別設計用劣化係数

B_z ：亜鉛めっきの部位別設計用劣化係数

Y_{oz} ：亜鉛めっきの標準耐用年数（年）

右辺第3項（無処理鋼材の耐用年数）
- D_s ：地域環境別設計用劣化係数
- B_s ：無処理鋼材の部位別設計用劣化係数
- Y_{os} ：無処理鋼材の標準耐用年数（年）

 劣化係数D，部位別劣化係数B，標準耐用年数Y_oは，評価対象とする環境条件，部位，塗膜などの仕様に基づき設定[16]されており，詳細は文献を参照されたい．この他にも，上記(付I.2-4.1)式とほぼ同様な耐用年数の推定式が提案[17],[18]されている．また，構造部材の残余耐用年数を，部材厚の10%がさびにより断面欠損するまでの年数としているものもある[19]．

5. 風などの繰返し荷重（疲労）

 繰返し荷重による劣化を予測する方法として，文献[20]に示されている疲労設計法を紹介する．文献では，応力の繰返し数に応じた許容疲労強さを規定し，一定応力振幅を受ける場合や変動応力振幅を受ける場合，組合せ応力振幅を受ける場合の検討方法が示されている．以下に 1×10^4 回を超える繰返し応力を受ける場合の評価方法を示す．

a. 許容疲労強さ

 許容疲労強さは荷重の繰返し数に応じた応力範囲で示しており，垂直応力度の繰返しの場合を(付I.2-5.1)式に，せん断応力度の繰返しの場合を(付I.2-5.2)式に示す．なお，各式で使われている基準疲労強さとは，繰返し数が 2×10^6 回に達すると疲労破壊する応力範囲として定義し，継手などの形式別に基準疲労強さが示されている．

$$\Delta\sigma_a = \frac{126}{N^{\frac{1}{3}}} \cdot \Delta\sigma_F \qquad (付 I.2\text{-}5.1)$$

$$\Delta\tau_a = \frac{18}{N^{\frac{1}{3}}} \cdot \Delta\tau_F \qquad (付 I.2\text{-}5.2)$$

ここに，
- N ：総繰返し数（回）
- $\Delta\sigma_a$ ：垂直応力範囲の許容疲労強さ(N/mm^2)
- $\Delta\sigma_F$ ：垂直応力範囲の基準疲労強さ(N/mm^2)
- $\Delta\tau_a$ ：せん断応力範囲の許容疲労強さ(N/mm^2)
- $\Delta\tau_F$ ：せん断応力範囲の基準疲労強さ(N/mm^2)

b. 疲労設計

常時稼働している機械の支持架構のように一定応力振幅を受ける場合と，ランダム荷重による変動応力振幅を受ける場合に分けて，疲労設計の方法を示している．一定応力振幅を受ける場合，部材および接合部に生じる応力範囲は，(付 I.2-5.3)式および(付 I.2-5.4)式を満足する必要がある．

$$\sigma_{max} - \sigma_{min} \leq \Delta\sigma_a \qquad \text{(付 I.2-5.3)}$$

$$\tau_{max} - \tau_{min} \leq \Delta\tau_a \qquad \text{(付 I.2-5.4)}$$

ここに， σ_{min} ：最小垂直応力度(N/mm²)
σ_{max} ：最大垂直応力度(N/mm²)
τ_{min} ：最小せん断応力度(N/mm²)
τ_{max} ：最大せん断応力度(N/mm²)

変動応力振幅を受ける場合の検討は，累積損傷度を用いた疲労の検討と等価応力範囲を用いた疲労の検討に分類できる．累積損傷度を用いた疲労の検討は，(付 I.2-5.5)式により評価される累積損傷度が 1 未満になることを確認するものである．

$$D = \sum_{i=1}^{k}(n_i / N_i) \qquad \text{(付 I.2-5.5)}$$

ここに， D ：累積損傷度
n_i ：応力範囲を k グループに分けた i 番目の応力範囲の繰返し回数
N_i ：応力範囲を k グループに分けた i 番目の応力範囲 $\Delta\sigma_i$ あるいは $\Delta\tau_i$ による破断繰返し回数

等価応力範囲を用いた疲労の検討は，繰返し荷重により生じる応力範囲が一定ではない場合に，その応力範囲をいくつかのグループ（k 個）に分け，(付 I.2-5.6)式のように等価な一定応力範囲に換算し，それぞれの応力範囲が許容疲労強さ以下になることを確認するものである．

$$\Delta\sigma_e = \left\{\sum_{i=1}^{k}\frac{n_i}{N}(\Delta\sigma_{ei})^3\right\}^{\frac{1}{3}} \quad \Delta\tau_e = \left\{\sum_{i=1}^{k}\frac{n_i}{N}(\Delta\tau_{ei})^5\right\}^{\frac{1}{5}} \qquad \text{(付 I.2-5.6)}$$

ここに， $\Delta\sigma_{ei}$ ：応力範囲を k グループに分けた i 番目の垂直応力範囲(N/mm²)
$\Delta\tau_{ei}$ ：応力範囲を k グループに分けた i 番目のせん断応力範囲(N/mm²)
N ：総繰返し数（ $N = \sum_{i=1}^{k} n_i$ ）

参 考 文 献

1) 内田祥三, 浜田稔：鋼及コンクリートの耐久試験, 建築雑誌, 第516号, pp.1287-1303, 1928
2) 浜田稔：コンクリートの中性化と鉄筋の腐食, セメント・コンクリート, No272, pp.2-18, 1969
3) 岸谷孝一：鉄筋コンクリートの耐久性, 鹿島建設技術研究所出版部, 1963
4) 岸谷孝一, 西澤紀昭ほか編：コンクリート構造物の耐久性シリーズ 中性化, 技報堂出版, 1986
5) 日本建築学会：鉄筋コンクリート造建築物の耐久設計施工指針・同解説, 2016
6) 和泉意登志, 嵩英雄, 押田文雄, 西原邦明：コンクリートの中性化に及ぼすセメントの種類, 調合および養生条件の影響について, 第7回コンクリート工学年次講演会論文集, pp.117-120, 1985
7) 日本建築学会：高耐久性鉄筋コンクリート造設計施工指針（案）・同解説, 1991
8) 和泉意登志：耐久性診断事例－中性化－, コンクリート工学, Vol.26, No.7, pp.106-110, 1988.7
9) 和泉意登志：コンクリートの中性化速度に基づく鉄筋コンクリート造建築物の耐久設計手法に関する研究, 大阪大学学位論文, 1991
10) 森永繁：鉄筋の腐食速度に基づいた鉄筋コンクリート建築物の寿命予測に関する研究, 東京大学学位論文, 1986
11) 日本建築学会：建築工事標準仕様書・同解説 JASS 5 鉄筋コンクリート工事, 2022
12) 日本建築学会：建築工事標準仕様書・同解説 JASS 5N 原子力発電所施設における鉄筋コンクリート工事, 2013
13) 土木学会：コンクリート標準示方書［設計編］, 2017
14) 土木学会：コンクリート標準示方書［維持管理編］, 2018
15) 日本コンクリート工学協会：コンクリート診断技術 '07, 2007
16) 国土開発技術研究センター：建築物の耐久性向上技術シリーズ 建築構造編Ⅱ鉄骨造建築物の耐久性向上技術, 技報堂出版, 1986
17) 日本建築学会：建築物の耐久計画に関する考え方, 1988
18) 日本鋼構造協会：鉄骨造建築の耐久性設計ガイドブック- 露出型鉄骨の防錆・防食技術とその考え方-JSSCテクニカルレポート No.52, 2002
19) 日本建築防災協会, 東京建築防災センター, 東京都建築士事務所協会：建築物の耐震診断システムマニュアル 鉄骨造, 1990
20) 日本建築学会：鋼構造許容応力度設計規準, 2019

付録 I.3 アルカリ骨材反応に対する対策の事例

「8章 対策と効果の確認」に示される対策の方法のうち,「その他の対策」の例として,四国電力伊方発電所1号機タービン発電機架台に生じたアルカリ骨材反応(以下,ASR という)に対して実施した,部材,構造体の健全性に対する検討について示す.

1. ASR 発生の経緯

四国電力伊方発電所1号機タービン発電機架台において ASR の発生が観察され,健全性確認のための一連の検討が実施された.

本タービン発電機架台は,1977 年に運転を開始したタービンと発電機を支持する鉄筋コンクリート製の架台である.1979 年にタービン発電機車軸と軸受け間の間隙に変化が認められた.その後,1982 年にひび割れがタービン発電機架台梁側面で観察され,テーブルデッキの変形計測が実施された.1986 年にはコア採取の実施と鉄筋ひずみ計測が開始され,コア供試体による試験結果などから架台変状の原因が ASR であると判断されている.タービン発電機架台は建屋内に配置されているが,特にテーブルデッキ部は,運転中にタービンの発熱などの影響を受ける環境にある [1),2)].タービン発電機架台の概要を付図 I.3-1-1 に示す.また,タービン発電機架台の軸方向膨張量の経時変化を付図 I.3-1-2 に示す.

これらの計測管理により,2007 年(運転開始後 30 年)までに ASR は収束状態であると判断されるとともに,各種試験・解析によりタービン発電機架台の耐荷重性能に大きな問題がないことが確認された.

なお,2007 年以降もテーブルデッキの変形計測,コンクリートの反発度などモニタリングを継続管理し,ASR は収束状態であることが確認されている [17)].

付録 I.3 アルカリ骨材反応に対する対策の事例

- 長さ ：50.0m
- 幅（タービン側） ：15.0m
- 幅（発電機側） ：11.0m
- 高さ ：18.7m
  （基礎マット上端から）

鉄筋
- 異型鉄筋 SD345（旧 SD 35）

コンクリート
- 設計呼び強度 ；21N/mm² (210kg/cm²)
- セメント ；中庸熱セメント
- 細骨材 ；洗砂 愛媛県今治市蒼社川沖
- 粗骨材 ；砕石 山口県柳井産 安山岩

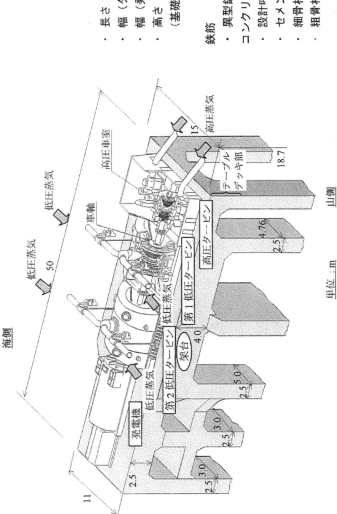

付図 I.3-1-1 タービン発電機架台の概要[1]

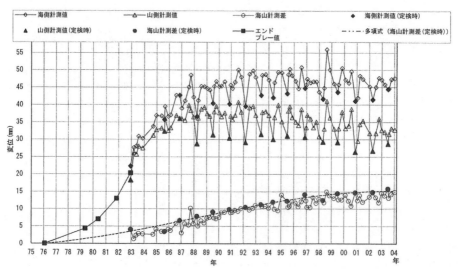

付図 I.3-1-2　タービン発電機架台の軸方向膨張量の経時変化[1]

2. 健全性確認のために実施された調査・検討

2.1 部材試験

　まず，ASRによる損傷を受けたコンクリート部材の基本的挙動の把握と，実機シミュレーションのためのデータ取得を目的として，鉄筋比，養生条件，材齢をパラメータとしてASRを発生させた部材試験体（付図I.3-2-1）の圧縮試験を実施している．試験結果から，以下の事項が報告されている．

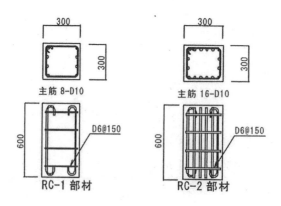

付図 I.3-2-1　部材試験体形状[3]（単位：mm）

(1) ASRコンクリート部材試験結果において，主筋量が多いほうが養生中の伸び量が小さく，ヤング係数が大きい傾向があった．鉄筋拘束により伸びが小さくなり，ASRによるヤング係数の低下

が抑制されたと考えられる．
(2) ASR コンクリートのコア供試体と実機相当鉄筋量の部材試験体の結果を比較すると，圧縮強度の差は小さかったが，コンクリートのヤング係数は部材試験体のほうが大きかった．主筋による拘束から解放されることにより，ASR によるヤング係数の低減が大きくなったと考えられる．

2.2 梁載荷試験

ASR が梁部材の曲げ・せん断挙動に与える影響を実験的に確認することを目的に，梁試験体の載荷試験が実施された[3)～5)]．試験体形状を付図 I.3-2-2 に示す．
(1) 曲げ耐力は3体（ASR，健全，プレストレス導入試験体）ともほぼ等しかった．
(2) ASR コンクリート試験体の曲げひび割れ発生荷重は，健全コンクリート試験体より大きく，プレストレス試験体に近かった．これは ASR によるケミカルプレストレスの影響と考えられる．
(3) 曲げ試験体（曲げ破壊先行），せん断試験体（せん断破壊先行）とも，最大せん断力は計算値を大きく上回り，本試験の範囲内では ASR が発生しても耐力が計算値を下回ることはなかった．

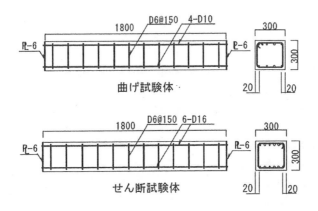

付図 I.3-2-2　梁試験体形状[3)]（単位：mm）

2.3 壁載荷試験

ASR が壁部材の曲げ・せん断挙動に与える影響を実験的に確認することを目的に，壁試験体の載荷試験を実施している[3)～5)]．試験体形状を付図 I.3-2-3 に，試験結果の例としてせん断力－水平変位関係を付図 I.3-2-4 に示す．試験結果は，以下のようにまとめられている．
(1) 初期剛性は ASR コンクリート試験体のほうがわずかに小さかった．
(2) ASR コンクリート試験体のほうがコンクリートの圧縮強度は小さいが，大変形時の最大耐力は健全コンクリート試験体より大きかった．
(3) 本試験の範囲内では，耐震壁の剛性や耐力が，ASR により大幅に低減することはなかった．また，ASR コンクリート試験体についても，健全コンクリートを対象とした終局点（せん断終局

応力，曲げ終局モーメント）算定式[6]と同様の手法で評価可能である．

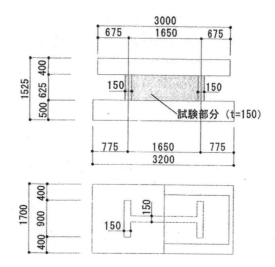

付図 I.3-2-3　耐震壁試験体形状[3]（単位：mm）

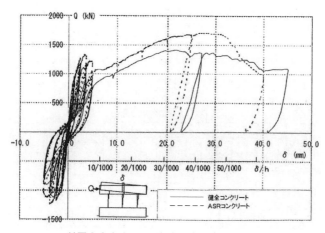

付図 I.3-2-4　せん断力－水平変位関係[3]

2.4　実機振動試験およびシミュレーション解析

実機タービン発電機架台を対象とした，実測およびシミュレーション解析も実施された[7],[8]．具体的には実機振動試験（梁の上下方向加振試験），架台の常時微動測定，弾性波測定試験および振動試験のシミュレーション解析が実施されている．なお，健全な構造物と比較するために，構造および形状がほぼ同じで，ASR の認められない 2 号機タービン発電機架台についても比較対象として同様の試験・解析が実施されている．調査検討結果として，以下の事項が報告されている．

(1) 振動試験による 1 号機タービン発電機架台の固有振動数は，健全である 2 号機に比較して低下

がみられたが，1号機の経時変化やASRによる影響がタービン発電機架台全体に与える影響は小さい範囲に収まっている．また，前回計測した1989年からの14年間における固有振動数の低下は小さく，ASRの進行はほとんどないものと考えられる．
(2) 弾性波測定試験で得られた1号機と2号機のタービン発電機架台のヤング係数を比較すると，1号機テーブルデッキにおいて，ヤング係数の低下が顕著である．
(3) 実機振動試験のシミュレーション解析からは，ASR部材と健全部材のヤング係数比は0.5～0.6程度と推定された．

3. 地震時裕度確認のための解析

試験体載荷試験結果および実機振動試験，弾性波測定試験などから得られた知見を基に，付図I.3-1-1に示されるタービン発電機架台を梁要素でモデル化し，種々の荷重状態にASRによる膨張を考慮して有限要素法による応力解析が実施された[9]～[16]．

解析においては，テーブルデッキ部の膨張量が海側と山側で異なるなどの架構としての非対称性を反映するために，三次元モデルが用いられている．ASR部材の応力状態をより正確に模擬するため，各部材には，実構造物から採取した供試体による試験結果から得られたデータを基に，材料非線形性が考慮されている．モデルの形状を付図I.3-3-1に示す．

地震力については，タービン発電機架台の耐震重要度がCクラス相当であることから，層せん断力係数により定まる静的水平地震力を採用し，裕度の把握においては，水平方向に加えて上下方向も考慮して，漸増解析が実施された．

設計相当地震力作用時における，安全性および地震力に対する裕度を確認することを目的とした解析結果からは，地震力を作用させる前の通常運転状態において，各部材の発生せん断力（Q）のせん断耐力（Q_u）に対する比率（Q/Q_u）の最大は0.67であるのに対し，設計地震力作用時において0.70となり，せん断耐力に対し，テーブルデッキ部膨張の影響が支配的で，地震力の影響は大きくないことがわかった．

また，ASRの再進展によるテーブルデッキ部の膨張量を現状の1.2倍とした解析を実施した．その結果，設計用地震力作用時の比率（Q/Q_u）は0.77となった．また，設計相当地震力の4.4倍で中間梁がせん断耐力に達した．

以上，タービン発電機架台構成部材の耐荷重性能に大きな問題はなく，架構全体としての水平耐力は十分であり，仮にASRの再進展があったとしても，ただちに耐力上の問題が生じることがないことが確認された．

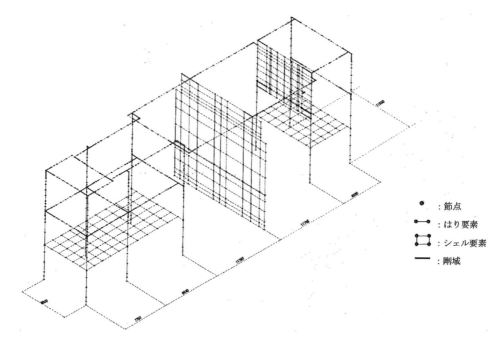

付図 I.3-3-1 解析モデル[15]

参考文献

1) 高倉岳夫,石川達也,松本直樹,大島龍一:アルカリ骨材反応を生じたタービン発電機架台の経年変化と膨張量,コンクリート工学年次論文集,2005

2) T Takakura T., Ishikawa T., Matsumoto N., Mitsuki S., Takiguchi K., Masuda Y., "Investigation on the expansion value of turbine generator foundation affected by alkali-silica reaction", SMiRT18 H03-7, 2005

3) 村角保行,細川高志,松本直樹,光木史朗:アルカリ骨材反応が生じた鉄筋コンクリート部材の物性確認試験と部材試験,コンクリート工学年次論文集,2005.6

4) Y Murazumi Y., Hosokawa T., Matsumoto N., Mitsugi S., Takiguchi K., Masuda Y., "Study on the influence of alkali-silica reaction on mechanical properties of reinforced concrete members", SMiRT18 H03-3, 2005

5) Murazumi Y., Watanabe Y., Matsumoto N., Mitsugi S., Takiguchi K. Masuda Y., "Study on the influence of alkali-silica reaction on structural behavior of reinforced concrete members", SMiRT18 H03-2, 2005

6) 日本電気協会:原子力発電所耐震設計技術指針 JEAG4601-1991 追補版,1991

7) 高倉正晴,渡部雄一,細川高志,日比野浩:アルカリ骨材反応が生じた鉄筋コンクリート

構造物の実機試験及びシミュレーション解析，コンクリート工学年次論文集，2005

8) Takakura M., Watanabe Y., Hosokawa T., Ishii T., Takiguchi K., Masuda Y., "Vibration measurement and simulation analysis on a reinforced concrete structure with alkali-silica reaction", SMiRT18, H03-1, 2005

9) 関本恒，清水弘，渡部雄一，石川達也：アルカリ骨材反応が生じたタービン発電機架台の強度評価に用いる物性の検討，コンクリート工学年次論文集，2005

10) Shimizu H., Watanabe Y., Sekimoto H., Oshima R., Takiguchi K., Masuda Y., Nishiguchi I., "Study on material properties in order to apply for structural analysis of turbine generator foundation affected by alkali-silica reaction", SMiRT18, H03-5, 2005

11) 松本直樹，金田正彦，大島龍一，村角保行：アルカリ骨材反応が生じたタービン発電機架台の裕度把握（その１）研究概要，日本建築学会大会学術講演梗概集（近畿），構造Ⅳ，pp.653-654，2005.9

12) 関本恒，清水弘，松本直樹，大島龍一，高倉岳夫：アルカリ骨材反応が生じたタービン発電機架台の裕度把握（その２）解析方法，日本建築学会大会学術講演梗概集（近畿），構造Ⅳ，pp.655-656，2005.9

13) 高倉岳夫，清水弘，松本直樹，大島龍一，関本恒：アルカリ骨材反応が生じたタービン発電機架台の裕度把握（その３）モデル試験及び実機のシミュレーション，日本建築学会大会学術講演梗概集（近畿），構造Ⅳ，pp.657-658，2005.9

14) 清水弘，高倉岳夫，松本直樹，大島龍一，関本恒：アルカリ骨材反応が生じたタービン発電機架台の裕度把握（その４）実機解析結果，日本建築学会大会学術講演梗概集（近畿），構造Ⅳ，pp.659-660，2005.9

15) Shimizu H., Asai Y., Sekimoto H., Sato K., Oshima R., Takiguchi K., Masuda Y., Nishiguchi I., "Investigation of safety margin for turbine generator foundation affected by alkali-silica reaction based on non-linear structure analysis", SMiRT18 H03-4, 2005

16) 建築研究振興協会：アルカリ骨材反応に関する鉄筋コンクリート構造物の健全性評価及び維持管理方法検討会報告書，2006

17) 谷口幸秀，小川浄，川江宏，高木正二：アルカリ骨材反応を生じたタービン発電機架台の経年変化について，コンクリート工学年次論文集，2015

付録 I.4　MMS-001　コンクリートからの中径コアの採取方法およびおよび中径コア供試体を用いた圧縮強度試験方法（案）

　この試験方法（案）は，日本産業規格 JIS A 1107（コンクリートからのコアの採取方法及び圧縮強度試験方法）および本会 CTM-14（コンクリートからの小径コアの採取方法及び小径コア供試体を用いた圧縮強度試験方法（案））[1] を基に，中径コアを用いた圧縮強度試験方法を提案するものである．ここでは，直径が 50mm を超え 100mm 未満のコア供試体を，中径コアと定義する．

1. 適用範囲

　この試験方法（案）は，粗骨材の最大寸法が 25 mm 以下で，推定圧縮強度が 60 N/mm² 以下のコンクリートから，直径 50 mm を超え 100 mm 未満の中径コアを採取し，中径コア供試体の圧縮強度を求める場合に適用する．

2. 引用規格

　次に揚げる規格は，この試験方法（案）に引用されることによって，この試験方法（案）の一部を構成する．これらの引用規格は，その最新版（追補を含む）を適用する．

　　JIS A 1107　コンクリートからのコア採取方法及び圧縮強度試験方法
　　JIS A 1108　コンクリートの圧縮強度試験方法
　　JIS A 1132　コンクリート強度試験用供試体の作り方
　　JIS B 7503　ダイヤルゲージ
　　JIS B 7507　ノギス
　　JIS B 7513　精密定盤
　　JIS B 7524　すきまゲージ
　　JIS B 7526　直角定規
　　JIS B 7721　引張試験機・圧縮試験機－力計測系の校正方法及び検証方法

3. 装　　置

　装置は，JIS A 1107 の規定に基づいて，次のとおりとする．
a) 圧縮試験機：圧縮試験機は，JIS B 7721 の箇条 7（試験機の等級）に規定する 1 等級以上のものとする．
b) はかり：はかりは，コア供試体質量の 0.1％以下の目量をもつものとする．

- c) ダイヤルゲージ：ダイヤルゲージは，JIS B 7503 に規定する 0.001mm 以下の目量をもつものとする．
- d) ノギス：ノギスは，JIS B 7507 に規定するものとする．
- e) 精密定盤：精密定盤は，JIS B 7513 に規定するものとする．
- f) すきまゲージ：すきまゲージは，JIS B 7524 に規定するものとする．
- g) 直角定規：直角定規は，JIS B 7526 に規定するものとする．
- h) コアドリル：コアドリルは，コンクリート用のコアドリルとする．

4. 中径コアの採取方法

中径コアの採取方法は，次の方法による．

- a) コアの採取位置は，打継ぎ面や型枠際を避け，部材表面にクラック等の欠陥がなく，コアドリルの固定が可能で，かつ部材内部の鉄筋を切断しない箇所とする．
- b) コアの採取には，コンクリート用のコアドリルを用いる．コアドリルの削孔速度は，2〜5 cm/min を標準とする．
- c) コアを採取する場合は，所要の寸法のコア供試体を作ることができるように，十分に大きく，かつ正確にこれを採取する．
- d) コア供試体の採取方法，保管・養生方法，試験手順については，試験ごとに変更することなく，できるだけ一定の手順とすることが望ましい．

5. 中径コア供試体の寸法

中径コア供試体の寸法は，次による．

- a) コア供試体の直径は，50mm を超え 100mm 未満とする．
- b) コア供試体の高さと直径の比は，1.90〜2.10 を原則とし，どのような場合にも 1.00 を下回ってはならない．

6. 試験の準備と中径コア供試体の測定

試験の準備と中径コア供試体の測定は，次による．

- a) コア供試体の外観の目視検査によって，異常がないことを確認する．
- b) コア供試体の端面とコアの軸とのなす角度が 90±0.5° になるように整形する．
- c) コア供試体の両端面は，JIS A 1132 の 4.4.1（キャッピングによる場合）または 4.4.2（研磨による場合）によって仕上げ，その平面度は，JIS A 1132 の 4.5（供試体の形状寸法の許容差）による．（アンボンドキャッピングは行わない）．
- d) コア供試体の上下高さの 1/4，1/2，3/4 付近で，互いに直交する 2 方向の直径を 0.1mm まで測

定し,その平均値をコア供試体の平均直径とする.

e) コア供試体の高さは,4箇所において 0.1mm まで測定し,最大値と最小値の平均値をコア供試体の平均高さとする.

f) コア供試体の質量を,質量の 0.1%以内の精度で測定する.

7. 試験方法

中径コア供試体の圧縮強度試験方法は,JIS A 1108 による.

また,付図 I.4-7-1 に正常な破壊形状の例[2]を,付図 I.4-7-2 および付図 I.4-7-3 に異常な破壊形状の例[2]を示す.コア供試体の外観には異常がなくても,コア供試体の採取方法や試験手順に十分注意を払っていない場合,コア供試体の破壊形状に異常が見受けられることがあるため,コア供試体の破壊形状についても報告する.

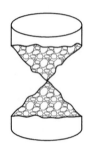 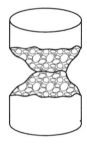  

付図 I.4-7-1 正常な破壊形状の例

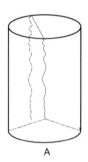 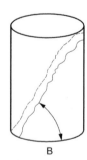 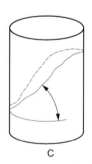 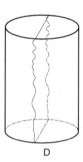

A　　　　　B　　　　　C　　　　　D

付図 I.4-7-2 異常な破壊形状の例(その 1)

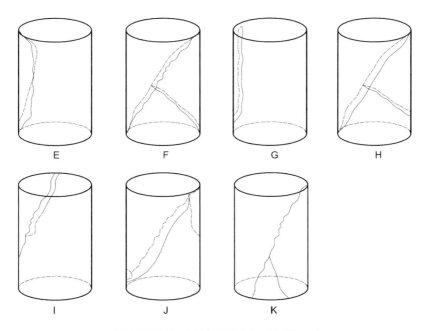

付図 I.4-7-3 異常な破壊形状の例（その 2）

8. 計　算

圧縮強度および見かけの密度の計算は，次による．

a) 補正する前の圧縮強度は，JIS A 1108 の 6.（計算）による．

b) コア供試体の高さと直径との比は，箇条 6. e)で求めた平均高さを箇条 6. d)で求めた平均直径で除して算出し，四捨五入を行って有効数字 3 桁に丸める．

c) b)で求めたコア供試体の高さと直径との比が 1.00 以上 1.90 未満の場合は，試験で得られた圧縮強度に，補正係数を乗じて直径の 2 倍の高さをもつコア供試体の強度に換算する．補正係数は，コア供試体の高さと直径との比を用いて，JIS A 1107 の表 1-補正係数によって求める．なお，圧縮強度の補正は，補正後のコンクリートの強度が 100N/mm² 以下の場合に行う．

d) 圧縮強度は，次の式によって算出し，四捨五入を行って有効数字 3 桁に丸める．

$$f_{CR} = f_C \times k$$

ここに，　　　f_{CR}：圧縮強度 (N/mm²)
　　　　　　　f_C：箇条 8. a)で求めた補正前の圧縮強度 (N/mm²)
　　　　　　　k：箇条 8. c)で求めた補正係数

e) コア供試体の見かけの密度は次の式によって算出し，四捨五入を行って有効数字 3 桁に丸める．

$$\rho = \frac{M}{\pi \times \left(\dfrac{d/10}{2}\right)^2 \times (h/10)}$$

ここに, ρ：見かけの密度 (g/cm³)
M：箇条 6. f)で求めた質量 (g)
d：箇条 6. d)で求めた平均直径 (mm)
h：箇条 6. e)で求めた平均高さ (mm)

9. 報　　告

9.1 必ず報告する事項

必ず報告する事項は，次による．
 a) 強度試験年月日
 b) コア供試体番号
 c) コア供試体の外観および破壊形状
 d) コア供試体の養生方法および養生温度
 e) 平均直径 (mm), 平均高さ (mm)
 f) 高さと直径との比および補正係数
 g) 最大荷重 (N)
 h) 補正する前の圧縮強度 (N/mm²)
 i) 補正した後の圧縮強度 (N/mm²)

9.2 必要に応じて報告する事項

必要に応じて報告する事項は，次による．
 a) 中径コアの採取年月日
 b) 中径コアの採取位置
 c) 中径コアの採取方法
 d) 材齢（採取時の材齢および試験時の材齢）
 e) コンクリートの打込み方向と載荷方向との関係
 f) コア供試体の見掛けの密度 (g/cm³)
 g) コア供試体に含まれる粗骨材の最大寸法 (mm)

参 考 文 献

 1) 日本建築学会：鉄筋コンクリート造建築物の品質管理および維持管理のための試験方法　第 2 編　試験方法（案），2007
 2) ISO 1920-4: Testing of concrete － Part 4: Strength of hardened concrete, 2020, Figure 3 and 4

付録I.5 MMS-002 鋼板コンクリート構造物の内部コンクリートの弾性波伝搬速度計測方法（案）

この試験方法（案）は，鋼板コンクリート構造物の内部コンクリートの特性を，弾性波による手法（超音波法および衝撃弾性波法）により取得し，評価する方法について提案するものである．

1. 適用範囲

この試験方法（案）は，鋼板コンクリート（SC）構造部材（片側にしか鋼板を配していないハーフSC構造部材も含む）に適用可能とする．なお，測定法は，発信器と受信器が，相対する表面に配置される方式（透過法）のみとする．

2. 引用規格

次に掲げる規格は，この試験方法（案）に引用されることにより，この試験方法（案）の一部を構成する．これらの引用規格は，その最新版（追補を含む）を適用する．

  NDIS 2426-1 [1] コンクリート構造物の弾性波による試験方法―第1部：超音波法
  NDIS 2426-2 [2] コンクリートの非破壊試験―第2部：衝撃弾性波法

3. 用語の定義

この試験方法（案）で用いる用語および定義は，NDIS 2426-1 [1] およびNDIS 2426-2 [2] によるほか，次による [3]．

 SC構造： コンクリートを表面の鋼板で補強し，鋼板に取り付けたスタッドなどにより，鋼板とコンクリートが一体となった合成構造の総称
 ハーフSC構造： SC構造の内，鋼板をコンクリートの片側表面に配置し，反対側に鉄筋を配した構造としたもの
 スタッド： 表面鋼板の座屈拘束および鋼板とコンクリートの一体化に供する目的で，鋼板に取り付けた頭付きスタッド
 タイバー： 表面鋼板の座屈拘束材，面外せん断補強材または施工時の仮設材（セパレータ）として供する2枚の表面鋼板を相互に連結する鋼棒，鉄筋，型鋼等の鋼材

4. 試験技術者

この試験方法（案）を適用して試験を行う技術者は，試験方法の原理および試験装置に関する基礎知識を持ち，コンクリート工学に精通している者とする．

5. 試験装置

試験に用いる装置は，以下によるものとする．

　　超音波法　　：「NDIS 2426-1　コンクリート構造物の弾性波による試験方法―第1部：超音波法」
　　衝撃弾性波法：「NDIS 2426-2　コンクリートの非破壊試験―第2部：衝撃弾性波法」

6. 測定方法

測定方法は，基本的に以下によるものとする．

　　超音波法　　：「NDIS 2426-1　コンクリート構造物の弾性波による試験方法―第1部：超音波法　付属書A（規定）二探触子対面配置の場合の測定」
　　衝撃弾性波法：「NDIS 2426-2　コンクリートの非破壊試験―第2部：衝撃弾性波法」

なお，いずれの方法においても，測定にあたっては，以下の条件を満足することとする．

- 発信装置（超音波法）または入力装置（衝撃弾性波法），および受信装置は，SCの場合はいずれも，ハーフSCの場合はどちらか一方をスタッド位置に設置する．
- 発信装置（超音波法）または入力装置（衝撃弾性波法）と受信装置の間隔は，スタッド長さを除いて500mm以上確保する．相対する装置間の長さ（スタッド長さを除く）が500mm以上取れない場合は，スタッド位置をずらして500mm以上確保するようにする．

7. 結果の評価

次の手順により，内部コンクリートの伝搬速度を評価する．

① 箇条6.に基づき，測定位置におけるスタッドを含む伝搬時間を測定する．
② 箇条6.に基づき，鋼板・スタッド単体の伝搬時間を測定する．実測値がない場合は，鋼材の伝搬速度を5.5km/sとし，設計図から読み取れる鋼板厚およびスタッド長さを用いて計算する．
③ 箇条7.①および②の結果を用い，スタッドを含む伝搬時間から鋼板・スタッド単体の伝搬時間を差し引き，内部コンクリートのみの伝搬時間を計算する．求められた伝搬時間から，下式により伝搬速度を求める．

$$V = d/t$$

ここに， V：伝搬速度(km/s)

d：内部コンクリート厚(mm)

t：伝搬時間(μs)

補足資料：表面と裏面のスタッド位置が相違するときのコンクリート部伝搬速度の算定

　SC構造部材において，表面と裏面のスタッド位置が一段相違するときは，付I.5補図-1に示すような5種類（A～E）の弾性波の伝搬経路が考えられる．弾性波の伝搬時間を計測することは，SC構造部材において弾性波が最も速く伝搬する経路での伝搬時間を計測することである．計測された伝搬時間を用い，5種類の経路についてスタッドの伝搬速度を既知として，コンクリートの伝搬速度を計算すると，通過していない経路では本来よりもコンクリート部の伝搬時間が短くなり，伝搬速度は実際よりも速い値となる．つまり，5種類それぞれで計算した値のうち，コンクリートの伝搬速度が最も小さな値を示した経路が，弾性波の伝搬経路と評価できると考えられる．

　付I.5補表-1の例では，1段ズレの各経路を想定して評価されたコンクリート部のみの伝搬速度のうち，経路Aの伝搬速度が最も小さいことから，経路Aが弾性波の通過した経路となる．その伝搬速度は，同一位置(Z)での評価結果とほぼ同じ値となる．

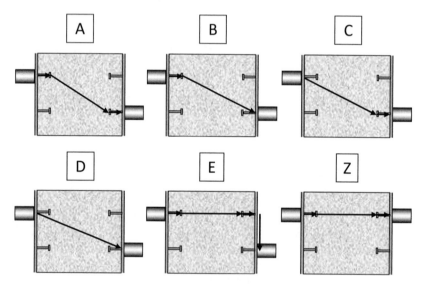

付I.5補図-1　スタッド位置が一段相違する場合の弾性波の伝搬経路（Zは同一位置の場合）

付I.5補表-1　測定結果の評価例

センサ配置	伝搬時間(μs) 測定値 1	2	3	平均①	パターン	全長	想定距離 (m) 発信側スタッド	コンクリート②	受診側スタッド	受信側SC鋼板	実測伝搬時間③ (μs) 鋼板+スタッド*1	鋼板*2	コンクリート部推定伝搬時間*3 (μs) 推定値 1	2	3	平均④	コンクリート部推定音速*4 (μs) 測定値 1	2	3	平均⑤
同一位置	358.3	358.3	358.3	358.3	Z	1.500	0.229	1.042	0.229	—	41.4	—	275.5	275.5	275.5	275.5	3782	3782	3782	3782
1段ズレ	359.5	359.4	359.5	359.5	A	1.519	0.229	1.063	0.227	—	41.4	—	276.7	276.6	276.7	276.7	3842	3843	3842	3842
					B	1.516	0.229	1.287	—	—		—	318.1	318.0	318.1	318.1	4046	4047	4046	4046
					C	1.516	—	1.289	0.227	—		—	318.1	318.0	318.1	318.1	4052	4053	4052	4052
					D	1.513	—	1.513	—	—		—	359.5	359.4	359.5	359.5	4209	4210	4209	4209
					E	1.700	0.229	1.042	0.229	0.200		40	236.7	236.6	236.7	236.7	4402	4404	4402	4403
同一位置	358.3	358.3	358.3	358.3	Z	1.513	0.229	1.055	0.229	—	41.4	—	275.5	275.5	275.5	275.5	3829	3829	3829	3829

*1：鋼板とスタッドのみの伝搬時間　　*2：鋼板のみの伝搬時間　　*3：④＝①−2×③　　*4：⑤＝②÷④

参 考 文 献

1) 日本非破壊検査協会：NDIS2426-1　コンクリート構造物の弾性波による試験方法—第1部：超音波法　付属書A（規定）二探触子対面配置の場合の測定，2009
2) 日本非破壊検査協会：NDIS2426-2　コンクリートの非破壊試験—第2部：衝撃弾性波法，2014
3) 日本電気協会：JEAC 4618-2009　鋼板コンクリート構造物耐震設計技術規程，2010

付録Ⅱ　原子力施設における建築物の維持管理指針　解説
（プレストレストコンクリート製原子炉格納容器［PCCV］編）

まえがき

　原子力施設における建築物の維持管理指針・同解説の2008年刊行時は，コンクリート製原子炉格納容器は適用対象外としていた．その後，日本機械学会「発電用原子力設備規格　コンクリート製原子炉格納容器規格」（以下，CCV規格という．）の2014年改訂で，供用期間中検査（ISI）の規格が追加され，プレストレストコンクリート製原子炉格納容器（Prestressed Concrete Containment Vessel－以下，PCCVという．）のコンクリート部については表面の目視による方法，プレストレスシステムについては緊張材（テンドン）定着部（定着具，周辺コンクリート，緊張材［テンドン］端部）の詳細目視による方法，緊張力の測定および防せい材（グリース）の試験についての規格が示された．しかしながら，CCV規格は，本指針のように経年的な劣化あるいは突発的な劣化により影響を受ける原子力施設の建築物の性能に着目した維持管理の指針としては整備されていないため，PCCVに要求される機能を長期間にわたって維持するために実施する維持管理については，2015年改定時に本指針に反映した．さらに2023年の改定において，PCCVの維持管理に関連のある法令・規格類についての最新知見を反映した．

　PCCVについては，原子力施設の建築物に求められる機能に加えて，PCCVが機器設備であり，プレストレスコンクリート構造物でもあることから，求められる特有の機能を踏まえた維持管理が必要なため，他の原子力施設の建築物と区分し，その解説を付録Ⅱ PCCV編として取りまとめている．

　なお，付録Ⅱ PCCV編は本編と同様に1章から9章の構成となっており，本編の各章解説の記載事項に従う場合は，その旨を記載している．また，CCV規格にある供用期間中検査(ISI)をPCCVの維持管理に活用する場合には，その旨を記載している．

付録II　原子力施設における建築物の維持管理指針　解説
（プレストレストコンクリート製原子炉格納容器［PCCV］編）

目　次

1章　総　　則 …………………………………………………… 212
　1.1　目　　的 …………………………………………………… 212
　1.2　適用範囲 …………………………………………………… 213
　1.3　用　　語 …………………………………………………… 214

2章　維持管理の基本 …………………………………………… 217

3章　要求機能とそれに関連する性能 ………………………… 220

4章　劣化事象および劣化要因 ………………………………… 224

5章　維持管理計画の策定 ……………………………………… 234
　5.1　維持管理の区分 …………………………………………… 234
　5.2　維持管理計画の策定 ……………………………………… 237

6章　点　　検 …………………………………………………… 239
　6.1　点検の区分 ………………………………………………… 239
　6.2　定期点検 …………………………………………………… 239
　6.3　臨時点検 …………………………………………………… 246

7章　健全性評価 ………………………………………………… 249
　7.1　健全性評価の概要 ………………………………………… 249
　7.2　現状の健全性評価 ………………………………………… 249
　7.3　長期的な健全性評価 ……………………………………… 251

8章　対策と効果の確認 ………………………………………… 254

9章　記　　録 …………………………………………………… 256

補足資料　国外におけるPCCVの不具合事例調査結果 ……… 257

1章 総　則

1.1 目　的

　PCCV に求められる特有の機能を踏まえて，供用期間中検査，高経年化技術評価および運転期間延長認可制度（特別点検）に活用できる維持管理の枠組みを構築するものとした．

　国内の PCCV の供用期間中の維持管理に係る制度を付表Ⅱ.1-1 に示す．

付表Ⅱ.1-1　PCCV の供用期間中の維持管理に係る制度

制度	概　要	時期・頻度
供用期間中検査[*1]（ISI）	運転開始後におけるコンクリート製原子炉格納容器のコンクリート部，プレストレスシステムおよびライナプレートの維持管理をするための検査をいう．	運転開始後 1 年目，3 年目，5 年目，以降 5 年ごと
高経年化技術評価[*2]（PLM）	実用炉規則第82条第1項，第2項及び第3項に規定する機器及び構造物の経年劣化に関する技術的な評価をいう．具体的には，安全機能を有する機器・構造物に発生しているか，又は発生する可能性のあるすべての経年劣化事象の中から，高経年化対策上着目すべき経年劣化事象を抽出し，これに対する機器・構造物の健全性について評価を行うとともに，現状の保守管理が有効かどうかを確認し，必要に応じ，追加すべき保全策を抽出すること．	運転開始後 30 年を経過する前に，およびその後 10 年を超えない期間ごと
運転期間延長認可制度[*3*4]（特別点検）	核原料物質，核燃料物質及び原子炉の規制に関する法律　第43条の3の32第1項の発電用原子炉を運転することができる期間を延長する場合には，実用炉規則第113条第2項第2号に掲げる原子炉その他の設備の劣化の状況に関する技術的な評価の結果，延長しようとする期間において，同評価の対象となる機器・構造物が要求事項に適合すること，又は同評価の結果，要求事項に適合しない場合には同項第3号に掲げる延長しようとする期間における原子炉その他の設備に係る施設管理方針の実施を考慮した上で，延長しようとする期間において，要求事項に適合すること．	特別点検は，運転開始後 35 年を経過する日から 40 年までに実施

出典　*1：「発電用原子力設備規格　コンクリート製原子炉格納容器規格　JSME S NE1-2014」（日本機械学会）
　　　*2：「実用発電用原子炉施における高経年化対策実施ガイド」（令和 2 年 3 月 31 日改正　原子力規制委員会）
　　　*3：「実用発電用原子炉の運転の期間の延長の審査基準」（令和 2 年 3 月改正　原子力規制委員会）
　　　*4：「実用発電用原子炉の運転期間延長認可申請に係る運用ガイド」（令和 2 年 3 月 31 日改正　原子力規制委員会）

なお，PCCVの維持管理に関連のある法令・規格類を以下に示す．これら法令，規格類は，平常時，地震後等の非常時に限らず建築物を含む施設の維持管理行為に際して参照できる．

(法律・政令・施行規則)
・電気事業法，同施行令，同施行規則
・核原料物質，核燃料物質及び原子炉の規制に関する法律，同施行令

(規則)
・実用発電用原子炉の設置，運転等に関する規則（令和4年4月1日改正 原子力規制委員会）

(内規－審査に関するもの)
・実用発電用原子炉施設における高経年化対策審査ガイド（令和2年3月31日改正 原子力規制庁）
・実用発電用原子炉施設における高経年化対策実施ガイド（令和2年3月31日改正 原子力規制委員会）
・実用発電用原子炉の運転の期間の延長の審査基準（令和2年3月改正 原子力規制委員会）

(内規－許認可等の手続きに関するもの)
・実用発電用原子炉の運転期間延長認可申請に係る運用ガイド（令和2年3月31日改正 原子力規制委員会）

(学協会の規定・規格・ガイドに関するもの)
・日本原子力学会標準「原子力発電所の高経年化対策実施基準：2021」（AESJ-SC-P005:2021）（日本原子力学会）
・発電用原子力設備規格 維持規格（2020年版）JSME S NA1-2020（日本機械学会）
・発電用原子力設備規格 コンクリート製原子炉格納容器規格 JSME S NE1-2014（日本機械学会）
・原子力安全のためのマネジメントシステム規程 JEAC 4111-2021（日本電気協会）
・原子力発電所の保守管理規程 JEAC 4209-2021（日本電気協会）
・原子力発電所耐震設計技術規程 JEAC 4601-2021（日本電気協会）
・原子力発電所の火災防護規程 JEAC 4626-2021（日本電気協会）

1.2 適用範囲

a. 対象とする建築物

　　コンクリート製原子炉格納容器のうち，加圧水型原子力発電所に採用されているPCCVの「コンクリート部」と「プレストレスシステム」を対象とする．

　　PCCVのうち，ライナプレート（ライナアンカ，ナックル，胴アンカを含む）の維持管理に関しては，日本機械学会「発電用原子力設備規格 維持規格（2020年版）JSME S NA1-2020」，CCV規格などに準じるため，適用対象外とするが，「付録Ⅱ 3章 要求機能とそれに関連する性能」では，原子炉格納容器としての機能を整理するためライナプレートを含めるものとする．

b. 対象とする劣化

対象とする劣化は，経年的な劣化と突発的な劣化とする．

経年的な劣化とは，物理的・化学的な要因により時間の経過とともに性能が低下することを表す．突発的な劣化とは，時間の経過とともに徐々に進行するものではなく，短時間の内に発生するものである．着目する突発的な劣化を引き起こす要因としては，地震，台風，火災などが挙げられる．

1.3 用 語

PCCV特有の用語についての説明を以下に示す．

・プレストレストコンクリート製原子炉格納容器

> ライナプレート（ライナアンカ，ナックル，胴アンカを含む）で内張りされたコンクリート部とプレストレスシステムにより構成されるコンクリート製原子炉格納容器．付図Ⅱ.1-1のPCCVの概要において破線で囲まれた範囲がPCCVである．国内のPCCVは，半球部分の「ドーム」と円筒形の「胴」で構成される「シェル部」と原子炉格納容器底部基礎マット（以下，底部という．）で構成されている．

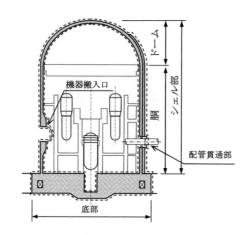

付図Ⅱ.1-1 PCCVの概要（CCV規格より引用）

・漏えい防止機能（PCCV）

> 原子力安全委員会「発電用軽水型原子炉施設に関する安全設計審査指針（平成2年）」（以下，安全設計審査指針という．）の指針28に「原子炉格納容器は，原子炉格納容器設計用の想定事象に対し，その事象に起因する荷重（圧力，温度，動荷重）および適切な地震荷重に耐え，かつ適切に作動する隔離機能とあいまって所定の漏えい率を超えることがない設計であること．」の

記載がある．

PCCVではライナプレートにより漏えい防止機能が確保されるので，コンクリート部に対しての漏えい防止機能は求められていない．

・プレストレスシステム

プレストレスシステムとは，「緊張材（テンドン）」，「定着具」などから構成される緊張システムをいう．「緊張材（テンドン）」は，PC鋼線またはPC鋼より線のPC鋼材により構成され，「定着具」は，アンカーヘッド，ボタンヘッド，くさび，シム，支圧板などの緊張材（テンドン）の張力をコンクリートに伝達する部品で構成される．また「緊張材（テンドン）定着部」とは，定着具と周辺コンクリート部およびアンカーヘッドより外側の緊張材（テンドン）端部の総称をいう．国内のPCCVに採用されているプレストレスシステムは，建設現場でプレストレスを導入するポストテンション方式で，緊張材（テンドン）とコンクリートを固着しないアンボンド工法を採用している．緊張材（テンドン）の定着方法の違いにより，「ボタンヘッド工法」および「くさび工法」がある．これらの工法において同一目的で用いられる部材および部品に対し，異なる用語が慣用的に用いられている．付図Ⅱ.1-2にそれぞれのプレストレスシステムの概要を示すとともに，付表Ⅱ.1-2に各工法の部位に関する用語を示す．

ボタンヘッド工法

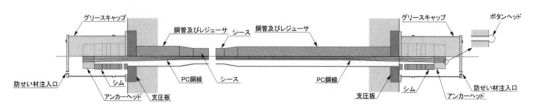

くさび工法

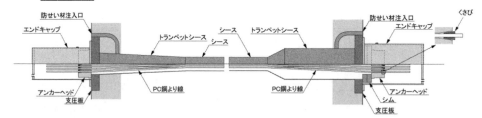

付図Ⅱ.1-2　プレストレスシステム概要（CCV規格より引用）

付表Ⅱ.1-2　ボタンヘッド工法およびくさび工法で用いられる用語

部位＼工法	ボタンヘッド工法	くさび工法
緊張材（テンドン）	PC鋼線	PC鋼より線
定着具	シム	
	アンカーヘッド	
	支圧板	
その他	鋼管およびレジューサ	トランペットシース
	グリースキャップ	エンドキャップ
	シース	
	防せい材（グリース）	

2章　維持管理の基本

　PCCV は，コンクリート製原子炉格納容器の一種であり，日本機械学会「発電用原子炉設備規格　設計・建設規格　第Ⅰ編　軽水炉規格 JSME S NC1-2020」に定めるクラス MC 容器*（旧：告示501号 －発電用原子力設備に関する構造等の技術基準－ における第2種容器に相当）としての機能を有する設備であるが，コンクリート部に緊張材（テンドン）によりあらかじめ圧縮応力（プレストレス）を作用させ，外力（引張力）に対して優れた特性を持つコンクリート構造物でもある．そのため，PCCV についても本編の原子力施設の建築物と同様に，PCCV に要求される機能を供用期間にわたって維持していくための活動を行うことを基本とする．

(1) 要求機能とそれに関連する性能

　PCCV に要求される機能とそれに関連する性能には，コンクリート構造物に要求される機能や性能に加えて，原子炉格納容器としての機能や性能を考慮する．

(2) 劣化事象および劣化要因

　PCCV は，一般建築物のプレストレストコンクリート構造物と形状や要求機能が異なることから，国内外の既往の指針類のほかに，国外における PCCV の不具合事例調査結果（付録Ⅱ　補足資料）を参考に，着目されている劣化事象および劣化要因を整理した上で，PCCV の特徴を踏まえ，PCCV のコンクリート部およびプレストレスシステムで着目する劣化事象および劣化要因を定める．

(3) 維持管理計画の策定

　対象とする維持管理には，「現状の健全性を確保するための維持管理」と，「長期的な健全性を確保するための維持管理」がある．前者は，PCCV の性能を直接低下させる劣化事象に着目し，後者は，劣化事象の原因である劣化要因に着目する．維持管理の実施に先立って，これら2つの維持管理の全体計画を定めた維持管理計画を策定する．

(4) 点検

a) コンクリート部

　コンクリート部については，PCCV で着目する劣化要因を踏まえて，本編のコンクリート構造物と同様に，維持管理計画に基づき，定期点検（現状の健全性評価のための定期点検，長期的な健全性評価のための定期点検）および臨時点検を実施する．ただし，PCCV はクラス MC 容器であり，プレストレストコンクリート構造物でもあることから，点検に際してはコンクリート部に損傷を与えない方法が望ましく，現状の健全性評価のための定期点検および臨時点検は，直接

的な方法として目視による方法を主体とし，目視による方法では確認できないコンクリートの圧縮強度については，非破壊による方法により傾向監視を行う．

長期的な健全性評価のための定期点検においても，PCCVに損傷を与えない点検方法が望ましく，間接的な方法を主体として，環境条件調査による方法，近傍の点検結果などを準用する方法，または模擬試験体による方法により，劣化要因の影響の程度を把握する．

b) プレストレスシステム

点検に際しては，プレストレスシステムの健全性に影響を与えない方法とすべきであり，現状の健全性評価のための定期点検では，供用期間中検査（ISI）を兼用し，同定期点検の結果として使用する．

また，長期的な健全性評価のための定期点検では，現状の健全性評価のための定期点検で得られる点検結果を使用し，劣化要因の影響の程度を把握する．

臨時点検では，プレストレスシステムの劣化事象に対して，外観について目視による方法で点検を実施し，変状が見られた場合には，より詳細な点検について検討する．

(5) 健全性評価

a) コンクリート部

コンクリート部については，本編のコンクリート構造物と同様の健全性評価を行う．

b) プレストレスシステム

プレストレスシステムについては，着目する劣化事象に対して現状の健全性評価を行う．また，現状の健全性評価のための定期点検で得られる点検結果を用いた進展予測の結果に基づいて，着目する劣化要因に対して長期的な健全性評価を行う．

(6) 対策と効果の確認

健全性評価の結果に従い，現状の点検の継続，点検の強化および補修などの対策を講じる．このうち補修を施した場合には，補修部分が補修計画時に期待していた性能を発揮しているかどうかを定期点検で確認し，必要に応じて追加の点検を行う．

(7) 記録

以後の維持管理の資料とするために，点検，健全性評価および対策と効果の確認の結果を，正確かつ詳細に記録し，参照しやすさを考慮して保管しておくことが必要である．

(8) 維持管理の継続的改善

維持管理計画の策定，点検，健全性評価，対策と効果の確認および記録という一連の活動は，原子力施設の供用期間にわたって，定期的に繰返し実施するものである．このうち，点検，健全性評価および対策と効果の確認をその後の維持管理計画に反映することにより，維持管理の継続

的な改善を図る．このように，維持管理計画の策定から対策と効果の確認までのサイクルを回しながら維持管理の継続的な改善を図っていくことで，より効果的な維持管理を行うことができる．

＊：「クラス MC 容器」とは，原子炉格納容器およびこれに接続する容器であって，原子炉格納容器およびこれに接続する容器内の機械または器具から放出される放射性物質等の有害な物質の漏えいを防止するために設けられるものをいう．（日本機械学会「発電用原子力設備規格 設計・建設規格 第Ⅰ編 軽水炉規格 JSME S NC1-2020」より）

3章　要求機能とそれに関連する性能

a. PCCV に対する要求機能

　安全設計審査指針，JEAC 4601-2021，CCV 規格などを参考に，原子力施設としての安全機能を確保するために PCCV に要求される機能への展開を行い，PCCV に対する要求機能を，支持機能，耐圧機能，遮蔽機能および漏えい防止機能（PCCV）とする．

　PCCV に求められる特有の機能を付表Ⅱ.3-1 に示す．PCCV に対する要求機能のうち，コンクリート部には支持機能，耐圧機能および遮蔽機能，プレストレスシステムには耐圧機能，ライナプレートには漏えい防止機能（PCCV）が求められている．

　PCCV に対する要求機能を付図Ⅱ.3-1 に模式的に示す．

付表Ⅱ.3-1　PCCV に求められる特有の機能

		コンクリート部	プレストレスシステム	ライナプレート
支持機能	通常時や地震時において主要な設備・機器を支持する機能	○	－	－
耐圧機能	圧力に耐える機能で，コンクリート製原子炉格納容器においては，コンクリート部に要求される機能	○	○	－
遮蔽機能	一般公衆や放射線業務実施者に対し，放射線被ばく上の影響を及ぼすことのないよう，放射線量を所定のレベルまで低減する機能	○	－	－
漏えい防止機能（PCCV）＊	設定した区域から外へ放射性物質が漏えいすることを防止する機能	－	－	○

＊：ライナプレートのみの要求であり，本指針の適用範囲外

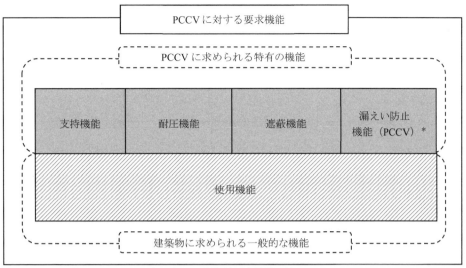

*：ライナプレートのみの要求であり，本指針の適用範囲外

付図Ⅱ.3-1　PCCVに対する要求機能

b. 要求機能とそれに関連する性能
(1) 機能と性能の関連

　　PCCVが要求される機能を維持しているか否かは，それを構成する構造体や部材の性能に依存する．そのため，要求される機能と性能を関連付け，機能を維持するために必要となる性能水準を明確にしておく必要がある．ライナプレートは本指針の適用対象外であるが，本章ではライナプレートを含む原子炉格納容器として，PCCVに対する要求機能とそれに関連する性能について整理する．

　　付表Ⅱ.3-2に，PCCVの要求機能とそれに関する性能を示す．要求機能に関連する性能は，構造安全性，使用性，遮蔽性，耐久性および耐火性とする．

　　PCCVの構造安全性には，原子力施設の建築物における耐荷重性能のほかに，PCCVの設計において考慮される原子炉格納容器の圧力荷重に対する耐荷重性能が含まれる．

付表Ⅱ.3-2　PCCVの要求機能とそれに関連する性能

関連 する性能 ＼ 要求機能	使用機能	支持機能	耐圧機能	遮蔽機能	漏えい防止 機能（PCCV）*4
構造安全性	○	○	○	—	—
使用性	○*1	—	—	—	○
遮蔽性	—	—	—	○	—
耐久性	(○)*2	(○)*2	(○)*2	(○)*2	(○)*2
耐火性	(○)*3	(○)*3	—	—	—

*1：美観に関しては，必要に応じ考慮する．
*2：耐久性を構造安全性，使用性，遮蔽性に含まれる性能として扱う．
*3：耐火性を構造安全性と使用性の一部として扱う．
*4：ライナプレートのみの要求であり，本指針の適用範囲外．

(2)　要求機能と確保すべき性能水準

　　PCCVの確保すべき性能水準を付表Ⅱ.3-3に示す．

付表Ⅱ.3-3　PCCVの確保すべき性能水準

要求機能		関連する 性能	性能水準
PCCV に求められる 一般的な機能	使用機能	構造安全性	建築基準法に規定される各種荷重に耐えられる性能水準
		使用性	一般建築物と同等に求められる性能水準
PCCV に求められる 特有の機能	支持機能	構造安全性	原子炉施設の安全性確保の重要性に鑑み，高度の信頼性を確保するための性能水準 1)
	耐圧機能	構造安全性	原子炉格納容器が圧力に耐えられる性能水準 2)
	遮蔽機能	遮蔽性	生体保護の観点から求められる放射線（主に中性子やガンマ線）を遮蔽する性能水準 3)
	漏えい防止 機能（PCCV）*	使用性	放射性物質が漏えいしにくい構造で，漏えいの拡大を防止し得る性能水準 2)

＊：ライナプレートのみの要求であり，本指針の適用範囲外

参 考 文 献

1) 発電用軽水型原子炉施設に関する安全設計審査指針（平成 2 年 8 月 30 日 原子力安全委員会決定）
2) 発電用原子力設備に関する技術基準を定める命令（昭和四十年六月十五日 通商産業省令第六十二号），施行日：令和 3 年 1 月 1 日（令和二年経済産業省令・原子力規制委員会規則第二号による改正）
3) 日本建築学会：建築工事標準仕様書・同解説　JASS 5N　原子力発電所施設における鉄筋コンクリート工事，2013

4章　劣化事象および劣化要因

(1) 着目する劣化事象および劣化要因の選定の考え方

　　PCCV の性能に影響を及ぼす劣化事象とその原因である劣化要因を選定するためのフローを付図Ⅱ.4-1 に示す．はじめに，国外における PCCV の不具合事象調査結果（付録Ⅱ　補足資料）および既往の維持管理に関わる指針類を参考として，「付録Ⅱ　3章　要求機能とそれに関連する性能」で整理した PCCV の性能に対して影響を及ぼす劣化事象，劣化要因および劣化機構を収集・整理する．次に，国内の PCCV の特徴を考慮して，維持管理において着目する劣化事象および劣化要因を選定する．

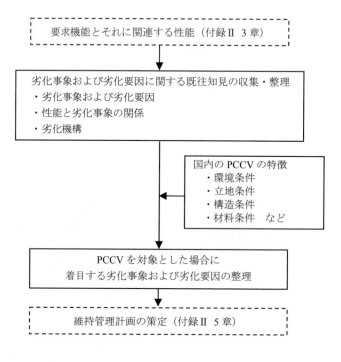

付図Ⅱ.4-1　劣化事象および劣化要因の選定フロー

(2) 劣化事象および劣化要因に関する既往知見の収集・整理

　　国内外におけるPCCVの不具合事象調査結果および既往の維持管理に関わる指針類を参考に，PCCVにおける劣化事象および劣化要因に関する既往の知見をコンクリート部およびプレストレスシステムについて収集・整理する．

a) コンクリート部

1) 不具合事象および既往の指針類で着目している劣化事象および劣化要因

　　コンクリート部に関して，国内のPCCVでは調査時点において不具合の発生事例がない．国外における不具合事象についても，設計・施工上の問題に起因するデラミネーション（プレストレスの導入に伴って，半径方向のラジアルプレッシャーによって，緊張材［テンドン］とコンクリートの間に生じる剥離）などを除いて，PCCVのコンクリート部について，「不具合事象および既往の指針類で着目している劣化事象および劣化要因」，「性能と劣化事象の関係」，「劣化機構」として追加する項目はなく，本編に示す原子力施設のコンクリート構造物と同様である．

b) プレストレスシステム

1) 不具合事象および既往の指針類で着目している劣化事象および劣化要因

　　プレストレスシステムに関して，国内のPCCVでは，調査時点において不具合の発生事例がない．したがって，国外におけるプレストレスシステムの不具合事象調査結果，国外の原子力施設に関する既往の指針類[1),2)]および国内のプレストレストコンクリート構造物に関する既往の指針類[3)]で評価対象としている劣化事象および劣化要因を整理して付表Ⅱ.4-1に示す．

付表Ⅱ.4-1　劣化事象および劣化要因（プレストレスシステム）

劣化事象	劣化要因						
	熱（高温）	放射線照射	プレストレス損失（コンクリートの乾燥収縮・クリープおよびPC鋼材のリラクセーション）	定着具およびPC鋼材の腐食	定着具およびPC鋼材の疲労	地震・台風などの荷重	火災による熱
緊張材（テンドン）の緊張力低下	○	○	○	○	○	○	○

2) 性能と劣化事象の関係

緊張材（テンドン）の緊張力が低下することにより，PCCV に要求されている耐圧機能を維持するために必要な性能水準を確保できなくなり，構造安全性が低下する可能性がある．プレストレスシステムの性能と劣化事象の関係を付表Ⅱ.4-2 に示す．

付表Ⅱ.4-2 PCCV のプレストレスシステムの性能と劣化事象の関係

性能	劣化事象	
	経年的な劣化	突発的な劣化 （地震，台風，火災などによる）
構造安全性	緊張材（テンドン）の緊張力低下	緊張材（テンドン）の緊張力低下

3) 劣化機構

以下に各劣化要因の劣化機構を示し，劣化事象および劣化要因の関係について整理する．

① 熱（高温）[1],[2]

温度上昇により，PC 鋼材の微結晶が変質するため，冷却後も初期の特性に戻らない可能性がある．また，高温になると PC 鋼材のリラクセーション（PC 鋼材に緊張力を加えて一定の長さに保っておくと時間の経過とともに緊張力が低下する現象）特性にも影響を与える．そのため，PC 鋼材の強度低下やリラクセーションが増加することにより緊張力低下が生じる可能性がある．

② 放射線照射[1]

放射線（中性子）により緊張材（テンドン）の微細構造が変質し，PC 鋼材の降伏強度や引張強度の増加や靭性の低下を生じることがある．この靭性の低下により PC 鋼材が破断し，緊張力低下が生じる可能性がある．

③ プレストレス損失（コンクリートの乾燥収縮・クリープおよび PC 鋼材のリラクセーション）[1],[2]

想定する事故に対して緊張力が適切なレベルに維持されることは，原子力施設の安全を確保する上で重要である．コンクリートの乾燥収縮・クリープは，PCCV の供用期間中にわたってコンクリート部の体積を変化させ，PC 鋼材の緊張力に顕著な影響を及ぼす．また，PC 鋼材のリラクセーションは，PC 鋼材の材料特性，初期応力，温度および時間に依存して PC 鋼材の応力を低下させる．これらのことから，プレストレス損失（コンクリートの乾燥収縮・クリープおよび PC 鋼材のリラクセーション）により，緊張力低下が生じる可能性がある．

④ 定着具および PC 鋼材の腐食[1],[2],[3]

シース，グリースキャップまたはエンドキャップ内への水分浸入などにより，防せい材（グリース）の防せい機能が低下して，定着具および PC 鋼材が腐食し，断面欠損することにより緊張力低下が生じる可能性がある．

⑤ 定着具および PC 鋼材の疲労 [1,3]

通常運転時における繰返し載荷や振動によって，定着具および PC 鋼材が強度低下し，破壊することにより，緊張力低下が生じる可能性がある．

⑥ 地震，台風などの荷重

地震，台風などによる繰返し荷重によって，緊張材（テンドン）が疲労し，PC 鋼材が破断することにより，緊張力低下が生じる可能性がある．

⑦ 火災による熱

火災による熱により，PC 鋼材または定着具が高温となり，材料が変質し，PC 鋼材または定着具が破断し，緊張力低下が生じる可能性がある．

(3) PCCV の特徴を踏まえた劣化要因の選定

環境条件，立地条件，構造条件，材料条件，コンクリート表面の保護条件などの PCCV の特徴を整理し，着目する劣化要因を選定する．

a) PCCV の特徴

1) 環境条件
   ・通常運転時におけるコンクリート部の内表面の温度制限値は，CCV 規格により，貫通部で 90℃，その他の部分で 65℃と規定されている．
   ・PCCV 内部のコンクリートで，中性子およびガンマ線のほとんどが遮蔽される．
   ・PCCV には，機械振動を起こすような機器は設置されていない．
   ・PCCV では，大型機器搬入口からの機械類の搬出入はあるが，車両などの出入りはない．

2) 立地条件
   ・立地条件は，本編のコンクリート構造物と同様である．

3) 構造条件
   ・PCCV は，円筒形状の胴および半球形状のドームで構成されるプレストレストコンクリート製の原子炉格納容器であり，漏えい防止機能（PCCV）を有するライナプレートが内張りされている．
   ・緊張材（テンドン）は，ドーム上部から投影して格子状に配置し，両端を底部基礎マット内に設けるテンドンギャラリに定着する逆Uテンドンと，フープ状に配置し，両端をシェル部のバットレスに定着する水平方向テンドンで構成されている．
   ・PCCV のシェル部は，プレストレスにより常に圧縮状態に保たれている．

4) 材料条件
   ・PCCV のコンクリートの設計基準強度は $40N/mm^2$ 以上である．

5) コンクリート表面の保護条件
   ・PCCV の外側は，塗装，原子炉周辺建屋などにより保護されている．

b) 着目する劣化要因の選定
1) コンクリート部

熱（高温），放射線照射，中性化，塩分浸透，アルカリ骨材反応，凍結融解，化学的侵食，乾燥収縮，クリープ，日射，風化，不同沈下，過荷重，地震，台風などの荷重，火災による熱については，本編のコンクリート構造物と同様である．その他の劣化要因については，以下に示す．

① 機械振動

PCCV には機械振動を起こすような大型の回転機器がないので，着目する劣化要因とはしない．

② 車両の走行など

PCCV では，車両などが床面を走行することはなく，車両の走行によるすりへりなどが生じる可能性がないので，着目する劣化要因とはしない．

2) プレストレストシステム

① 熱（高温）

PC 鋼材の引張強度は，200℃程度までの温度であれば著しく低下することはなく，温度400℃でも短期間（3～5分）であれば PC 鋼材の機械的性質に有害な影響は生じない[1]．なお，コンクリート製原子炉格納容器で一般に経験される温度レベルは 200℃よりもはるかに低いため，通常運転時の状態下で PC 鋼材に熱損傷が生じる可能性は極めて低く，着目する劣化要因とはしない．

なお，国外の PCCV において，温度上昇により緊張材（テンドン）の緊張力が低下した不具合事例が報告されている[4]．これは，緊張材（テンドン）に低リラクセーション材を使用していないことが要因であり，国内の PCCV の緊張材（テンドン）には低リラクセーション材を使用しており，同様の不具合が生じる可能性は低い．

② 放射線照射

PC 鋼材は，4×10^{16} n/cm^2 までの中性子照射量ではリラクセーションへの影響がないことが，照射試験結果から得られている[1]．PCCV は炉心から十分な距離があり，照射量はこの値よりも十分低いことから，放射線照射がプレストレスシステムの性能に影響を与える可能性は極めて低いと考えられるため，着目する劣化要因とはしない．

③ プレストレス損失（コンクリートの乾燥収縮・クリープおよび PC 鋼材のリラクセーション）

長期間にわたって継続的に生じるプレストレス損失（コンクリートの乾燥収縮・クリープおよび PC 鋼材のリラクセーション）は設計時に考慮されているが，緊張材（テンドン）の緊張力低下に与える影響は極めて大きいと考えられることから，着目する劣化要因とする．

④ 定着具および PC 鋼材の腐食

国内の PCCV では，米国のような鉛直テンドン＋ドームテンドン（テンドンギャラリとリングガーダで定着するテンドン）形式ではなく，逆 U テンドン形式を採用し，緊張材（テンドン）の両端を底部基礎マット内にあるテンドンギャラリに定着しているため，雨水や地下水

がシース，グリースキャップまたはエンドキャップ内へ浸入することはない．また，外部に露出した水平方向テンドンのグリースキャップまたはエンドキャップには，雨水対策を施しているため，水分が浸入することはない．さらに，シース，グリースキャップまたはエンドキャップ内には，防せい材（グリース）が充填されているため，定着具およびPC鋼材が腐食する可能性は極めて低いことなどから，着目する劣化要因とはしない．

⑤ 定着具およびPC鋼材の疲労

PCCVには，通常運転時に繰返し載荷や振動を与える機器類はなく，また，国内のPCCVでは，定着具およびPC鋼材に対して，施工に先立ちプレストレストシステムとしての疲労試験（高サイクル疲労試験および低サイクル疲労試験）を行い，性能を事前に確認しており，定着具およびPC鋼材の強度が低下する可能性は極めて低いことから，着目する劣化要因とはしない．

⑥ 地震，台風などの荷重

地震，台風などの荷重が作用した場合には，緊張材（テンドン）の疲労によりPC鋼材が破断する可能性があるため，着目する劣化要因とする．

⑦ 火災による熱

火災による熱により，PC鋼材または定着具が破断する可能性があるため，着目する劣化要因とする．

3) 選定結果

1)および2)で示した選定結果を劣化要因ごとに整理し，付表Ⅱ.4-3および付表Ⅱ.4-4に示す．

付表Ⅱ.4-3 PCCVのコンクリート部で着目する劣化要因の選定結果
(凡例 ○:劣化要因として選定する,－:劣化要因として選定しない)

劣化要因	選定結果	対象部位	備　考
熱(高温)	○	シェル部の高温になる部位	・一般部,配管貫通部の表面温度は制限温度を超えないように管理されている
放射線照射	○	底部の長期間放射線照射を受ける部位	・累積放射線量は内部コンクリートより小さいと考えられる
中性化	○	コンクリート部全般	・塗装されている部位では劣化の進行は抑制される
塩分浸透	○	シェル部外壁面	・塗装などにより保護されている部位では劣化の進行は抑制される
アルカリ骨材反応	○	コンクリート部全般	
機械振動	－	－	・機械振動を起こす大型の回転機器はない
凍結融解	○*	シェル部外壁面	・凍害危険度が軽微以上の地域において,使用性のみに着目する
化学的侵食	－	－	・既設原子力施設は温泉地帯や酸性河川流域などの付近には建設されていない ・屋内の部位が化学的侵食を受ける可能性は低い
乾燥収縮	○	シェル部	・構造安全性や遮蔽性が低下するとは考えにくいため,使用性のみに着目する
クリープ	○	シェル部	・設計時にその影響は考慮されているため,使用性のみに着目する
日射	○	シェル部外壁面	・温度上昇が顕著な外壁面においても,防水層とその保護材があり影響は小さいため,使用性のみに着目する
風化	○	シェル部外壁面	・かぶり厚さが大きいことから,構造安全性や遮蔽性に与える影響は小さいため,使用性のみに着目する ・塗装などにより保護されているため,劣化の影響は小さい
車両の走行など	－	－	・車両が床面などを走行することはない
不同沈下	－	－	・PCCVは原則として岩盤に直接支持されていることから不同沈下は生じにくい
過荷重	－	－	・設計時に想定した荷重を上回る重量機器などを設置する場合には,その都度技術者が評価を行い,構造体や部材の健全性を確認している
地震,台風などの荷重	○	シェル部,底部	
火災による熱	○	火災の生じた部屋の部位	

*:立地条件による.

付表Ⅱ.4-4 PCCVのプレストレスシステムで着目する劣化要因の選定結果
（凡例 ○：劣化要因として選定する，－：劣化要因として選定しない）

劣化要因	選定結果	備考
熱（高温）	－	・一般に経験される温度レベルは200℃よりも極めて低く，通常運転時の状態下でPC鋼材に熱損傷が生じる可能性は極めて低い
放射線照射	－	・PCCVの照射量は，閾値よりも低く，プレストレスシステムの性能に影響を与える可能性は極めて低い
プレストレス損失 （コンクリートの乾燥収縮・クリープおよびPC鋼材のリラクセーション）	○	
定着具およびPC鋼材の腐食	－	・定着具およびPC鋼材の腐食を防止するために，水分が浸入しないように逆Uテンドンの採用や雨水対策を行い，また，シース，グリースキャップまたはエンドキャップ内には，防せい材（グリース）が充填されているため，定着具およびPC鋼材が腐食する可能性は極めて低い
定着具およびPC鋼材の疲労	－	・通常運転時に繰返し載荷や振動を与える機器類はなく，また，疲労試験（高サイクル疲労試験および低サイクル疲労試験）を施工に先立ち実施しており，疲労破壊する可能性は極めて低い
地震，台風などの荷重	○	
火災による熱	○	

(4) 着目する劣化事象および劣化要因の整理

コンクリート部の経年的な劣化に対する劣化事象および劣化要因の整理と，突発的な劣化に対する劣化事象および劣化要因を整理して付表Ⅱ.4-5(a)，(b)に示す．また，プレストレスシステムの経年的な劣化に対する劣化事象および劣化要因の整理，突発的な劣化に対する劣化事象および劣化要因を整理して付表Ⅱ.4-6(a)，(b)に示す．

付表Ⅱ.4-5(a) PCCVのコンクリート部の経年的な劣化に対する劣化事象および劣化要因の整理

性能	劣化事象	劣化要因									
		熱（高温）	放射線照射	中性化	塩分浸透	アルカリ骨材反応	凍結融解	乾燥収縮	クリープ	日射	風化
構造安全性	コンクリートの強度低下	○	○	—	—	—	—	—	—	—	—
	ひび割れ	○	○	○	○	○	—	—	—	—	—
	鉄筋腐食	—	—	○	○	—	—	—	—	—	—
	剥離・剥落	—	—	○	○	—	—	—	—	—	—
使用性	ひび割れ	○	○	○	○	○	○*	○	—	○	○
	剥離・剥落	—	—	○	○	○	○*	—	—	—	—
	たわみ	—	—	—	—	—	—	—	○	—	—
遮蔽性	水分逸散	○	○	—	—	—	—	—	—	—	—
	ひび割れ	○	○	—	—	—	—	—	—	—	—
	剥離・剥落	—	—	○	○	○	—	—	—	—	—

＊：立地条件による．

付表Ⅱ.4-5(b) PCCVのコンクリート部の突発的な劣化に対する劣化事象および劣化要因の整理
(凡例 ○：対象部位がある)

性能	劣化事象	劣化要因	
		地震，台風などの荷重	火災による熱
構造安全性	強度低下	―	○
	ひび割れ	○	○
	剥離・剥落	○	○
	爆裂	―	○
使用性	ひび割れ	○	○
	剥離・剥落	○	○
	爆裂	―	○
遮蔽性	水分逸散	―	○
	ひび割れ	○	○
	剥離・剥落	○	○
	爆裂	―	○

付表Ⅱ.4-6(a) PCCVのプレストレスシステムの経年的な劣化に対する劣化事象および劣化要因の整理

性能	劣化事象	劣化要因
		プレストレス損失 (コンクリートの乾燥収縮・クリープ およびPC鋼材のリラクセーション)
構造安全性	緊張材（テンドン）の緊張力低下	○

付表Ⅱ.4-6(b) PCCVのプレストレスシステムの突発的な劣化に対する劣化事象および劣化要因の整理

性能	劣化事象	劣化要因	
		地震，台風などの荷重	火災による熱
構造安全性	緊張材（テンドン）の緊張力低下	○	○

参 考 文 献

1) International Atomic Energy Agency：IAEA NUCLEAR ENERGY SERIES No. NP-T-3.5, Ageing Management of Concrete Structures in Nuclear Power Plants, 2016

2) Nuclear Regulatory Commission：NUREG-1801, Rev.2, Generic Aging Lessons Learned (GALL) Report, 2010

3) プレストレストコンクリート技術協会 PC斜張橋・エクストラドーズド橋維持管理指針, 2011

4) Nuclear Regulatory Commission : INFORMATION NOTICE 99-10 REVISION 1, DEGRADATION OF PRESTRESSING TENDON SYSTEMS IN PRESTRESSED CONCRETE CONTAINMENTS, 1999

5章　維持管理計画の策定

5.1　維持管理の区分

a. 維持管理の区分

　　PCCVの維持管理の区分は，本編と同様に，「現状の健全性を確保するための維持管理」と「長期的な健全性を確保するための維持管理」の二つの維持管理に分類する．二つの維持管理の比較を，付表Ⅱ.5-1(a), (b)に示す．

付表Ⅱ.5-1(a)　二つの維持管理の比較（コンクリート部）

維持管理の区分	現状の健全性を確保するための維持管理		長期的な健全性を確保するための維持管理
着目する対象	劣化事象		劣化要因[*1]
劣化の種類	経年的な劣化	突発的な劣化	経年的な劣化
点検の種類	現状の健全性評価のための定期点検	臨時点検	長期的な健全性評価のための定期点検
点検の対象部位	PCCV全体		代表部位
点検の方法	主に目視による方法		主に間接的な方法
健全性評価の対象	劣化事象の有無もしくはその程度		劣化要因の影響の程度
健全性評価の方法	点検結果と評価基準の比較		点検結果に基づく進展予測と評価基準の比較
点検・健全性評価の実施時期	5年以内[*2]の周期	地震などの発生時	現状の健全性を確保するための維持管理の周期より長くしてよい

*1：主に構造安全性と遮蔽性に影響を与える劣化事象を生じさせる劣化要因
*2：目視による方法の場合

付表Ⅱ.5-1(b)　二つの維持管理の比較（プレストレスシステム）

維持管理の区分	現状の健全性を確保するための維持管理		長期的な健全性を確保するための維持管理
着目する対象	劣化事象		劣化要因
劣化の種類	経年的な劣化	突発的な劣化	経年的な劣化
点検の種類	現状の健全性評価のための定期点検	臨時点検	長期的な健全性評価のための定期点検
点検の対象部位	PCCV全体および代表部位		代表部位
点検の方法	目視による方法および緊張力試験	主に目視による方法	緊張力試験（現状の健全性評価のための定期点検で得られる点検結果を使用）
健全性評価の対象	劣化事象の有無もしくは進展の程度		劣化要因の影響の程度
健全性評価の方法	点検結果と評価基準の比較		点検結果に基づく進展予測と評価基準の比較
点検・健全性評価の実施時期	CCV規格に基づく	地震などの発生時	現状の健全性を確保するための維持管理の周期より長くしてよい

b. 現状の健全性を確保するための維持管理

「現状の健全性を確保するための維持管理」では，本編と同様に，現時点においてPCCVが健全であることを確認するために，現状のPCCVの状態を，劣化事象の有無もしくはその程度を把握することにより評価し，必要に応じた対策を講じる．

コンクリート部の劣化事象は，本編のコンクリート構造物と同様に，コンクリートの強度低下などの一部を除き，コンクリート表面のひび割れなどの変状として現れるものであり，目視による方法を主体とした手法により把握することが可能である．現時点におけるPCCVの変状の有無を確認するために実施するものであることから，基本的に，PCCV全体を対象に実施する．また，コンクリート強度については目視による方法では確認できないので，直接的な方法として，非破壊による方法により傾向監視を行うことを基本とする．

プレストレスシステムの経年的な劣化は，CCV規格に基づき，国内のPCCVで実施されている供用期間中検査（ISI）により把握することが可能である．劣化事象である緊張材（テンドン）の緊張力低下については，緊張材（テンドン）定着部に異常がないか目視による方法で点検を実施する．また，緊張材（テンドン）の緊張力低下の有無もしくは進展の程度を把握するため，緊張力試験を実施する．

プレストレスシステムの突発的な劣化は，定着部周辺のコンクリート表面やグリースキャップまたはエンドキャップの外観について目視による方法で点検を実施し，変状が見られた場合には，より詳細な点検について検討し，実施することにより把握することが可能である．

現状の健全性を確認するための維持管理で着目する劣化事象を付表Ⅱ.5-2(a)，(b)に示す．

付表Ⅱ.5-2(a) 「現状の健全性を確保するための維持管理」で着目する劣化事象
（コンクリート部）

	PCCVで着目する劣化事象	構造安全性	使用性	遮蔽性
経年的な劣化	コンクリートの強度低下	○	—	—
	ひび割れ	○	○	○
	鉄筋腐食	○	—	—
	剥離・剥落	○	○	○
	たわみ	—	○	—
	水分逸散	—	—	○
突発的な劣化	コンクリートの強度低下（火災）	○	—	—
	水分逸散（火災）	—	—	○
	ひび割れ	○	○	○
	剥離・剥落	○	○	○
	爆裂（火災）	○	○	○

付表Ⅱ.5-2(b) 「現状の健全性を確保するための維持管理」で着目する劣化事象
（プレストレスシステム）

	PCCVで着目する劣化事象	構造安全性
経年的な劣化	緊張材（テンドン）の緊張力低下	○
突発的な劣化	緊張材（テンドン）の緊張力低下	○

c. 長期的な健全性を確保するための維持管理

「長期的な健全性を確保するための維持管理」では，本編と同様に，将来にわたってPCCVの機能を維持することを目的に，劣化事象が現れる前から，その原因である劣化要因の影響の程度を把握するとともに，進展予測などにより長期的な影響を評価し，事前に必要に応じた対策を講じる．

コンクリート部の「長期的な健全性を確保するための維持管理」では，本編のコンクリート構造物と同様，必要となるデータは長期的な健全性評価のための定期点検により取得する．点検によるデータの取得は，PCCVがクラスMC容器であり，プレストレストコンクリート構造物でもあることから，構造安全性に関連する劣化事象であるひび割れ，鉄筋腐食，剥離・剥落などのコンクリート表面の変状が生じていない限り，局部破壊による方法は適用しない．したがって，「長期的な健全性を確保するための維持管理」においては，間接的な方法により劣化要因の影響の程度を把握することを基本とする．

プレストレスシステムの「長期的な健全性を確保するための維持管理」では，現状の健全性評価のための定期点検で得られる点検結果に基づいて，劣化要因の影響の程度を把握するとともに進展予測を行い，予測値と評価基準を比較することにより健全性を評価する．

付表Ⅱ.5-3に，着目する劣化要因の例を示す．

付表Ⅱ.5-3　「長期的な健全性を確保するための維持管理」で着目する劣化要因の例

コンクリート部	プレストレスシステム
熱（高温） 放射線照射 中性化 塩分浸透 アルカリ骨材反応	プレストレス損失 （コンクリートの乾燥収縮・クリープおよびPC鋼材のリラクセーション）

5.2　維持管理計画の策定

a. 維持管理計画の策定

(1) 対象とする建築物

PCCV を対象とする．

(2) 着目する劣化事象および劣化要因

「現状の健全性を確保するための維持管理」では着目する劣化事象を，「長期的な健全性を確保するための維持管理」では着目する劣化要因を，PCCV の条件，環境条件などを考慮して選定する．

(3) 維持管理の実施体制

PCCV の維持管理のための実施体制は，CCV 規格の供用期間中検査（ISI）を参考に定めるとよい．

(4) 点検および健全性評価の実施時期・実施間隔

コンクリート部については，本編と同様とする．

プレストレスシステムについては，CCV 規格の供用期間中検査（ISI）を参考に定めるとよい．

(5) 点検の方法

点検には，本編と同様に，経年的な劣化に対して行う定期点検と，突発的な劣化に対して行う臨時点検がある．

コンクリート部については，本編のコンクリート構造物と同様の点検を行う．

プレストレスシステムにおける現状の健全性評価のための定期点検は，CCV 規格の供用期間中検査（ISI）を参考に定めるとよい．

(6) 健全性評価の方法

点検結果に基づき，どのように健全性評価を行うかを定める．具体的には，評価の方法，劣化事象および劣化要因ごとの評価基準を定める．

(7) 対策と効果の確認の方法

健全性評価の結果に応じ，対策の方法や補修を行った場合の効果の確認方法について定める．補修の方法，実施時期などの個々の劣化に対する具体的な対応は，そのつど補修計画を別途定めることとし，維持管理計画では対策の基本的な考え方を示す．

(8) 記録・保管の方法

点検,健全性評価および対策と効果の確認の実施結果や,維持管理計画の変更履歴を記録・保管するための方法について定める.

(9) 維持管理計画の評価の方法

維持管理計画の継続的な改善を図ることを目的に実施する,維持管理計画の評価について定める.

b. 維持管理計画の妥当性の評価

点検および健全性評価を行った際には,維持管理計画の妥当性について評価し,必要に応じ維持管理計画の見直しを行う.維持管理計画の見直しにあたっては,点検,健全性評価および対策と効果の確認の実施だけではなく,PCCVに関する国内外の運転状況,最新の技術的知見,試験研究成果などの情報も,見直しのための判断材料とする.

6章 点　検

6.1　点検の区分
a. 点検の区分

　点検は，一定期間ごとに実施する定期点検と，地震，台風，火災などの発生時に実施する臨時点検の二つに区分する．定期点検については「付録Ⅱ 6.2　定期点検」に示す．臨時点検については「付録Ⅱ 6.3　臨時点検」に示す．

b. 定期点検の目的

　定期点検の目的は，PCCV の経年的な劣化状況を把握することである．定期点検で劣化の発生位置や程度を把握・記録することにより，健全性評価に必要なデータを得る．

c. 臨時点検の目的

　臨時点検の目的は，地震，台風，火災などの発生直後に PCCV の変状の有無を確認することにより，地震，台風，火災などによる影響を把握することである．臨時点検で，地震，台風，火災などによる変状，劣化の発生位置および劣化の程度を把握し，記録することにより，健全性評価に必要なデータを得る．

6.2　定期点検
a. 定期点検の種類

　定期点検の種類と方法を付図Ⅱ.6-1 に示す．定期点検は，本編と同様に，劣化事象に着目して行う現状の健全性評価のための定期点検と，劣化要因に着目して行う長期的な健全性評価のための定期点検に大別し，それぞれ，直接的な方法と間接的な方法による点検がある．目視による方法，非破壊による方法に代表される直接的な方法，あるいは間接的な方法（環境条件調査による方法，近傍の点検結果などを準用する方法，模擬試験体による試験）を基本として点検を行うが，必要に応じて局部破壊による方法で代替する．

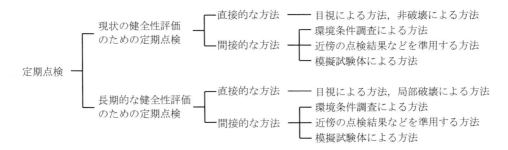

付図Ⅱ.6-1　定期点検の種類と方法

b. 現状の健全性評価のための定期点検の方法

　現状の健全性評価のための定期点検は，一定期間ごとに繰返し行う点検であり，経年的な劣化事象に着目する．現状の健全性評価のための定期点検の方法は，直接的な方法と間接的な方法に分けられる．

(1) コンクリート部

　PCCV の着目する劣化事象に対する現状の健全性評価のための定期点検は，目視による方法を基本とする．目視による方法では確認できないコンクリート強度については，非破壊による直接的な方法および模擬試験体による間接的な方法により，強度特性の傾向監視を行う．

　なお，高所であることや機器などの配置により当該部位へのアクセスが困難で直接的な方法による点検ができない場合については，必要に応じて間接的な方法で代替する．間接的な方法には，以下に示すような方法がある．

① 環境条件調査による方法

　コンクリートの強度低下および水分逸散の影響を確認するため，点検対象部位がさらされる環境条件を測定し劣化要因の影響を確認する方法で，コンクリート内部の温度や放射線照射量などを解析により求める場合もある．

② 近傍の点検結果などを準用する方法

　点検対象箇所の周囲にある類似の構造および類似の環境条件の箇所（近傍）における点検結果を，点検対象箇所の点検結果とみなすことができる．

③ 模擬試験体による方法

　模擬試験体を PCCV と同等な条件で作製して同等な環境に置き，局部破壊による方法を実施することにより，PCCV に損傷を与えずに点検を実施することがこれに相当する．

　コンクリート部の現状の健全性評価のための定期点検を付表Ⅱ.6-1 に示す．

付表 II.6-1　現状の健全性評価のための定期点検
（コンクリート部）

劣化事象	関連する性能	対象部位	点検項目	点検方法
コンクリートの強度低下	構造安全性	シェル部，底部	圧縮強度の変化	非破壊による方法（反発度による方法，弾性波による方法）
				間接的な方法（近傍の点検結果などを準用する方法，模擬試験体による方法）
ひび割れ	構造安全性 使用性 遮蔽性	シェル部，底部	ひび割れ状況	目視による方法（ひび割れの測定）
鉄筋腐食	構造安全性	シェル部，底部	さび汁	目視による方法（打音による方法）
剥離・剥落	構造安全性 使用性 遮蔽性		剥離・剥落の有無	目視による方法（打音による方法）
				非破壊による方法（赤外線による方法など）
たわみ	使用性	シェル部	変形量	目視による方法（変形測定）
水分逸散	遮蔽性	遮蔽要求部位	温度	間接的な方法（温度の解析，環境条件調査による方法）
			密度*	間接的な方法（環境条件調査による方法，近傍の点検結果などを準用する方法，模擬試験体による方法）

＊：関連する性能である遮蔽性を評価する場合

a) コンクリートの強度低下

　コンクリートの圧縮強度を調査する非破壊による方法として，反発度による方法が一般的である．反発度の測定結果は，コンクリート表面の乾湿による影響，使用骨材，骨材寸法，調合，施工，環境条件などの影響を受ける．リバウンドハンマーが一般的に採用されているが，その適用範囲は強度 60N/mm² 程度が上限であり[1]，そのため，高強度域では，一般的に強度推定に使用されている材料学会式や，日本建築学会の非破壊試験方法マニュアルに示される式から求めた推定強度は，構造体の実強度を低く評価する傾向がある[2),3)]．

　PCCV のコンクリートの圧縮強度は，建設時の管理供試体やモニタリング試験体の長期材齢強度試験結果[4),5)] などから，従来の反発度によるコンクリートの強度推定式は適用範囲外となる可能性が高い．

　そのため，PCCV のコンクリートの圧縮強度を推定するには，PCCV の使用骨材，骨材寸法，調合，施工，環境条件などの影響を考慮した強度推定式を用いることが望ましく，PCCV を対象とした模擬試験体を用いた非破壊による方法に基づいた強度推定式が，高強度コンクリートの強度推定に関する研究[6),7)]に示されている．この研究では，反発度による強度推定式および反発度と非破壊による方法(超音波法，衝撃弾性波法)を組み合わせた複合法による強度推定式が示されている．

　反発度による方法については，付図 II.6-2 の長期材齢の実機モニタリング試験体のコア強度と

提案された回帰式による推定強度の比較結果から，(付Ⅱ.6.1)式により高強度，かつマスコンクリート構造体の圧縮強度が概ね推定できる．

・反発度による強度推定式

$$F = 16.4 \times \exp(2.91 \times 10^{-2} \times R) \tag{付Ⅱ.6.1}$$

ここに，　　　F　　　：推定圧縮強度 (N/mm²)

　　　　　　　R　　　：リバウンドハンマーによる反発度

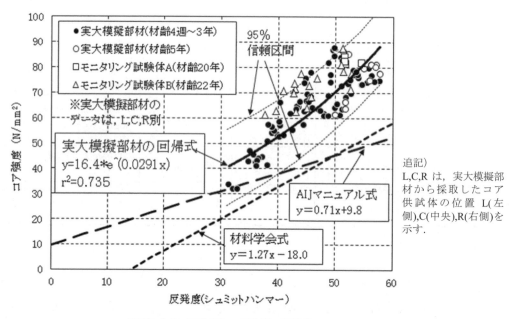

付図Ⅱ.6-2　反発度とコア強度の関係[6]

この研究では，反発度と各種非破壊による方法（超音波法，衝撃弾性波法）を組み合わせた複合法によるいくつかの強度推定式についても示されており，その例として，反発度と弾性波伝搬速度（P波速度）と組み合わせた複合法による強度推定式を（付Ⅱ.6.2）式に示す．なお，この研究では複合法は，反発度単体による推定強度よりも精度が高い結果となっているが，実際のコンクリート構造物において，コンクリート表面に微細なひび割れがある場合，弾性波の伝搬速度に影響し，計測結果にばらつきが生じることがある．そのため，PCCVの強度推定に複合法を適用するに際しては，非破壊による方法（超音波法，衝撃弾性波法）による弾性波の伝搬速度計測の測線の取り方に注意する必要がある．

・複合法による強度推定式

$$\log F = 2.45 \times 10^{-2} \times R + 9.56 \times 10^{-4} \times P - 1.25 \qquad (付Ⅱ.6.2)$$

ここに，　　F　　：推定圧縮強度 (N/mm²)

　　　　　　R　　：リバウンドハンマーによる反発度

　　　　　　P　　：弾性波伝搬速度（P波速度）(m/s)

b) ひび割れ

目視による方法でひび割れが確認された場合，ひび割れの発生状況から劣化要因を推定し，影響する性能を推定することが求められ，コンクリート構造に関する知識・経験を有する技術者が点検を実施する必要がある．

目視による方法で確認されたひび割れが，中性化や塩分浸透に伴う鉄筋の腐食またはアルカリ骨材反応を劣化要因として発生した場合，構造安全性に影響する可能性があり，影響範囲を確認し対策を行う必要がある．ここに，目視による方法でひび割れの劣化要因を推定する場合，付表Ⅱ.6-2に示すひび割れの特徴やひび割れパターンが参考になる．しかし，ひび割れの特徴やパターンは，部材の特性，拘束条件および環境条件により多岐に変化するため，目視により確認できた項目は，詳細に記録に残すことが必要である．

ひび割れが構造安全性に影響を及ぼさないと判断された場合，使用性および遮蔽性に及ぼす影響を確認し，ひび割れ幅，長さ，パターン，特徴などを確認する．ひび割れ幅はクラックスケールで，ひび割れ長さはスケールで，ひび割れの深さは弾性波などを用いて測定することができる．

付表Ⅱ.6-2　構造安全性に関連するひび割れの劣化要因と特徴

劣化要因	特徴
中性化 塩分浸透	中性化および塩分浸透により鉄筋腐食が生じると，かぶりコンクリートにひび割れが生じ，さらに進展するとかぶりコンクリートの剥離・剥落につながる．鉄筋腐食先行型のひび割れであり，主筋に沿ったひび割れが生じる場合が多い．中性化や塩分浸透を劣化要因とするひび割れが生じた場合は，鉄筋腐食が進展しているため，さび汁を伴うことが多い．
アルカリ骨材反応	アルカリ骨材反応に起因するひび割れは，鉄筋による拘束力が小さい場合には互いに120°の角度で発生する網目状のひび割れとなり，鉄筋による拘束が大きい部材では鉄筋方向が卓越したひび割れとなる．ひび割れ以外の表面変状として，ゲルの浸出およびポップアウトの発生が生じる場合がある．

c) 水分逸散

水分逸散は熱（高温）により生じるもので，現状の技術ではコンクリート中の水分量を直接的な方法により把握することが困難であるため，間接的な方法として環境条件調査による方法を行うことにより，性能に影響を与える水分逸散が生じない環境であることの確認を行う．関連する性能である遮蔽性を評価する場合は，必要に応じて間接的な方法（環境条件調査による方法，近傍の点検結果などを準用する方法，模擬試験体による方法）で代替する．

(2) プレストレスシステム

プレストレスシステムに対する現状の健全性評価のための定期点検を付表Ⅱ.6-3に示す.

付表Ⅱ.6-3 現状の健全性評価のための定期点検
（プレストレスシステム）

劣化事象	対象部位	点検項目	点検方法
緊張材（テンドン）の緊張力低下	緊張材（テンドン）	緊張材（テンドン）定着部の状況	目視による方法
		端部緊張力	緊張力試験（リフトオフ試験または同等の試験*）

＊：同等の試験としては，ロードセルによる方法がある．

a) 緊張材（テンドン）の緊張力低下

緊張材（テンドン）の緊張力低下は，構造安全性に影響を及ぼす劣化事象であるため，緊張材（テンドン）定着部の状況について異常がないか目視による方法で点検を実施する．また，リフトオフ試験（油圧ジャッキにより緊張材［テンドン］を引張り，シムとアンカーヘッドが離間した時の緊張力を測定する試験）または同等の試験により測定された両側の緊張材（テンドン）端部における端部緊張力に基づき評価する．なお，端部緊張力は，CCV規格の供用期間中検査（ISI）における緊張材の緊張力試験の試験結果を使用する．

c. 長期的な健全性評価のための定期点検の方法

(1) コンクリート部

長期的な健全性評価のための定期点検は，劣化要因の影響の程度を把握することを目的とし，劣化要因の影響の程度が顕著になる箇所を選定し，点検を実施する．現状の健全性評価のための定期点検における直接的な方法と同様にPCCVへの損傷は回避すべきであり，間接的な方法を基本とし，局部破壊による方法は，目視による方法によりコンクリート表面に構造安全性，遮蔽性に関連するひび割れ，さび汁，剥離・剥落などの劣化事象が確認された場合に限り適用する．

高所や機器配置上の問題により当該部位へのアクセスが困難で直接的な方法による点検が困難な場合は，必要に応じて間接的な方法で代替する．間接的な方法には，以下に示すような方法がある．具体的な方法は，着目する劣化要因の特徴や環境条件によって決定する．

① 環境条件調査による方法

コンクリート部に対する熱（高温）および放射線照射について，温度条件および環境条件を確認すること．また，必要に応じて温度，放射線量などの実測データを入力として解析により予測を行うことがこれに相当する．

② 近傍の点検結果などを準用する方法

点検対象箇所の周囲にある類似の構造および類似の環境条件の箇所（近傍）における点検結果を，点検対象箇所の点検結果とみなすことができる．

③ 模擬試験体による方法

　模擬試験体を PCCV と同等な条件で作製して同等な環境に置き，局部破壊による方法を実施することにより，PCCV に損傷を与えずに点検を実施することがこれに相当する．

　コンクリート部に対する長期的な健全性評価のための定期点検を付表Ⅱ.6-4 に示す．

付表Ⅱ.6-4　長期的な健全性評価のための定期点検
（コンクリート部）

劣化要因	対象部位	点検項目	点検方法
熱（高温）	シェル部の高温になる部位	温度	間接的な方法（環境条件調査による方法）
放射線照射	底部の長期間放射線照射を受ける部位	放射線量	
中性化	シェル部，底部	中性化深さ	間接的な方法（近傍の点検結果などを準用する方法，模擬試験体による方法）
塩分浸透	飛来塩分などにさらされるシェル部	塩化物含有量	間接的な方法（近傍の点検結果などを準用する方法，模擬試験体による方法）
アルカリ骨材反応	シェル部，底部	ひび割れ	目視による方法

(2) プレストレスシステム

　プレストレスシステムに対する長期的な健全性評価のための定期点検を付表Ⅱ.6-5 に示す．

付表Ⅱ.6-5　長期的な健全性評価のための定期点検
（プレストレスシステム）

劣化要因	対象部位	点検項目	点検方法
プレストレス損失（コンクリートの乾燥収縮・クリープおよび PC 鋼材のリラクセーション）	緊張材（テンドン）	緊張材（テンドン）の緊張力低下	現状の健全性評価のための定期点検における緊張力試験（リフトオフ試験または同等の試験[*]）

＊：同等の試験としては，ロードセルによる方法がある．

a) プレストレス損失（コンクリートの乾燥収縮・クリープおよび PC 鋼材のリラクセーション）

　プレストレス損失（コンクリートの乾燥収縮・クリープおよび PC 鋼材のリラクセーション）は，直接的な評価が困難なため，劣化事象である緊張材（テンドン）の緊張力低下について，現状の健全性評価のための定期点検で得られる点検結果を長期的な健全性評価のための点検結果とする．

　現状の健全性評価のための定期点検で得られる点検結果は，CCV 規格の供用期間中検査（ISI）における緊張材の緊張力試験において，リフトオフ試験または同等の試験により測定さ

れた端部緊張力を使用する．

d. 定期点検計画の策定

　　点検の実施にあたっては，維持管理計画に従って，あらかじめ定期点検計画を作成する．定期点検計画では，設計図書，施工記録，補修記録，過去の点検記録・健全性評価結果，環境調査結果，同様な施設の維持管理計画などを参考にする．

6.3 臨時点検

a. 臨時点検の方法

　　臨時点検が必要となる地震，台風，火災などが発生した場合，迅速な影響の把握が重要である．まず，広い範囲を迅速に確認できる目視による方法で点検を行い，さらに詳細な点検の必要性と点検が必要な範囲について検討を行う．

(1) コンクリート部

　　コンクリート部に対する臨時点検を付表Ⅱ.6-6 に示す．対象部位，劣化事象，点検項目，点検方法は，本編のコンクリート構造物と同様である．

付表Ⅱ.6-6　臨時点検（コンクリート部）

劣化要因	対象部位	関連する性能	劣化事象	点検項目	点検方法
地震，台風などの荷重	損傷箇所	構造安全性 使用性 遮蔽性	ひび割れ	ひび割れの状況	目視による方法 （ひび割れの測定） （打音による方法）
			剥離・剥落	剥離・剥落の有無	
火災による熱	火害箇所	構造安全性 使用性 遮蔽性	コンクリートの強度低下		「建物の火害診断および補修・補強方法指針・同解説」[8]に準じて点検を実施する．
			ひび割れ		
			剥離・剥落		
			爆裂		

(2) プレストレスシステム

プレストレスシステムに対する臨時点検を付表Ⅱ.6-7に示す．

付表Ⅱ.6-7 臨時点検（プレストレスシステム）

劣化要因	対象部位	関連する性能	劣化事象	点検項目	点検方法
地震，台風などの荷重	プレストレスシステム	構造安全性	緊張材（テンドン）の緊張力低下	プレストレスシステムの状況	目視による方法
火災による熱	被災部のプレストレスシステム	構造安全性	緊張材（テンドン）の緊張力低下	プレストレスシステムの状況	目視による方法

a) PCCVが地震，台風などの荷重を受けた場合

　PCCVが地震，台風などの荷重を受けた場合は，プレストレスシステムの状況を把握するために，緊張材（テンドン）定着部からの防せい材（グリース）の漏れ，グリースキャップまたはエンドキャップの変形について，外観の目視による方法で点検を行う．変状が見られた場合には，より詳細な点検について検討し，実施することにより，プレストレスシステムの状況を把握する．

b) PCCVが火災による熱を受けた場合

　PCCVが火災による熱を受けた場合は，受熱部のグリースキャップまたはエンドキャップ，支圧板および周辺コンクリートの状況を把握するために外観の目視による方法で点検を行う．変状が見られた場合には，より詳細な点検について検討し，実施することにより，プレストレスシステムの状況を把握する．

b. 臨時点検計画の策定

　維持管理計画に従って，地震，台風の規模や火災の程度や位置に応じて臨時点検計画を点検実施前に作成する．

参考文献

1) 日本建築学会：コンクリート強度推定のための非破壊試験マニュアル，1983
2) 斯波明宏,辻幸和：リバウンドハンマーによるコンクリート強度の推定,コンクリートテクノ，Vol.25，No.4，pp.9-22，2006.4
3) 渡邊聡，中根博，川幡栄治，河上浩司：高強度コンクリートへのリバウンドハンマーの適用と強度推定式の提案，コンクリート工学年次論文集，Vol.26，No.1，pp.1827-1832，2004
4) 尾崎昌彦，大藤信雄，北川高史，小野香：コンクリートの長期物性モニタリング試験，日本建築学会技術報告集，第13号，pp.9-14，2001.7
5) 稲富敬，渡部淳之介，船本憲治，御手洗泰文，宮嶋浩，大池武：反発度法による高強度構造体コンクリートの強度推定，日本建築学会大会学術講演梗概集（中国），pp.777-778，2008.9
6) 都築正則，神代泰道，伏見実，中尾正純：高強度コンクリートの強度推定に関する研究，日本建築学会技術報告集，第20巻，第45号，pp.487-490，2014.6
7) Hideki Tanaka, Yoshihiro Yamaguchi, Takashi Kitagawa, Yasumichi Koshiro, Hideo Takahashi, Shinichi Takezaki, Masazumi Nakao, "Maintenance of Prestressed Concrete Containment Vessels in a Nuclear Power Plant", Journal of Advanced Concrete Technology Vol.14, pp.464-474, 2016.8
8) 日本建築学会：建物の火害診断および補修・補強方法指針・同解説，2015

7章　健全性評価

7.1　健全性評価の概要

a. 健全性評価の基本

　　建築物の健全性評価は，点検および進展予測の結果をあらかじめ設定した評価基準と比較することにより，建築物が機能を維持するために必要な性能水準を確保できている状態であるかを確認する行為である．健全性評価では，点検結果や進展予測の結果を劣化事象や劣化要因ごとに設定した評価基準（付録 I.1 参照）に応じて 2 段階または 3 段階に区分することにより，PCCV の要求機能に関する性能が所要の性能水準を確保していることを確認する．本章で扱う健全性評価を「一次評価」と呼ぶ．健全性評価の結果，機能が維持できていない場合や機能が維持できなくなる可能性がある場合には，対策を講じることとする．

　　なお，原子力施設は同一用途で同じ機能を有する建築物が建設時期や使用材料に大きな差がなく複数建設されることがあり，発生する劣化事象は類似する傾向があるため，健全性評価において参考にすることができる．

b. 健全性評価の区分

　　健全性は点検時点のみならず，供用期間を通じて確保されなければならないことに留意し，劣化事象に着目した現状の健全性評価を行うとともに，供用期間中における構造安全性や遮蔽性に影響を及ぼす劣化要因については，供用期間における劣化要因の影響の程度を予測する長期的な健全性評価を行う．

7.2　現状の健全性評価

a. 現状の健全性評価に関する基本方針

　　PCCV の性能は劣化事象の進展により低下していくため，現在発生している劣化事象に着目して行う健全性評価は，維持管理の基本となる．対象とする劣化事象は付表 II. 5-2(a), (b)に示される劣化事象で，付図 II. 7-1 に示す現状の健全性評価に関する維持管理のフローに従い，健全性評価を実施する．

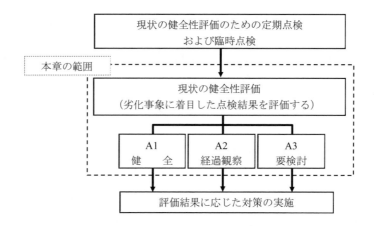

付図Ⅱ.7-1　現状の健全性評価に関する維持管理のフロー

b. 現状の健全性評価の具体的な方法
(1) 健全性評価の区分

　現状の健全性評価では，現状の健全性評価のための定期点検および臨時点検の結果とあらかじめ設定した評価基準を比較し，A1（健全），A2（経過観察），A3（要検討）に区分する．

　ここに，A1（健全）は点検結果が評価基準を満足する場合，A2（経過観察）は劣化が顕在化しているが点検結果は評価基準を満足している場合，A3（要検討）はすでに点検結果が評価基準を満足していない場合とする．

(2) 評価基準の設定

　評価基準は，機能を維持するために必要な性能水準を確保する観点から，既往の指針類，最新の知見，実測結果に基づく根拠資料などにより設定する．

　以下に，劣化事象ごとの評価基準を示す．

　a) コンクリート部

　　PCCV のコンクリート部の劣化事象ごとの評価基準は，本編のコンクリート構造物の評価基準と同様である．

　b) プレストレスシステム

　　1) 緊張材（テンドン）の緊張力低下

　　　目視による方法により確認した緊張材（テンドン）定着部の状況において，機能や性能に影響を及ぼす腐食，変形などの異常がないこと，およびリフトオフ試験または同等の試験により測定した端部緊張力が，PCCV の供用期間のコンクリートの乾燥収縮・クリープおよび PC 鋼材のリラクセーションを考慮した設計要求値（設計緊張力）以上であることを確認する．

　　　目視による方法の結果，異常がない場合，およびリフトオフ試験または同等の試験により得られる端部緊張力が設計要求値以上である場合を A1（健全），目視による方法の結果，異

常が確認された場合，およびリフトオフ試験または同等の試験により得られる端部緊張力が設計要求値未満である場合を A3（要検討）とする．A3 と評価された場合には，より詳細な点検（詳細な目視による方法など）について検討を行い，個別に健全性評価を行う．

2) 地震，台風などにより生じる劣化事象

目視による方法の結果，地震，台風などの影響を受けていない場合を A1（健全），地震，台風などの影響を受けている場合を A3（要検討）とする．A3 と評価された場合には，より詳細な点検（詳細な目視による方法，リフトオフ試験など）について検討を行い，個別に健全性評価を行う．

3) 火災により生じる劣化事象

目視による方法の結果，火災の影響を受けていない場合を A1（健全），火災の影響を受けている場合を A3（要検討）とする．A3 と評価された場合には，より詳細な点検（詳細な目視による方法，リフトオフ試験など）について検討を行い，個別に健全性評価を行う．

7.3 長期的な健全性評価

a. 長期的な健全性評価に関する基本方針

PCCV に求められる機能を維持していくためには，現状の PCCV の性能を把握するだけではなく，将来的な性能の低下傾向を予測し，必要な性能水準を下回る前に対策を講じることが望ましい．PCCV の性能は劣化事象の進展により低下していくが，劣化事象の発生を直接推定することは難しい．このため，劣化事象の原因となる劣化要因による影響を予測することとし，特に原子力施設に求められる特有の機能と関連性が高く，構造安全性および遮蔽性に影響を与える劣化要因について，付図 II.7-2 に示す長期的な健全性評価に関する維持管理のフローに従い健全性評価を実施する．

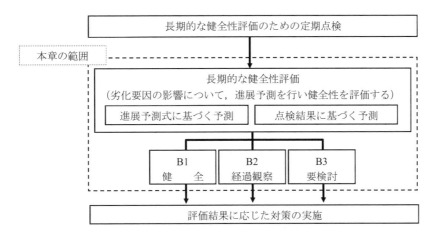

付図 II.7-2　長期的な健全性評価に関する維持管理のフロー

b. 長期的な健全性評価の具体的な方法

(1) 健全性評価の区分

長期的な健全性評価では，劣化要因の影響程度の進展予測結果とあらかじめ設定した評価基準とを比較し，B1（健全），B2（経過観察），B3（要検討）のいずれかに区分する．

ここに，B1（健全）は進展予測の結果が評価基準を満足する場合，B2（経過観察）は現時点における点検結果は評価基準を満足しているが，供用期間中に評価基準を満足できなくなる可能性がある場合，B3（要検討）は現時点における点検結果などがすでに評価基準を満足していない場合とする．

(2) 進展予測の方法

a) コンクリート部

PCCVにおけるコンクリート部の進展予測の方法は，本編のコンクリート構造物の方法と同様である．

b) プレストレスシステム

プレストレス損失（コンクリートの乾燥収縮・クリープおよびPC鋼材のリラクセーション）の進展予測は，点検結果や既往の進展予測式を用いて行うことができる．

1) 点検結果と進展予測式に基づく予測

コンクリートの乾燥収縮・クリープおよびPC鋼材のリラクセーションについては，日本建築学会，日本機械学会などで進展予測式が提案されており，必要な情報が得られた場合には進展予測を行うことができる．

2) 点検結果に基づく予測

蓄積された点検結果を経年的に整理することにより，進展予測式がなくても劣化要因による影響についての傾向を予測することができる．一般的に経年的な劣化は急激には進展しないため，今まで実施してきた点検結果から性能に影響を及ぼす劣化事象が生じていないことが確認できれば，今後も急激な性能低下が生じる可能性は低いと評価する．

プレストレスシステムの場合，付図Ⅱ.7-3のようにCCV規格の供用期間中検査（ISI）における緊張材の緊張力試験において，リフトオフ試験または同等の試験により測定された端部緊張力（点検結果）を経年的に整理し，劣化事象である緊張材（テンドン）の緊張力低下の進展する傾向を把握し，進展予測を行うことができる．

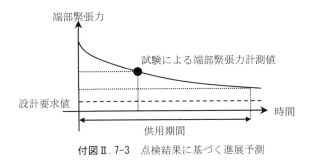

付図Ⅱ.7-3 点検結果に基づく進展予測

(3) 評価基準の設定

評価基準は，機能を維持するために必要な性能水準を確保する観点から，既往の指針類，最新の知見，実測結果に基づく根拠資料などに基づき設定する．以下に，劣化要因の評価基準を示す．

a) コンクリート部

PCCV のコンクリート部の評価基準は，本編のコンクリート構造物の評価基準と同様である．

b) プレストレスシステム

プレストレス損失（コンクリートの乾燥収縮・クリープおよび PC 鋼材のリラクセーション）の影響について，直接的に進展を予測することは困難であるため，構造安全性に影響を与える緊張材（テンドン）の緊張力低下について健全性評価を行う．

進展予測式に基づく予測値または点検結果に基づく予測値が，設計要求値以上である場合を B1（健全），現状の健全性評価のための定期点検で測定した端部緊張力は設計要求値以上であるが，供用期間中に設計要求値未満になる可能性がある場合を B2（経過観察），現状の健全性評価のための定期点検で測定した端部緊張力が，すでに設計要求値未満である場合を B3（要検討）とする．

8章　対策と効果の確認

a. 対策の検討と方法
 (1) 対策の検討
　　現状および長期的な健全性評価結果に応じた対策の検討は，本編の対策の検討と同様である．
 (2) 対策の方法
　　a) コンクリート部
　　　PCCVにおけるコンクリート部の対策の方法は，本編のコンクリート構造物の対策の方法と同様である．
　　b) プレストレスシステム
　　　現状および長期的な健全性評価結果に応じた対策の方法には，以下に示す現状点検の継続，点検の強化および補修などがある．
　　　1) 現状点検の継続
　　　　現状点検の継続は，劣化が認められない場合あるいは軽微な場合に選択される方法であり，現行の計画に基づく点検を以降も引き続き行うものである．
　　　2) 点検の強化
　　　　点検の強化の方法には，点検間隔の短縮と点検方法の変更がある．
　　　　① 点検間隔の短縮
　　　　　点検間隔の短縮は，劣化の状況をより高い頻度で点検し，劣化の進行状況を把握することにより，必要な性能水準を下回る前に，補修などの必要性を検討する．
　　　　② 点検方法の変更
　　　　　点検方法の変更は，点検方法自体の変更のほかに，劣化状況のより詳細な評価が必要と判断される場合に，点検対象範囲の拡大，当該劣化部位の点検項目の追加，点検方法の変更などを行うものである．
　　　　　プレストレスシステムの点検方法の変更としては，以下のようなことが考えられる．
　　　　　・緊張材（テンドン）の点検箇所を増やす（経過観察と評価された緊張材［テンドン］に隣接する緊張材［テンドン］）．
　　　　　・PC鋼線またはPC鋼より線を引抜き，材料試験を追加する．
　　　3) 補修など
　　　　補修などには，補修および二次評価がある．
　　　　緊張材（テンドン）の緊張力低下の対策としては，CCV規格の供用期間中検査（ISI）における補修・取替の解説に，緊張材（テンドン）を再緊張することにより必要緊張力を復元させること，同等またはそれ以上の性能を有する新しい部品に取り替えることなどが

記載されており，参考にするとよい．

b. 効果の確認
　補修を実施した場合の効果の確認は，本編の効果の確認と同様である．

9章 記 録

　維持管理計画，点検，健全性評価および対策と効果の確認に関する各結果の記録方法と保管方法は，本編と同様である．

補足資料　国外における PCCV の不具合事例調査結果

　国外における PCCV の不具合事例を補足資料-1 および補足資料-2 に示す．また，国外における不具合事例のうち，経年劣化によるものと考えられる不具合事例に対する国内の PCCV の状況を補足資料-3 に示す．

　なお，補足資料-1 および補足資料-2 の PCCV の不具合事例調査の主な参考資料を以下に示す．

参　考　資　料

- Nuclear Regulatory Commission : INFORMATION NOTICE 85-10, POSTTENSIONED CONTAINMENT TENDON ANCHOR HEAD FAILURE, 1985.2
- Nuclear Regulatory Commission : INFORMATION NOTICE 91-80, FAILURE OF ANCHOR HEAD THREADS ON POST-TENSIONING SYSTEM DURING SURVEILLANCE INSPECTION, 1991.12
- Nuclear Regulatory Commission : INFORMATION NOTICE 99-10 REVISION 1, DEGRADATION OF PRESTRESSING TENDON SYSTEMS IN PRESTRESSED CONCRETE CONTAINMENTS, 1999.10
- Nuclear Regulatory Commission : INFORMATION NOTICE 2004-09, CORROSION OF STEEL CONTAINMENT AND CONTAINMENT LINER, 2004.8
- Nuclear Regulatory Commission : NUREG-1522, Assessment of Inservice Conditions of Safety-Related Nuclear Plant Structures, 1995.6
- Nuclear Regulatory Commission : NUREG-CR-6598, An Investigation of Tendon Sheathing Filler Migration Into Concrete, 1998.3
- Nuclear Regulatory Commission : NUREG-CR 6679, Assessment of Age-Related Degradation of Structures and Passive Components for U.S. Nuclear Power Plants, 2000.8
- OAK RIDGE NATIONAL LABORATORY : ORNL/TM-2007-191, INSPECTION OF NUCLEAR POWER PLANT STRUCTURES - OVERVIEW OF METHODS AND RELATED APPLICATIONS, 2007.10
- NUCLEAR ENERGY AGENCY COMMITTEE ON THE SAFETY OF NUCLEAR INSTALLATIONS : CSNI WORKSHOP ON AGEING MANAGEMENT OF THICK WALLED CONCRETE STRUCTURES, ISI, MAINTENANCE AND REPAIR, INSTRUMENTATION METHODS AND SAFETY ASSESSMENT IN VIEW OF LTO, 2008

補足資料-1 国外のPCCVの不具合事例

部位	プラント名	不具合の発見時期	不具合事例	原因・状況
格納容器シェル部コンクリート	Three Mile Island-1 (米)	1974 建設時(運開 1974.9)	リングガーダ、支圧板付近にひび割れ	詳細は不明
	Turkey Point-3 (米)	1975 検査時(運開 1972.12)	リングガーダコンクリートの剥離	詳細は不明
	Point Beach-1 (米)	1991.10 検査時(運開 1970.12)	バットレス部にテンドンダクト位置に沿った水平ひび割れ	詳細は不明
	Oconee-1,2,3 (米)	1998.4 検査時(運開#1-1973.7, #2-1974.9, #3-1974.12)	支圧板下のコンクリートの剥離	詳細は不明
	Calvert Cliffs-1 (米)	1999.4 検査時(運開 1975.5)	バットレス部にひび割れ	詳細は不明
	Calvert Cliffs-2 (米)	1999.4 検査時(運開 1977.4)	ドーム部から水酸化カルシウムの溶出	詳細は不明
	San Onofre-2 (米)	1978 検査時(建設時)		熱によるグリースの高流動化とオイルの分離
	Fort Calhoun-1 (米)	1990 検査時(運開 1973.9)	シェル部からグリース漏れ	熱によるグリースの膨張
	Trojan (米)	1991.6 検査時(運開 1976.5)		グリースの低融解点
	Point Beach-2 (米)	1991.10 検査時(運開 1972.10)		詳細は不明
	Turkey Point-3 (米)	1970 検査時(運開 1972.12)	格納容器のデラミネーション(層剥離)	設計・施工上の不具合
	Crystal River-3 (米)	2009.9 蒸気発生器交換工事時(運開 1977.3)		
基礎版	Callaway-1 (米)	1977 建設時(運開 1984.12)	ハニカム状にひび割れ	鉄筋が密集したエリアに低スランプのコンクリートの使用
テンドンギャラリ部	Trojan (米)	1991.6 検査時(運開 1976.5)	コンクリートの剥離、炭酸カルシウムの滲出	詳細は不明
	Trojan (米)	1991.6 検査時(運開 1976.5)	地下水の浸出	外部からテンドンギャラリへの水の浸入
	Point Beach-2 (米)	1991.10 検査時(運開 1972.10)		テンドンギャラリ壁と天井のひび割れから浸出
	Turkey Point-3 (米)	1992.1 検査時(運開#3-1972.12)		
	Oconee-1,2,3(米)	1998.4 検査時(運開#1-1973.7, #2-1974.9)		詳細は不明
	Virgil C. Summer(米)	2000 検査時(運開 1984.1)		
	Joseph M. Farley-1, 2 (米)	2004 検査時(運開#1-1977.12, #2-1981.7)		テンドンギャラリ壁と基礎接合部より浸出

付録II　原子力施設における建築物の維持管理指針　解説
（プレストレストコンクリート製原子炉格納容器［PCCV］編）

補足資料-2　国外のPCCVの不具合事例

部位	プラント名	不具合の発見時期	不具合事例	原因・状況
プレストレスシステム	Byron-1,2 (米)	1979.11 建設中発生(運開#1-1985.9, #2-1987.8)	アンカーヘッドの破損	使用された塩基性鉄鋼材料の後熱処理の不具合
	Joseph M. Farley-2 (米)	1985.2 発見 (運開 1981.7)		水素応力割れ(グリースキャップの亜鉛と浸入した水との組合せによる)
	Oconee-2,3 (米)	1982 検査時(運開#2-1974.9, #3-1974.12)		鉛直テンドンシース内に溜まった水による腐食
	Joseph M. Farley-2 (米)	テンドン緊張 8 年後(運開 1981.7)	テンドンワイヤの破断・腐食	水素応力割れ、水の浸入
	Calvert Cliffs-1,2 (米)	1997.6 検査時(運開#1-1975.5, #2-1977.4)		水素応力割れ(施工時の不十分なグリース充填と水分の浸入による)
	South Ukraine-3 (ウクライナ)	不明		テンドン潤滑剤の喪失によるワイヤの腐食、外側ワイヤに過度の荷重がかかる設計
	Turkey Point-3 (米)	1992.1 検査時(運開#3-1972.12)	プレストレスシステムの水の蓄積	詳細は不明
	Oconee-1 (米)	1991.8 発見 (運開-1973.7)	リフトオフ中のテンドンワイヤの(アンカーヘッド内)破断	緊張作業中に降伏点を超える過緊張（試験作業管理上の不具合）
	Zion-2 (米)	1972 検査時(運開 1974.9)	テンドンワイヤの孔食	建設時のテンドンワイヤの屋外保管における降雨と不十分な防食
	San Onofre-3 (米)	1983 建設時(運開 1984.4)	リフトオフ値の許容値を超えた	リラクセーション率の過大評価
	Point Beach-1,2 (米)	1991.10 検査時(運開#1-1970.12, #2-1972.10)	支圧板とグリースキャップの腐食	詳細は不明
	Turkey Point-3 (米)	1974 検査時(運開#3-1972.12)	グリースキャップからのグリース漏れ	詳細は不明
	Trojan (米)	1991.6 検査時(運開 1976.5)		詳細は不明
	Robert E. Ginna (米)	1979, 1980 検査時(運開 1970.6)	テンドン張力の低下	誤った平均気温評価により設計リラクセーション値を過小評価
	Virgil C. Summer (米)	1990.2 検査時(運開 1984.1)		熱によるリラクセーションの増加
	Turkey Point-3,4 (米)	1992.11 検査時(運開#3-1972.12, #4-1973.9)		リフトオフ試験で同一のテンドンを使用し、度重なる緊張の実施
	Oconee-1,2,3 (米)	1995 検査時(運開#1-1973.7, #2-1974.9, #3-1974.12)		熱によるリラクセーションの増加
	Forsmark-2 (スウェーデン)	不明		

補足資料-3　国外の経年劣化による不具合事例に対する国内 PCCV の状況

部位		国外の経年劣化による不具合事例	国内 PCCV の状況
格納容器シェル部コンクリート		リングガーダ，支圧板付近にひび割れ	・国内の PCCV は，構造安全性・使用性・遮蔽性に影響するひび割れはないことが確認されている。 ・米国では，PCCV に外部塗装がなくコンクリート打放しのケースが多いのに対して，国内の PCCV のエングロージャビル（敦賀2号機）や外部塗装（大飯 3,4 号機，玄海 3,4 号機）により保護されている。
		バットレス部にひび割れ	
		ドーム部から水酸化カルシウムの溶出	
		バットレス部にニューテンドン位置に沿った水平ひび割れ	
		支圧板下のコンクリートの剥離	
		リングガーダコンクリートの剥離	
		シェル部からグリース漏れ	
基礎版テンドンギャラリ部コンクリート		コンクリートの剥離，炭酸カルシウムの滲出	・国外のテンドンギャラリは，基礎版下部に設置される場合があるのに対して，国内のテンドンギャラリは基礎版内部にあり，湧水対策も実施されているので，地下水などの影響を受ける環境にさらされていない。
		地下水の浸出	
プレストレスシステム		アンカーヘッドの破損	・国内のアンカーヘッドは塩基性鉄鋼材料を使用しておらず，水素応力割れに対する感受性が低いことが確認されている。 ・国内の PCCV の鉛直方向は逆 U テンドンになっており，定着部はテンドンギャラリ内にある。また，フープテンドンのグリースキャップも雨水が浸入しにくい構造となっている。 ・国内の PCCV ではリングに交換した O リングに劣化がないことが確認されている。 ・国内の PC 鋼材には低リラクセーション材が採用されている。
		テンドンワイヤの破断・腐食	
		プレストレスシステムの水の蓄積	
		支圧板とグリースキャップの腐食	
		グリースキャップからのグリース漏れ	
		リラクセーションの増加によるテンドン張力の低下	

原子力施設における建築物の維持管理指針・同解説

2008年 7 月25日	第1版第1刷
2015年12月15日	第2版第1刷
2024年 1 月25日	第3版第1刷

編 集
著作人　一般社団法人　日本建築学会

印刷所　昭和情報プロセス株式会社

発行所　一般社団法人　日本建築学会
　　　　108-8414　東京都港区芝 5-26-20
　　　　電　話・(03) 3456-2051
　　　　F A X・(03) 3456-2058
　　　　http://www.aij.or.jp/

発売所　丸善出版株式会社
　　　　101-0051　東京都千代田区神田神保町2-17
　　　　　　　　　神田神保町ビル
　　　　電　話・(03) 3512-3256

Ⓒ 日本建築学会 2024

ISBN978-4-8189-0679-2　C3052